CW00542266

## Hefyd ar gael gan yr un awdur:

Dan yr Wyneb

Dan Ddylanwad

Dan Ewyn y Don

Dan Gwmwl Du

Dan Amheuaeth

Dan ei Adain

Dan Bwysau

Dan Law'r Diafol

Dan Fygythiad

Dan Gamsyniad

Dan Gysgod y Coed

**Pleserau'r Plismon**
(Cyfrol o atgofion)

www.carreg-gwalch.cymru

# Dan y Dŵr

John Alwyn Griffiths

*Mae'r daith yma o ysgrifennu nofelau Cymraeg wedi parhau am ddeuddeng mlynedd erbyn hyn, ac wedi newid fy mywyd yn llwyr mewn ffordd na ddychmygais fyddai'n bosib. Mae hyn i gyd wedi bod yn bosib trwy ddiddordeb Myrddin ap Dafydd a gwaith a chymorth pawb arall yng Ngwasg Carreg Gwalch sy'n gweithio yn y cefndir, ond yn enwedig hoffwn ddiolch i Nia Roberts sydd wedi bod yn gyfrifol am olygu fy holl gyfrolau. Rwy'n diolch iddi am rannu ei phrofiad, am fy ysbrydoli pan fydd angen a'r cymorth rwy'n ei gael ganddi i ddatblygu fy medr fel awdur.*

Argraffiad cyntaf: 2023



ISBN clawr meddal: 978-1-84527-910-3
ISBN elyfr: 978-1-84524-560-3

Mae'r cyhoeddwyr yn cydnabod cefnogaeth ariannol
Cyngor Llyfrau Cymru

Cynllun clawr: Tanwen Haf

Cyhoeddwyd gan Wasg Carreg Gwalch,
12 Iard yr Orsaf, Llanrwst, Conwy, LL26 0EH.
Ffôn: 01492 642031 Ffacs: 01492 641502
e-bost: llyfrau@carreg-gwalch.cymru
lle ar y we: www.carreg-gwalch.cymru

*I Glenys*

# Pennod 1

Roedd hi'n noson dawel o hydref yn dilyn tridiau o stormydd gwyllt, a'r lleuad llawn yn taflu ei llewyrch ar ddail aur y coed ar hyd glannau afon Ceirw. Llifai cerrynt cryf yn yr afon, a darddai dros ddeng milltir ar hugain uwchlaw yn y mynyddoedd, gan redeg drwy Lyn Ceirw ar ei ffordd i Fôr Iwerddon.

Roedd hi ymhell wedi un ar ddeg pan drodd Prif Gipar afonydd yr ardal, Esmor Owen, am adref ar ôl shifft hwyr yn cadw golwg ar y bae nid nepell o geg yr afon, lle byddai ambell botsiwr yn mentro i'r môr liw nos i daflu rhwyd o gwch ar noson lonydd fel hon. Nid oedd wedi disgwyl gweld llawer gan fod pob potsiwr gwerth ei halen yn gwybod bod yr eogiaid wedi gadael y dŵr hallt i redeg yr afon yn llif cryf y dyddiau diwethaf... ond roedd Esmor wedi clywed si fod un o botswyr ifanc ardal Glan Morfa am drio'i lwc. Ar ôl cael y bae yn wag o gychod, a disgwyl yno am sbel, gyrrodd ei fan heibio i dŷ'r potsiwr a gweld ei fod gartref – am y noson, yn ôl pob golwg. Roedd rhywun wedi rhoi gwybodaeth ffals iddo, ystyriodd, ond roedd yn falch ei fod wedi gwneud yr ymdrech i fynd am sbec, jyst rhag ofn.

Synnodd Esmor o weld nad oedd car ei gyfaill a'i fentor, Daniel Pritchard, wedi'i barcio o flaen ei dŷ. Roedd hi dipyn yn hwyr i ddyn o'i oed o fod allan – roedd Dan yn ei saithdegau ac wedi bod yn gipar i'r Bwrdd Dŵr ar hyd ei oes, ond methodd ag ymddeol yn llwyr pan ddaeth yr amser i arafu ac edrych ymlaen at fywyd distawach.

Gyrrodd Esmor filltir i ochr arall y dref i dŷ Dafydd, mab Daniel, ond doedd car Dan, Ffordyn bach glas, ddim yn y fan honno chwaith. Drwy lwc, roedd Dafydd allan yn rhoi'r biniau sbwriel wrth y giât.

'S'mai, Daf,' meddai.

'O, dwi'n eitha, Esmor, diolch. Ond mi wyt ti allan yn hwyr.'

'Wyddost ti fel ma' hi, Daf, yn enwedig yr adeg yma o'r flwyddyn pan mae'r eogiaid hwyr yn rhedeg yr afon. Sut mae dy dad? Dwi ddim wedi'i weld o ers dyddiau.' Doedd hynny ddim yn anarferol, ond doedd Esmor ddim eisiau poeni Dafydd os nad oedd raid.

'Iawn, duwcs annw'l. Welis i o gynna'n pasio yn ei gar, yn mynd ar ei drafals, fel y bydd o. Wnaiff o ddim 'rafu.'

'Dydi o byth wedi cyrraedd adra. Doedd 'na ddim arwydd o'i gar o pan o'n i'n pasio'r tŷ ddim llawer yn ôl.'

'Tydi hynny'n ddim byd newydd, nac'di, Esmor. Rhyngtho fo a'i betha.'

Doedd Dafydd Pritchard yn amlwg ddim yn poeni am ei dad, ond doedd o ddim mor gyfarwydd â hynny â chipera a photsio, yn wahanol iawn i'w dad. Ffarweliodd y ddau, ond nid oedd Esmor yn hapus o bell ffordd. Doedd dim rheswm i'r hen fachgen fod allan ger yr afon ar noson fel heno. Roedd gormod o lif i botsio, a llawer iawn gormod i bysgota am sewin. Ni allai Esmor fynd adref heb fodloni'i hun fod ei gyfaill yn iawn, felly penderfynodd fynd heibio pob llecyn y byddai Dan yn parcio ynddyn nhw cyn mentro ar droed ar hyd llwybrau'r glannau. Yr un cilfachau fyddai o'n eu defnyddio bob amser, a hynny ers ymhell dros hanner canrif.

Roedd Dan Dŵr, fel roedd o'n cael ei adnabod gan

bawb yn y cyffiniau, wedi bod yn fwy na chydweithiwr iddo erioed. Dipyn o wariar oedd Esmor pan oedd yn dechrau fel prentis yn ei swydd, a chofiodd fel yr oedd Dan wedi ei lywio'n gelfydd oddi wrth sefyllfaoedd a phobl drafferthus, ei roi ar ben ffordd, dylanwadu arno i fod yn gipar a bod yn gefn iddo wrth i'r dyn ifanc dyfu yn ei swydd. Cyn hir, daeth Esmor yn gefn i Daniel, a doedd neb yn falchach na Dan pan gafodd Esmor ei ddyrchafu yn Uwch Gipar ar ardal eang yng Ngwynedd, uwchben ei fentor.

Ar ôl i Dan ymddeol, sylweddolodd Esmor nad oedd ei hen gyfaill yn dygymod yn dda iawn â'i fywyd segur newydd, felly trefnodd i Gymdeithas Bysgota Afon Ceirw ei gyflogi yn rhan amser i edrych ar ôl dyfroedd y Gymdeithas, er mai dim ond darn bach iawn o'r afon oedd hwnnw. Roedd Esmor wrth ei fodd yn gweld Dan yn hapus unwaith eto – byddai'r hen fachgen yn cerdded glannau'r afon bob dydd yn ystod y tymor pysgota, gan oedi i sgwrsio gyda'r pysgotwyr, arwyddo trwyddedau, rhoi cyngor ac, ambell dro, cynnig cymorth i rwydo pysgodyn. Roedd parch y pysgotwyr tuag ato yn amlwg.

Dechreuodd Esmor ei daith yn aber afon Ceirw yn harbwr Glan Morfa, a gwnaeth ei ffordd allan o'r dref a oedd bellach yn dywyll a distaw. Culhaodd y ffyrdd wrth iddo deithio ymhellach i gyfeiriad y bryniau. Erbyn hyn doedd Esmor ddim yn edrych ymlaen at ddod ar draws y Ffordyn, ond cyn hir, a hithau'n tynnu at hanner nos, gwelodd y cerbyd cyfarwydd ar damaid o laswellt wrth ymyl trac a oedd yn arwain i lawr tua'r afon. Parciodd ei fan ei hun o'i flaen. Dechreuodd ei galon gyflymu, a theimlodd ddafnau o chwys oer yn cronni ar ei war. Disgleiriodd olau ei dortsh i mewn i'r cerbyd, gan ofni gweld corff difywyd

Dan ynddi, ond na. Roedd popeth i'w weld yn iawn a phob drws wedi'i gloi. Cerddodd i lawr tua'r afon oedd yn rhuthro'n swnllyd drwy'r coed islaw. I ba gyfeiriad ddylai o fynd, tybed? I fyny ynteu i lawr yr afon? Yng ngolau'r lleuad a'i dortsh, chwiliodd am unrhyw arwydd o symudiad yn y gwlith a'r gwe pry cop oedd fel planced sidan ar y ddaear. Am y tro cyntaf erioed, nid chwilio am arwydd o botsiars oedd o, ond am unrhyw olion fod ei gyfaill wedi troedio'r tir. Dim byd. Penderfynodd gerdded i fyny'r afon. Camodd yn wyliadwrus gan stopio bob hyn a hyn i geisio gwrando am unrhyw sŵn dros ruo'r lli, ond dim ond cri un dylluan unig a glywai, yn y coed uwch ei ben. Gresynodd nad oedd ei glyw yn well nag yr oedd o – er bod ei olwg yn eithriadol o dda, ddydd a nos, collodd ei glyw yn un glust yn dilyn sgarmes â photsiwr rai blynyddoedd ynghynt.

Roedd yr afon wedi codi dros ran o'r cae agored o'i flaen. Gobeithiai Esmor i'r nefoedd nad oedd Dan wedi llithro i'r dŵr. Er bod yr hen gipar yn brofiadol tu hwnt, roedd y tir yn feddal dan draed... gallai fod wedi cael trawiad ar ei galon, neu ryw fath o ddamwain. Sut arall oedd egluro'i bresenoldeb yma mor hwyr? Cerddodd ar draws y cae ac yn ôl i'r goedwig ar yr ochr arall iddo, a dilyn y llwybr y byddai'r pysgotwyr yn ei ddefnyddio.

Ymhen ychydig lathenni safodd yn stond.

Yr esgidiau glaw a'r rhan isaf o'r coesau a welodd gyntaf. Roedd gweddill y corff wedi'i guddio yn y brwyn a'r llystyfiant, a hen gap stabl Dan wrth ei ochr. Dyma'n union roedd Esmor wedi'i ofni. Plygodd i lawr a cheisio troi Dan ar ei ochr. Roedd y corff yn gynnes ond gwelodd ar unwaith fod trwch o waed ar ochr dde ei ben. Chwiliodd am arwydd o fywyd: oedd, roedd ganddo bwls, er bod ei anadl yn wan.

Galwodd ei enw ddwywaith neu dair yn ei glust, ond doedd dim ymateb felly cydiodd Esmor yn ei ffôn a galw am gymorth, gan awgrymu y byddai angen hofrenydd yr ambiwlans awyr. Rhoddodd gyfarwyddiadau i gyrraedd y llecyn, gan addo mynd i chwifio golau ei dortsh yn y cae gerllaw pan glywai'r hofrenydd yn agosáu.

Tynnodd Esmor ei gôt a'i lapio am Dan, er mwyn ceisio gwneud yr hen ddyn mor gynnes a chyfforddus ag y gallai. Yna disgwyliodd. Llusgai'r munudau, ac wrth wasgu llaw Dan, meddyliodd Esmor am yr holl ddyddiau braf, hwyliog a brofodd y ddau yng nghwmni'i gilydd dros y blynyddoedd. Doedd dim arall allai o ei wneud – doedd rhif ffôn Dafydd ddim yng nghof ei ffôn bach, a doedd dim y gallai hwnnw ei wneud, hyd yn oed petai modd cael gafael arno.

Ceisiodd weld o ble'r oedd y gwaed yn dod, ond roedd gwallt yr hen fachgen yn dal yn drwchus felly doedd y briw ddim i'w weld. Ond o leia roedd y gwaedu wedi stopio, diolchodd. Ers pryd roedd Dan wedi bod yn y cyflwr hwn, tybed? A beth allai fod yn gyfrifol am y fath ddamwain? Edrychodd Esmor o'i gwmpas. Roedd nifer o foncyffion coed a gwreiddiau dan draed – y tebygrwydd oedd ei fod o wedi baglu dros un o'r rheiny. Chwiliodd am dortsh Dan, a dod o hyd iddi ychydig lathenni i ffwrdd. Mae'n rhaid ei fod o'n ei defnyddio hi pan ddisgynnodd, ond os hynny, pam nad oedd hi'n dal ymlaen? Pwysodd y botwm a daeth golau disglair ohoni. Roedd digon o egni ar ôl yn y batri, felly edrychai'n debyg fod Dan yn cerdded yn y tywyllwch cyn iddo ddisgyn. Doedd Esmor ddim yn synnu – roedd Dan yn gyfarwydd â'r amgylchedd, ddydd a nos, yn enwedig ar noson olau leuad fel hon.

Ymhen ychydig dros hanner awr, clywodd Esmor sŵn yr hofrenydd yn chwalu'r distawrwydd, ac aeth allan i'r cae er mwyn ei arwain yn nes gyda'i dortsh. Wrth iddo lanio trodd ei oleuadau llachar y nos yn ddydd, ac arweiniodd Esmor y parafeddyg i'r man lle gorweddai Dan. Dilynodd y peilot hwy, ac ar ôl iddynt archwilio Dan yn fanwl, rhoddwyd ef ar stretsier. Cyn i'r ddau ei gario i gyfeiriad yr hofrenydd, chwiliodd Esmor drwy bocedi'r hen ddyn am ei allweddi. Ar ôl eu darganfod, a gweld bod gweddill pocedi Dan yn wag, rhoddodd nhw yn ei boced ei hun.

'Be dach chi'n feddwl?' gofynnodd Esmor i'r parafeddyg.

'Dydi o ddim mewn cyflwr da,' atebodd hwnnw.

'Rhaid ei fod o wedi disgyn a tharo'i ben ar fonyn coeden neu wreiddyn caled,' awgrymodd Esmor.

Yn y golau gwan, edrychodd y parafeddyg yn syth i'w lygaid, a newidiodd tôn ei lais. 'Does gen i 'mo'r profiad angenrheidiol i gadarnhau hynny, yn enwedig yn y tywyllwch fel hyn,' meddai. 'Oeddach chi yma pan ddigwyddodd y peth?'

'Nag oeddwn.' Dywedodd Esmor yr hanes wrtho.

'Wel, yn fy marn i, nid bonyn na gwreiddyn achosodd ei anaf o, ond rwbath llawer iawn caletach. Ond i fod yn sicr, bydd raid i rywun archwilio'r briw pan gyrhaeddwn ni'r ysbyty.'

Rai munudau'n ddiweddarach roedd Esmor ar ei ben ei hun drachefn, yn gwylio goleuadau'r hofrenydd yn ymuno â'r sêr cyn diflannu o'r golwg a'i adael yn y tywyllwch unwaith yn rhagor.

Nid coeden achosodd anaf Dan. Ni allai gael geiriau'r parafeddyg allan o'i feddwl, a llifodd ias oer drosto. Cododd ei gôt oddi ar y ddaear wleb lle bu Dan yn gorwedd, ac edrychodd o'i gwmpas yn fanwl. Ni welodd ddim byd o ddiddordeb. Trodd yn ôl i gyfeiriad ei fan a gyrru'n ôl i Lan Morfa.

Aeth yn syth i dŷ Dafydd Pritchard. Roedd hi ymhell wedi tri o'r gloch y bore bellach, ac roedd cnocio trwm Esmor ar y drws yn ddigon i ddeffro'r holl stryd. Ar ôl iddo adrodd yr hanes wrth Dafydd, cychwynnodd hwnnw'n syth i Ysbyty Gwynedd.

Aeth Esmor adref ar ôl diwrnod hwy o lawer na'r disgwyl, ond ni allai gysgu.

# Pennod 2

Pedair awr a hanner o gwsg roedd Esmor wedi'i gael pan gafodd ei ddeffro gan ganiad ei ffôn: ei gyfaill Jeff Evans oedd yn galw o orsaf heddlu Glan Morfa.

Roedd y ddau wedi gweithio ochr yn ochr â'i gilydd ers blynyddoedd ac wedi dod yn gyfeillion triw yn y cyfamser. Yn fuan wedi iddynt gyfarfod, sylweddolodd y ddau eu bod, yn aml iawn, yn erlid yr un bobl gan fod rhai o droseddwyr Jeff yn potsio'r afonydd yn ogystal â dwyn a thorri i mewn i dai'r ardal. O'r herwydd, roedden nhw wedi gallu rhoi cymorth, y naill i'r llall, sawl gwaith dros y blynyddoedd. Un tro, wrth chwilio tŷ lleidr am hen ddodrefn wedi eu dwyn, daeth Jeff ar draws rhwydi amheus a llond rhewgell o eogiaid a oedd, deallodd yn ddiweddarach, ar eu ffordd i fwytai a gwestai'r ardal. Ar ôl cyhuddo'r dyn ynglŷn â'r dodrefn, mater i Esmor oedd delio â'r potsio, a bu'n rhaid i nifer o hoelion wyth diwydiant lletygarwch yr ardal fynd o flaen eu gwell hefyd. Dro arall, roedd Esmor ar ôl un o botsiars mwyaf yr ardal, ac un noson, wrth chwilio drwy rwydi a ddefnyddiwyd i ddal eogiaid yn harbwr Glan Morfa, daeth ar draws bedwar peiriant allfwrdd wedi eu dwyn o gychod cyn belled i ffwrdd â Sir Fôn. Tro Jeff a'i heddweision oedd hi i gymryd drosodd y tro hwnnw. Dyna sut roedd pethau'n gweithio, a dyna sut y tyfodd y berthynas rhyngddynt. Wrth gwrs, roedd ambell beint o gwrw bob hyn a hyn wedi helpu'r achos hefyd.

‘Clywed dy fod ti wedi bod allan yn hwyr neithiwr, Esmor,’ dechreuodd Jeff.

‘Newyddion yn teithio’n gyflym fel arfer, dwi’n gweld,’ atebodd Esmor gan rwbio’i lygaid i erlid cwsg ohonynt. ‘Be ’di hanes yr hen Dan erbyn hyn?’

‘Mae o’n dal mewn coma, cofia, ond yn waeth na hynny, mae’n debyg ei fod o wedi cael ei daro efo rhyw fath o arf trwm ac nad damwain oedd hi.’ Clywodd Jeff ochenaid ddofn Esmor yr ochr arall i’r ffôn. ‘Wyddan nhw ddim ddaw o dros hyn,’ ychwanegodd yn syber. Roedd pawb yn yr ardal yn adnabod yr hen Dan Dŵr, ac yn hoff iawn ohono.

‘Be fedra i wneud, Jeff?’ Roedd Esmor wedi deffro’n llwyr bellach.

‘Ei di â fi i lle ddigwyddodd y peth? Gawn ni weld sut eith hi o fanno.’

‘Ddei di i fy nôl i? Mae goriadau car Dan gen i, ac mi fyswn i’n medru dod â’i gar o’n ôl efo fi wedyn.’

‘Ia, iawn, ac mi roith hynny gyfle i mi gael golwg fanwl arno fo.’

‘Ty’d draw mewn rhyw hanner awr, i mi gael mymryn o frecwast cyn i ti gyrraedd.’

Toc wedi naw, gyrrodd Jeff gar y ditectifs allan o Lan Morfa gan ddilyn cyfarwyddiadau Esmor i’r gilfach ar lan yr afon.

‘Wnest ti amau neithiwr nad damwain oedd hi, Es?’ gofynnodd Jeff.

‘Do. Doedd y sefyllfa ddim yn gwneud synnwyr, rywsut. Mi wyddost ti gymaint o law ’dan ni wedi’i gael yn ddiweddar,’ esboniodd, ‘felly roedd ’na lot gormod o ddŵr yn afon Ceirw i neb fod yn potsio na physgota arni neithiwr.’

'Pam oedd Dan allan, felly?'

'Dim syniad.'

'Oedd rhywun wedi ei hudo allan at yr afon, tybed?'

'Dyna un posibilrwydd, ond pam? I be? Dim ond er mwyn ymosod arno fo? Mi allai rhywun fod wedi gwneud hynny yn rwla.'

'Gwir,' cytunodd Jeff.

'Nes i mi siarad efo'r parafeddyg, ro'n i'n meddwl mai bonyn coeden oedd yn gyfrifol am y briw. Meddylia bod rhywun wedi taro hen ddyn fel'na, a hynny'n fwriadol.'

'Sgwn i pa mor hir fu Dan allan wrth yr afon?' gofynnodd Jeff.

'Anodd deud, ond mi welodd Dafydd, ei fab o, ei gar yn y dre yn gynharach neithiwr. Mi fedar o ddeud wrthat ti faint o'r gloch oedd hynny.'

'Be yn union oedd ei gyfrifoldebau o, Es?'

'Dim cymaint â hynny, a deud y gwir. Dim ond bod ar yr afon yn ystod y tymor pysgota, cael ei weld gan y sgotwyr. Mi fydd o'n dod efo fi ar ôl i'r tymor ddarfod i ddal eogiaid sydd â chlwy arnyn nhw, ffrwythloni'r wyau a mynd â'r rheini i'r ddeorfa.' Eglurodd Esmor sut roedd Dan wedi methu dygymod ag ymddeol, a'i fod wedi mwy neu lai creu swydd iddo efo'r Gymdeithas Bysgota.

'Be am reoli'r potsian?'

'Na, dim ar ei ben ei hun, beth bynnag. Er bod dal potswyr yn ei waed o, mae o braidd yn hen y dyddiau yma i fynd i'r afael â dynion hanner ei oed o. Fy ffonio i i riportio unrhyw ddigwyddiadau mae o.'

'Cipar y Gymdeithas Bysgota ydi o felly? Dim ond gwneud yn siŵr fod gan bawb drwydded mae o?'

'Wel, ia a naci. Ti'n gweld, mae dŵr y Gymdeithas yn

rhedeg o ddŵr hallt yr harbwr i fyny cyn belled â'r grisiau eogiaid a adeiladwyd rai blynyddoedd yn ôl wrth ochr y rhaeadr fawr 'na, tua phum milltir o'r môr. Dŵr preifat sydd uwchben y fan honno.'

'Felly, ar un adeg, doedd eogiaid a sewin ddim yn medru mynd ymhellach i fyny'r afon na'r rhaeadr?'

'Yn hollol.'

'Ydi Dan wedi bod yn cipera'r fan honno hefyd, uwch ben y grisiau a'r rhaeadr?'

'Ydi, yn answyddogol, drwy gytundeb efo'r ffermwyr neu pwy bynnag sy'n dal yr hawliau pysgota.'

'I ba ran o'r afon ydan ni'n mynd rŵan?'

'Reit i fyny i'r top.'

'Y rhan breifat felly?'

'Dyna ti.'

Ymhen ugain munud roedd y ddau wedi cyrraedd y Ffordyn bach glas. Defnyddiodd Esmor y botwm ar yr allwedd i'w agor a chamodd Jeff at y car.

'Paid â dod yn nes, Es,' meddai, 'rhag ofn. Os bydd cyflwr Dan yn dirywio mi fydd angen archwilio'r car 'ma'n fanwl iawn. Ac wedi meddwl, fedra i ddim gadael i ti ei ddreifio fo chwaith – mi fydd yn rhaid i mi wneud trefniadau i fynd â fo i'r orsaf 'cw nes byddwn ni'n gwybod mwy.'

Wrth i Jeff ffonio i wneud y trefniadau dechreuodd Esmor sylweddoli pa mor ddifrifol oedd y sefyllfa.

'Oedd ffôn Dan ganddo fo neithiwr, Es?'

'Mi es i drwy bocedi ei gôt o cyn iddo fynd yn yr hofrenydd, i chwilio am ei oriadau, ond ffendis i mohono fo. Mi driais i'r rhif sawl gwaith neithiwr, ond tydi'r ffôn ddim yn canu.'

'Ond mi fydd o'n cario un fel rheol, bydd?'

'Bob amser. A dyna i ti beth arall – dwi ddim yn cofio dod ar draws ei lyfr nodiadau bach o chwaith. Fel cipar ar hyd ei oes, fysa fo byth yn mynd allan heb hwnnw... yn debyg iawn i blisman, am wn i. Dyna'r peth cynta ddysgodd o i mi pan o'n i'n dechrau yn y swydd.'

'Ella y down ni o hyd iddo fo pan awn ni i chwilio'r tir o gwmpas lle gafodd o'i daro,' awgrymodd Jeff.

'Wn i ddim,' atebodd Esmor. 'Mi chwiliais i neithiwr, ond mae'n bosib 'mod i wedi'i fethu o liw nos. Mi fydd ganddon ni well siawns rŵan ei bod hi'n olau dydd.'

Rhoddodd Jeff fenig di-haint am ei ddwylo cyn cymryd ychydig funudau i archwilio'r tu mewn i'r car, yn frysiog ond yn ofalus – doedd o ddim eisiau amharu ar unrhyw archwiliad posib gan y tîm fforensig a oedd yn fwy profiadol yn y maes. Welodd o ddim byd o bwys: roedd popeth yn lân a thaclus.

'Dwi'n synnu bod car Dan mor dwt, Esmor, o feddwl mai cipar afon ydi o. Dim byd tebyg i dy fan di,' ychwanegodd yn hwyliog.

Gwenodd Esmor am y tro cyntaf y bore hwnnw. 'Ia, un fel'na oedd o.' Oedodd am eiliad. '*Ydi* o,' cywirodd ei hun, 'un taclus bob amser, trefnus wrth ei waith ac adra, a bob dim fel pìn mewn papur.'

Cerddodd y ddau i lawr y trac tua'r afon.

'Argian, mae'r dŵr yn uchel,' meddai Jeff.

'Welist ti mohoni neithiwr. Ma' hi 'di disgyn cryn dipyn erbyn hyn a'r mwd wedi dechrau setlo. Dŵr perffaith i eogiaid, a hitha wedi bod mor sych drwy'r haf. Rhedeg y lli fyddan nhw rŵan i ti, ac mi fydd y 'sgotwyr yma yn eu cannoedd cyn pen dim, yn enwedig gan ein bod ni mor agos at ddiwedd y tymor.'

'Sut dymor ydi o wedi bod hyd yn hyn?' gofynnodd Jeff wrth ddilyn Esmor ar hyd y llwybr.

'Dim ond eitha, gan ei bod hi wedi bod mor sych drwy'r haf, a'r hydref tan y dyddia dwytha 'ma, ond ar ben hynny 'dan ni wedi gweld dipyn o bysgod marw yn dod i'r wyneb yn ddiweddar. Dwi'n amau bod un o'r potsiars wedi rhoi calch yn yr afon.' Gwelodd Esmor yr olwg ddryslyd ar wyneb Jeff, ac ymhelaethodd. 'Mae calch yn tynnu'r ocsigen o'r dŵr fel bod y pysgod yn mygu ac yn hawdd eu dal mewn rhwydi, ond mae'r cnawd yn dal yn iawn i'w fwyta. Fedra i ddim meddwl am ddim byd gwaeth... lladd pob dim am gannoedd o lathenni i lawr yr afon. Diolch i'r nefoedd am y lli mawr 'ma i olchi'r cwbwl i'r môr.'

'Oedd Dan yn ymwybodol bod y potsiars yn rhoi calch yn y dŵr?'

'Oedd, debyg iawn, ac yn benderfynol o'u dal nhw hefyd er nad oedd hynny'n un o'i gyfrifoldebau o. Mae o'n ei chael hi'n anodd iawn anghofio'r hen ddyletswyddau... mae dal potswyr yn ei waed o.'

Ymhen ychydig funudau roedd y ddau wedi cyrraedd y man lle cafwyd Dan yn anymwybodol. Er iddyn nhw chwilio'n fanwl am ffôn a llyfr nodiadau Dan doedd dim golwg ohonyn nhw, hyd yn oed a hithau'n olau dydd. Gwnaeth Jeff ymdrech i chwilio am olion traed dieithr, ond yn ofer gan fod Esmor, y parafeddyg a pheilot yr hofrenydd wedi bod yn troedio o gwmpas corff Dan y noson cynt.

Gan eu bod mor agos i Lyn Ceirw penderfynodd y ddau gerdded ymhellach i fyny'r afon. Bu'r llyn ar un adeg yn rhan o hen chwarel, ac ar un pen iddo, tua hanner milltir i ffwrdd, syrthiai wal o lechen las yn ddibyn serth i mewn i ddŵr eithriadol o ddwfn. Dros y blynyddoedd bu deifwyr yn heidio yno er mwyn plymio i'r dyfnderoedd, ac roedd sawl un wedi methu â dod yn ôl i fyny. Cofiai Jeff nifer o ymchwiliadau i farwolaethau'r rhai a foddwyd, a hanesion rhai eraill ychydig mwy ffodus oedd wedi gorfod cael eu hedfan i siambrau arbennig ar ôl codi i'r wyneb yn rhy gyflym. Ond dŵr mwy bas o lawer oedd ar ochr arall y llyn, lle rhedai afon Ceirw ohono.

'Fama ydi pen y daith i'r eogiaid, Esmor?' gofynnodd Jeff.

'Mae dipyn go lew yn aros yn y llyn, siŵr i ti,' atebodd y cipar, 'ond mae'n rhaid iddyn nhw gladdu eu hwyau yn nŵr y nentydd bach sy'n disgyn i'r llyn o'r mynyddoedd. Rhaid cael dŵr sy'n rhedeg yn eitha cyflym i wneud hynny.'

Cymerodd Jeff ei amser i edrych o'i gwmpas. Craffodd i fyny tua'r mynyddoedd. Ambell dŷ yn unig a welai, bythynnod bach lle bu ffermwyr defaid yn crafu byw am ganrifoedd. Yn uwch na'r rheiny, hyd yn oed, roedd olion chwareli oedd wedi hen orffen cael eu gweithio. Trodd i edrych i lawr i gyfeiriad y môr lle'r oedd y tyfiant yn llawer mwy gwyrdd. Gallai weld yr arfordir a rhan o dref Glan Morfa yn y pellter. Lle braf, meddyliodd, a heddychlon.

'Oes gen ti amser i ddod i Fangor efo fi, Esmor?' gofynnodd.

'Does gen i ddim byd pwysicach ar fy mhlât heddiw... fy mlaenoriaeth i ydi gwneud hynny alla i i dy helpu di, Jeff.'

Erbyn i'r ddau gyrraedd yn ôl at y Ffordyn roedd dau aelod arall o'r heddlu yno, yn barod i roi car Dan ar eu trelar. Ar ôl rhoi'r allwedd iddyn nhw gyrrodd Jeff ac Esmor i gyfeiriad Ysbyty Gwynedd.

# Pennod 3

'Deud chydig wrtha i am Dan, wnei di, Es?' gofynnodd Jeff wrth yrru i'r ysbyty.

'Gŵr gweddw ydi o. Dwi'n meddwl ei fod o tua saith deg wyth oed ffor'no, ac mi gollodd ei wraig tua deuddeng mlynedd yn ôl. Canser, ac mi dorrodd yr hen Dan yn ofnadwy ar ôl hynny. Un plentyn gawson nhw, Dafydd – Daf mae pawb yn ei alw fo – boi reit glên. Ella dy fod ti'n ei nabod o.'

'Na, er bod gen i ryw gof ohono fo. Oes gan hwnnw wraig a phlant?'

Trodd Esmor ei ben tuag at Jeff, ac roedd yn amlwg fod rhywbeth ar ei feddwl. 'Ro'n i'n amau y bysat ti'n holi,' atebodd. 'Dau blentyn sydd gan Daf a'i wraig, Elen. Gwyneth ydi'r hynaf, mae hi yn ei hugeiniau hwyr erbyn hyn. Hogan glyfar – mi aeth hi i'r coleg, ac erbyn hyn ma' hi wedi priodi rhyw foi o'r de ddaru hi ei gyfarfod yno. Mae'r ddau yn byw i lawr yn fanno yn rwla, ac ma' hi newydd gael babi. Ma' Dan wrth ei fodd yn cael bod yn hen daid... mae o'n meddwl y byd o Gwyneth ers pan oedd hi'n beth fach.'

'Dwi'n ama' o'r olwg ar dy wyneb di gynna nad ydi'r plentyn arall yn plesio cymaint ar ei daid,' awgrymodd Jeff.

'Ti'n llygad dy le, Jeff, fel arfer. Colin ydi enw mab Daf: Colin Pritchard.'

'Y diawl bach drwg 'na sy newydd ddod allan o'r

carchar? Rhyw firi efo cyffuriau os dwi'n cofio'n iawn, ond dwi erioed wedi delio efo fo fy hun. Wnaeth o ddim byd digon difrifol i dynnu sylw'r CID tan chydig fisoedd yn ôl... tydi o ddim wedi troi dalen lân, mi ddeuda i hynny wrthat ti am ddim. Sut mae o a Gwyneth mor wahanol?'

'Hogyn wedi'i fabwysiadu ydi Colin, ac mae hynny wedi bod yn faich mawr ar ei sgwyddau o erioed. Un ar ddeg oed oedd o pan ddysgodd o mai wedi'i fabwysiadu oedd o, ac mi aeth petha'n flêr ar ôl hynny. Mae o'n dair ar hugain erbyn hyn.'

'Mi fedra i weld sut gallai hynny ddigwydd,' meddai Jeff â rhywfaint o gydymdeimlad at y bachgen a'i deulu.

'Yn ôl yr hyn dwi'n gofio roedd Colin yn mynnu bod Gwyneth yn cael mwy o gariad a sylw gan Daf ac Elen, a phan wnaeth hi mor dda yn yr ysgol a'r coleg, a phlesio'i rhieni gymaint, wel, mi drodd hynny'r drol. Mi ddechreuodd Colin chwarae triwant o'r ysgol, dwyn o siopau, cymysgu efo criw drwg, y math yna o beth.'

'Sut wnaeth Daf ac Elen ymateb i hynny? Sut maen nhw wedi trin y sefyllfa?'

'Ar ôl trio a thrio mae Daf wedi colli pob diddordeb yn yr hogyn, a wela i ddim bai arno fo, deud y gwir,' atebodd Esmor. 'Does 'na ddim byd ond blydi trwbl efo fo ers deng mlynedd bellach. Mae Colin wedi tyfu'n foi mawr, abl, a dwi ddim yn meddwl bod ei dad yn gallu'i drin o pan oedd petha'n troi'n gorfforol.'

'Ydi Colin yn dal i fyw adra?'

'Nac'di, a dwn i ddim lle mae o ers iddo fo ddod o'r jêl. Ond mae o yn y cyffiniau 'ma. Ma' bois fel'na'n siŵr o gael hyd i rwla i roi eu pennau i lawr. Mae pobl y drygs yn edrych ar ôl ei gilydd fel dwi'n dallt.'

‘Sut mae o a’i daid, Dan, wedi bod yn cyd-dynnu?’

Oedodd Esmor cyn ateb. ‘Wn i ddim yn iawn, Jeff,’ atebodd o’r diwedd. ‘A fyswn i ddim yn licio deud clwydda wrthat ti.’

‘Sut ddaru Colin ddarganfod ei fod o wedi cael ei fabwysiadu?’

‘Yr hogia yn yr ysgol yn tynnu’i goes o. Mi aeth hi’n ffeit yno ryw ddiwrnod. Colin ddaeth allan ohoni orau, a’r unig beth allai’r llall ei wneud i frifo Colin oedd deud wrtho ei fod o wedi cael ei fabwysiadu. Dyna i ti greulon. Rhuthrodd Colin o iard yr ysgol y munud hwnnw a mynd yn syth at Dan i ofyn am y gwir. Pam nad aeth o at ei dad a’i fam, wn i ddim.’

‘A be ddeudodd Dan wrtho fo?’

‘Dwi ddim yn meddwl fod Dan wedi deud gair o gelwydd yn ei oes. Be fedra fo ddeud ond y gwir? Fedri di fentro sut roedd Colin yn teimlo, bod pawb yn gwybod am y peth o’i flaen o. Ers hynny mae Dan wedi gwneud ei orau dros yr hogyn, ond yn anffodus doedd ei orau ddim digon da ac mi aeth petha o ddrwg i waeth.’

Daeth y sgwrs i ben wrth i Jeff droi i mewn i faes parcio’r ysbyty.

Mewn ward ar lawr isaf yr adeilad, mewn ystafell ar ei ben ei hun, roedd Daniel Pritchard yn gorwedd mewn coma. Eisteddai Dafydd, ei fab, ar gadair y tu allan i’r drws â’i ben yn ei ddwylo.

Cyflwynodd Esmor y ddau arall i’w gilydd. Roedd llawer iawn o gwestiynau ar flaen tafod y ditectif, ond nid hwn oedd yr amser i’w gofyn.

‘Mae o wedi cael llawdriniaeth ac mae’r meddygon i

mewn efo fo ar hyn o bryd,' eglurodd Daf. 'Mi ddeudon nhw wrtha i gynna fod rhywfaint o ansicrwydd ynglŷn ag achos yr anaf, ond dwi'n dal i fod yn y tywyllwch. Pam nad ydyn nhw'n fodlon deud mwy wrtha i? Fi ydi ei fab o, wedi'r cwbwl.'

'Dyna pam dwi yma, Mr Pritchard, i ddarganfod y gwir,' meddai Jeff. 'Os nad damwain oedd hi, well i mi gychwyn yr ymchwiliad yn syth. Dwi'n dallt eich bod chi wedi gweld eich tad gyda'r nos neithiwr, Mr Pritchard. Pryd ac yn lle oedd hynny?'

'Ychydig cyn wyth, yng nghanol y dre. Mynd yn ei gar oedd o, ond does gen i ddim syniad i ble, a doedd ei weld o yn ei gar ddim yn anghyffredin, ddydd neu nos.'

'Ddaru o'ch gweld chi?' gofynnodd Jeff.

'Do. Mi gododd ei law a gwenu arna i 'fath ag arfer, ac mi wnes inna'r un peth.'

Edrychodd Jeff ac Esmor ar ei gilydd. Roedd Dan yn hapus ei fyd chydig wedi wyth o'r gloch, felly, heb unrhyw arwydd fod neb wedi ei fygwth na'i hudo i fynd i rywle yn erbyn ei ewyllys.

'Be ddigwyddodd i'r dillad roedd eich tad yn eu gwisgo ar y pryd?'

'Ma' nhw mewn bag ar lawr wrth ochr ei wely.'

Cymerodd Jeff y cyfle i nôl nifer o fagiau di-haint o'i gar, a phan ddaeth yn ôl roedd dau feddyg a nyrs newydd ddod allan o ystafell Dan.

Cyflwynodd Jeff ei hun iddynt, a throdd y tri i gyfeiriad Daf.

'Ydi hi'n iawn i mi siarad yn agored o flaen pawb?' gofynnodd y meddyg hynaf iddo.

'Wrth gwrs,' atebodd Daf.

Trodd y meddyg i wynebu Esmor, ac edrych i fyny ac i lawr ar ei ddillad a'i esgidiau. 'Dwi'n cymryd mai chi ydi'r cipar ddaeth ar ei draws o neithiwr?' gofynnodd.

'Cywir,' atebodd Esmor.

'Os felly,' parhaodd y meddyg, 'chi sy'n gyfrifol am achub ei fywyd o. Os, hynny ydi, y daw o drwyddi o gwbl.' Trodd i wynebu Daf unwaith yn rhagor. 'Mae'n rhaid i mi bwysleisio eto pa mor ddifrifol ydi cyflwr Mr Pritchard,' meddai. 'Ar ben ei anafiadau roedd eich tad yn dioddef o oerfel pan ddaethpwyd â fo i mewn yma. Byddai awr arall yn yr awyr agored wedi bod yn ddigon amdano fo. Mae o'n ffodus iawn eich bod chi wedi dod o hyd iddo.'

'Be ydi'i jansys o?' gofynnodd Daf yn bryderus.

'Chwe deg i bedwar deg o'i blaid o erbyn hyn,' atebodd y meddyg. 'Doedd o ddim cystal pan gyrhaeddodd o yn yr oriau mân, ond rydan ni wedi medru ei sefydlogi o ers hynny. Roedd yn rhaid i ni roi llawdriniaeth iddo er mwyn glanhau'r gwaed o'r tu mewn i'r briw a sicrhau nad oedd tameidiau o asgwrn yn debygol o niweidio ei ymennydd o. A chofiwch chi, mae o'n bur wael o hyd. Ei gael o allan o'r coma ydi'r cam cyntaf, a fedrwn ni ddim rhuthro'r broses honno.'

'Faint o amser gymerith hynny?' gofynnodd Daf.

'Dyddiau, o leiaf,' atebodd y meddyg. 'Cyn hired ag wythnos neu ddwy, ond mae'n amhosib dweud. Mi wnawn ni ein gorau.'

'Be fedrwch chi'i ddeud wrthon ni am yr hyn achosodd ei anaf o, doctor?' gofynnodd Jeff. 'Dwi'n dallt nad taro'i ben ar wreiddyn neu fonyn coeden ar ôl baglu wnaeth o.'

'Dewch efo fi, Ditectif Sarjant Evans,' meddai'r meddyg, gan amneidio ar i'r ddau arall aros lle roedden nhw. Doedd gan Esmor na Daf ddim gwrthwynebiad.

Mewn ystafell ar wahân dangosodd y meddyg ddelwedd sgan neu belydr-X o ben Dan i Jeff. Defnyddiodd feiro i bwyntio at y llun.

'Welwch chi'r toriad yma yn asgwrn y penglog? Mae o'n un glân, wedi'i wneud pan gafodd Mr Pritchard ei daro'n reit drwm a chiaidd efo rhywbeth siarp. Nid canlyniad codwm ydi hyn, mae hynny'n bendant.'

'Oes ganddoch chi syniad sut fath o declyn y dylwn i fod yn chwilio amdano?' gofynnodd Jeff.

'Fedra i ddim bod yn berffaith sicr. Dydi damcaniaethu ynglŷn â phethau tebyg ddim yn rhan o fy arbenigedd i fel llawfeddyg, ond os ydach chi yn gofyn i mi roi fy marn, rhyngddoch chi a fi, mi fyswn i'n awgrymu eich bod chi'n chwilio am far gweddol denau o fetel. Fedra i ddeud dim mwy, mae gen i ofn.'

Wedi i'r ddau ailymuno â'r lleill, ffarweliodd y meddyg ac aeth Jeff, Esmor a Daf i mewn i'r ystafell lle'r oedd Dan yn gorwedd. Gwisgodd Jeff fenig di-haint cyn dechrau chwilota drwy ddillad yr hen ŵr a rhoi'r gôt wrth-ddŵr, y siaced wlân a'r trowsus fesul un mewn bagiau plastig. Doedd dim hanes o ffôn symudol na llyfr nodiadau Dan, ond roedd ei waled ym mhoced gefn ei drowsus. Ynddi roedd y cardiau arferol a saith deg o bunnau mewn arian papur. Roedd mwy o arian mân mewn poced arall.

'Mae un peth yn sicr,' meddai Jeff. 'Nid lladrad oedd y cymhelliad.'

# Pennod 4

Roedd hi'n hwyr y prynhawn pan gyrhaeddodd Jeff yn ôl i orsaf heddlu Glan Morfa, yn awyddus i ddarganfod mwy am Colin Pritchard. Ar ôl munudau yn unig o chwilota ar system gyfrifiadurol yr heddlu, darganfu fod y gŵr ifanc wedi cael ei garcharu am flwyddyn ar ôl pledio'n euog yn Llys y Goron Caernarfon i gyhuddiad o fod â chyffuriau yn ei feddiant gyda'r bwriad o'u cyflenwi i eraill. Er bod ganddo un neu ddau o euogfarnau bychain eraill i'w enw cyn hynny, dyma'r tro cyntaf iddo brofi waliau'r carchar o'i amgylch. Oedd hynny'n arwyddocaol? Roedd cael blwyddyn o garchar yn ddedfryd reit llym i rywun oedd yn cael ei garcharu am y tro cyntaf, yn enwedig o ystyried bod y llanc wedi pledio'n euog. Roedd Colin wedi treulio hanner ei ddedfryd yn y carchar – rhaid ei fod o wedi bihafio yno, myfyriodd Jeff gan wenu – a dim ond chwe wythnos oedd ers iddo gael ei ryddhau ar y degfed ar hugain o Awst. Cwnstabl Dylan Morgan ddeliodd â'r achos, ac fel yr oedd hi'n digwydd bod, roedd y plismon ifanc hwnnw ar ddyletswydd.

Ymhen ugain munud, pan oedd Jeff yn mynd trwy'r gwaith papur a oedd wedi pentyrru ar ei ddesg yn ystod y dydd, daeth cnoc ar ddrws ei swyddfa.

'Ty'd i mewn, Dylan, a stedda.'

'Sarjant yn deud eich bod chi isio 'ngweld i,' meddai yn wên i gyd. Bachgen yng nghanol ei ugeiniau oedd PC Dylan Morgan, oedd yn awyddus i ymuno â'r CID cyn gynted â phosib. Byddai'n manteisio ar bob cyfle i ddysgu, ac roedd Jeff yn ymwybodol o hynny.

'Sut ma' petha'n mynd, Dylan?' gofynnodd. 'Dwi'n gweld dy fod ti'n arestio dipyn go lew o gwmpas y dre 'ma. Caria di mlaen fel hyn, a buan y daw'r amser i ti wneud cais i ddod aton ni yn y CID am gyfnod prawf.' Gwelodd Jeff wên y dyn ifanc yn lledu.

'Diolch yn fawr i chi, Sarj,' atebodd. 'Dwi'n trio 'ngorau.'

'Wel, nid i dy ganmol di dwi wedi gofyn i ti ddod yma, Dylan. Chdi arestiodd Colin Pritchard am droseddau'n ymwneud â chyffuriau, yntê? Dwi ddim yn cofio'r achos am ryw reswm.'

'Mi oeddach chi'n gweithio'n gudd pan wnes i ei arestio fo y tro cynta, Sarj. Y busnes 'na i lawr yn Llundain oedd yn gysylltiedig â'r ffarm gŵn, dwi'n meddwl. Ond mi gymerodd hi fisoedd i'r achos ddod i Lys y Goron. Yn y gwanwyn gafodd o'r ddedfryd o flwyddyn, ac roedd o allan ar parôl ddiwedd yr haf. Ro'n i wedi synnu ei fod o wedi cael cymaint â blwyddyn o garchar, deud y gwir, gan mai hwn oedd y tro cynta iddo gael ei yrru i lawr.'

'Ia, reit bosib mai dyna lle o'n i. Wnei di ddeud hanes yr achos wrtha i plis, Dylan? Be wnaeth i ti ei arestio fo?'

'Achos reit syml, a deud y gwir. Mi ddaliais i o yn cario pecyn o gyffuriau: canabis, cocên a rhywfaint o dabledi. Gwerth tua phum mil ar y stryd. Dyna pam gafodd o gymaint o ddedfryd am wn i – hynny a'r ffaith ei fod o'n gwrthod deud lle gafodd o nhw, nac i bwy roedd o'n bwriadu'u gwerthu nhw.'

'Yn lle wnest ti ei arestio fo?'

'Yn dod allan o iard gefn tŷ ei daid. Roedd o wedi bod yn cuddio'r gêr yn sied yr hen fachgen.'

‘Dan Pritchard wyt ti’n feddwl? Dan Dŵr?’

‘Ia, dyna fo.’

‘Sut oeddat ti’n gwybod ei fod o yno, ac yn cario’r cyffuriau, Dylan? Paid â deud mai cyd-ddigwyddiad oedd o.’

Gwenodd Dylan eto, ond wnaeth o ddim ateb.

‘Oedd gen ti hysbysydd?’

Oedodd Dylan cyn ateb. ‘Ro’n i’n meddwl fod ganddon ni hawl i gadw hysbysydd da yn gyfrinachol, Sarj.’

Welai Jeff ddim bai arno am drio. Wedi’r cwbwl roedd Dilys Hughes, neu Nansi’r Nos, wedi bod yn hysbysu iddo fo ers bron i ddegawd bellach, a dim ond un neu ddau a wyddai am y berthynas rhyngddyn nhw.

‘Wel, mae hynny’n wir, Dylan, ond mae’n wir hefyd fod protocol i gadw ato pan mae hysbysydd yn cael ei ddefnyddio: cofnod swyddogol o’r cyfarfodydd, nodiadau manwl o’r hyn gafodd ei ddeud, y math yna o beth.’ Ni allai gofio sawl gwaith roedd o’i hun wedi anwybyddu’r rheolau, ond roedd ganddo gyfrifoldeb i ddysgu bechgyn ifanc fel Dylan i wneud pethau’n iawn. ‘Ond y rheswm dwi’n gofyn,’ parhaodd, ‘ydi bod Daniel Pritchard mewn coma yn yr ysbyty ar hyn o bryd ar ôl i rywun ymosod arno neithiwr.’

Gallai Jeff weld bod Dylan yn ceisio ystyried beth, a faint, i’w ddweud.

‘Dwi’n dallt yn iawn, Sarj. Dan Dŵr ei hun oedd yr hysbysydd. Dwi’n gobeithio i’r nefoedd ei fod o’n iawn.’

‘Rhy fuan i ddeud ar hyn o bryd, mae gen i ofn.’

‘Oes ’na gysylltiad rhwng y ddau ddigwyddiad, dach chi’n meddwl?’ gofynnodd Dylan.

‘Dyna dwi’n ceisio’i ddarganfod, ’ngwas i.’ Eisteddodd Jeff yn ôl yn ei gadair i wrando ar weddill y stori.

'Mae Colin wedi bod yn creu trafferth i'w deulu ers blynyddoedd, ac mae Dan wedi trio'i orau efo fo, sy'n lot mwy nag y gwnaeth Daf, tad Colin. Wir i chi, mae Dan wedi gwneud bob dim all o i drio cael yr hogyn i newid ei ffordd – gadael iddo fo ddod i aros yn ei dŷ o, hyd yn oed, unrhyw bryd roedd o angen to uwch ei ben ar ôl ffraeo efo'i dad. Roedd o'n rhoi pres iddo fo hefyd, a be mae Colin yn wneud? Dwyn mwy o bres oddi wrth ei daid. Pan ddaru Dan drio siarad efo fo, syrthiodd Colin ar ei fai, a dywedodd yr hen ddyn wrtho am ofyn y tro nesa roedd o'n fyr, yn hytrach na dwyn. Dyna i chi garedigrwydd.'

'Sut gwyddost ti hyn i gyd, Dylan?'

'Dan ddeudodd wrtha i, ac mi oedd y tristwch a'r siom yn amlwg wrth iddo adrodd yr hanes. Ond mi ddaeth y cwbl i'r pen pan ffeindiodd Dan y cyffuriau wedi cael eu cuddio yn ei sied. Mi fysa Dan wedi medru bod dan amheuaeth petaen ni'r heddlu wedi'u ffeindio nhw. Mi wylltiodd yn gacwn. Doedd ganddo ddim syniad lle ddiawl roedd Colin wedi cael gafael ar ddigon o bres i brynu'r ffasiwn stwff yn y lle cynta.'

'Felly be wnest ti?'

'Cuddio yn yr ardd am oriau un noson, yn disgwyl. Yn y diwedd mi ddaeth Colin yno i nôl y pecyn, tua un ar ddeg o'r gloch y nos, ac mi neidiais i arno fo.'

'Ar dy ben dy hun oeddat ti?'

'Ia.'

'Job dda, Dylan. Oedd Colin yn gwybod mai ei daid wnaeth achwyn arno fo?'

'Doedd dim angen bod yn Mastermind i roi dau a dau at ei gilydd... ond mae'n dibynnu faint o bobol oedd yn gwybod lle oedd ei stash o wedi cael ei guddio.'

'Be ydi dy farn di?' gofynnodd Jeff.

'Oedd, mi oedd o'n gwybod, neu yn amau'n gryf. Roedd o'n amau digon i fygwth ei daid pan oedd o allan efo'i fêts yn nhafarn y Rhwydwr tra oedd o'n disgwyl mynd o flaen ei well.'

'Ddaru o fygwth Dan yn bersonol, neu drio gwneud unrhyw niwed iddo fo?'

'Na,' atebodd y cwnstabl. 'Fel arall ddigwyddodd hi. Cyn i Colin ymddangos gerbron y llys, mi roddodd rywun uffar o gweir iddo fo. Cweir go iawn, digon i'w roi o yn yr ysbyty am ddiwrnod neu ddau. Roedd 'na olwg ofnadwy arno fo yn y doc pan safodd yno i dderbyn ei gosb. Ei lygad a'i foch o wedi chwyddo'n ddychrynllyd.'

'Pwy wnaeth?'

'Wn i ddim. Mi ofynnais iddo fo wneud cwyn, ond gwrthod ddaru o gan ddweud ei fod o'n ddigon o foi i ddelio efo'r peth ar ôl iddo fo ddod allan.'

'A dyma fo, allan rŵan ers chwe wythnos,' meddai Jeff, 'ac yn rhydd i wneud beth bynnag oedd ar ei feddwl o tra bu o'n stiwio yn y carchar.'

# Pennod 5

Newydd gyrraedd adref oedd Dafydd Pritchard pan gnociodd Jeff ar ddrws ei dŷ ychydig wedi chwech o'r gloch y noson honno. Daliodd y dyn canol oed ei afael ar y drws ar ôl ei agor, fel petai ei goesau'n rhy wan i'w gynnal. Edrychai'n llawer hŷn nag arfer gan nad oedd wedi eillio ers y bore cynt.

'Dewch i mewn, Sarjant Evans. Do'n i ddim yn disgwyl eich gweld chi eto heno.'

Dilynodd Jeff o drwodd i'r lolfa dwt oedd wedi'i dodrefnu'n ffasiynol. Synhwyrodd Jeff ei fod ar ei ben ei hun.

'Panad?' gofynnodd Daf.

'Dim diolch,' atebodd Jeff. 'Wnes i ddim meddwl gofyn i chi gynna yn yr ysbyty am eich gwraig. Ella nad ydi o'n fusnes i mi, ond pam nad oedd hi efo chi heddiw?'

'Mae hi wedi mynd ar ei gwyliau i Sbaen efo'i chwaer a dwy o'i ffrindiau. Well gen i beidio mynd i'r gwres fy hun, felly ma' hi'n mynd efo'r genod. Do'n i ddim yn meddwl bod 'na bwynt i mi adael iddi wybod am Dad a sbwylio gwyliau pawb.'

'Sut oedd eich tad pan adawoch chi'r ysbyty?'

'Dim newid, ond ma' nhw i weld yn o lew o hapus efo fo. Fel y clywsoch chi, mi gymerith bedwar neu bum diwrnod i ddangos unrhyw gynnydd ar ôl y ffasiwn sgeg. Mi ddeuda i wrth Elen pan fydda i'n gwybod mwy.'

‘Ylwch, Daf. Ga’ i holi dipyn amdanoch chi… i gael gwell syniad o fywyd teuluol eich tad?’

‘Cewch, am wn i.’

‘Be dach chi’n wneud o ran gwaith?’

‘Gweithio i mi fy hun ydw i. Trydanwr, ers deng mlynedd ar hugain bellach.’

‘Pa mor agos ydach chi a’ch tad?’

‘Agos iawn, yn enwedig pan o’n i’n iau, ond rydan ni wedi gorfod delio efo dipyn o broblemau teuluol ers hynny.’

Dyma’r cyfle roedd Jeff wedi bod yn disgwyl amdano. ‘Mi wn i ryw gymaint am hynny… isio siarad efo chi am Colin ydw i.’

Ochneidiodd Daf. ‘Ro’n i’n amau ei fod o’n mynd i fod yn rhan o’ch ymchwiliad chi, Sarjant, ond chydig iawn fedra i ddeud wrthoch chi, mae gen i ofn. Dwi ddim wedi gwneud rhyw lawer efo Colin yn y blynyddoedd dwytha ’ma.’

Dechreuodd Dafydd Pritchard roi crynodeb o’r berthynas rhyngddo fo a’i fab ers i Colin ddarganfod ei fod wedi cael ei fabwysiadu, a wnaeth Jeff ddim cymryd arno ei fod yn gwybod rhan helaeth o’r stori eisoes.

‘Mae’r bai arna i ac Elen, mae gen i ofn. Ar ôl genedigaeth Gwyneth doedd Elen ddim yn medru cael mwy o blant, a dyna pam wnaethon ni benderfynu mabwysiadu. Fuon ni erioed mor hapus, ond rydan ni’n dau’n difaru’n heneidiau na ddeudon ni wrth Colin o’r dechrau. Mi oedd y ffordd ddysgodd o am y peth mor greulon… a rhedeg yn syth at Dad ddaru o, dim at ei fam a fi. Mae hynny’n dangos faint roedd y peth wedi’i frifo fo.’

‘A dyna pryd ddechreuodd petha fynd yn flêr?’

‘Ia, ac o ddrwg i waeth aeth hi. Mi oedd cwffio yn y tŷ

’ma, hyd yn oed, a’r unig beth ro’n i ac Elen isio oedd rhoi cariad iddo fo. Yr helynt oedd ein cosb ni am beidio bod yn onest efo fo o’r cychwyn, a drychwch sut mae petha wedi troi allan.’

‘Be dach chi’n feddwl?’

‘Newydd ddod allan o’r jêl mae o. Dwi’n siŵr eich bod chi’n gwbod hynny.’

‘Ydach chi’n gyfarwydd â manylion yr achos?’

‘Dim ond ei fod o wedi cael ei ddal efo llwyth o gyffuriau. Erbyn hynny ro’n i wedi cael digon ar ddelio efo Colin, ac mi wnaeth Elen a finna droi cefn arno fo, er lles ein hiechyd ein hunain. Aethon ni ddim i’r llys – doeddan ni ddim isio gwybod.’

‘Yn lle gafodd o’i ddal, Daf?’

‘Wn i ddim yn iawn... ddim yn bell o dŷ Dad yn ôl y papurau newydd. Fel ddeudis i, chydig iawn o ddiddordeb dwi wedi’i gymryd ynddo fo ar ôl iddo adael Elen a finna i lawr gymaint o weithiau.’

‘Ddaru eich tad sôn am yr achos, ar y pryd neu wedyn?’

‘Naddo, dim gair.’

‘Sut oedd eich tad yn gwneud efo fo?’

‘Gwell na fi, ond mi ddigwyddodd rwbath rhyngddyn nhw tua blwyddyn yn ôl oedd yn ddigon i chwalu unrhyw berthynas oedd ganddyn nhw.’

‘Pwy roddodd andros o gweir i Colin chydig cyn ei achos llys?’

‘Nid fi, mae hynny’n sicr i chi. Na Dad chwaith, dwi’n siŵr. Ond mae pwy bynnag wnaeth yn dipyn o foi – mae Colin yn medru edrych ar ôl ei hun yn iawn.’

‘Lle mae Colin yn byw ers iddo fo ddod allan o’r carchar?’

'Dwi ddim yn meddwl bod ganddo fo gyfeiriad sefydlog. Ella'i fod o'n byw efo'i fêts... does 'run ohonyn nhw'n gweithio, a sgin i ddim syniad lle ma' nhw'n cael pres i focha efo diod a drygs. Yn ôl be glywis i, mae o wedi cael ei weld o gwmpas y lle efo rhyw ddynion diarth. Ella'i fod o wedi'u cyfarfod nhw yn y jêl. Synnwn i ddim.'

'Rhaid i mi ofyn hyn i chi'n blwmp ac yn blaen, Daf. Fysa Colin yn ymosod ar ei daid?'

Edrychodd Dafydd i lygaid Jeff, ac ar ôl oedi am eiliad, atebodd yn ddistaw. 'Mi fedar Colin frifo unrhyw un os oes ganddo fo reswm digon da i wneud hynny. Ond pam fysa fo'n brifo'i daid?'

'Dyna'r cwestiwn. Cadwch mewn cysylltiad, os gwelwch yn dda, Daf, ac mi wna inna'r un peth.'

'Siŵr iawn, Sarjant Evans.'

'Galwch fi'n Jeff.'

Penderfynodd Jeff wneud un ymholiad bach arall cyn mynd adref, ond doedd fin nos fel hyn ddim wastad yn amser da i ymweld â Nansi. Rhoddodd ganiad sydyn iddi cyn galw draw – rhag ofn ei bod yn 'brysur'.

'Nansi bach, dy hoff dditectif di sy 'ma.'

'Jeff, fy mlodyn tatws i! Ti 'di bod yn ddiarth yn ddiweddar.'

'Gwranda, dwi angen sgwrs. Wyt ti isio fy nghyfarfod i ar lôn y traeth, neu ydi hi'n saff i mi ddod draw acw?'

'Na, ty'd yma. Ar ben fy hun ydw i.'

Roedd hi wedi dechrau tywyllu erbyn i Jeff gyrraedd y stad dai cyngor, a phenderfynodd barcio'i gar ganllath o dŷ Nansi a cherdded yno ar hyd y llwybr cefn. Agorodd y drws cefn fel roedd o'n cyrraedd, a chafodd ei daro gan arogl yr alcohol wrth gerdded i mewn i'r gegin. Gafaelodd Nansi yn nefnydd ei hen gôt ddyffl a'i dynnu tuag ati gan anelu am gusan, ond tynnodd Jeff yn ôl.

'Rargian, Nansi bach, watsia 'cofn i ti rwygo 'nghôt i! Ti 'di bod ar y lysh go iawn pnawn 'ma, yn do?'

'O, dim ond potel neu ddwy o fodca a dipyn o win, a hynny rhwng tair ohonan ni. Sôn am hwyl! Newydd fynd o'ma mae'r genod. Cesys ydi Morfudd a Siwan... chwiorydd... heb gael gymaint o laff ers oes. Ti'n 'u nabod nhw?'

'Ydw, tad.' Doedd o ddim mewn hwyliau am sgwrs heno – roedd Nansi wedi yfed gormod ac roedd o'n ysu i gael mynd adref. 'Ond gwranda rŵan, Nansi bach,' parhaodd, 'dwi isio siarad...'

'O, diawl, Jeff, fel'ma ma' hi bob tro efo chdi. Gwaith, gwaith, gwaith. Ty'd i ista ar 'y nglin i.'

'Nansi, ty'd 'laen, ti'n gwbod y sgôr bellach.'

Aeth y ddau i'r lolfa, a edrychai fel petai bom o wydrau a photeli wedi ffrwydro yng nghanol platiau gwag, bocsys o siocled a thiwbiau Pringles. Bloeddiai'r teledu mawr yn un cornel a diffoddodd Jeff o cyn eistedd allan o afael Nansi.

'Be wyddost ti am hogyn o'r enw Colin Pritchard? Mae o newydd ddod allan o'r carchar.'

'Dim llawer,' atebodd Nansi, 'ond mi oedd o'n prynu rhywfaint o stwff gen i bob hyn a hyn.'

'Faint, a sut fath o stwff?'

'Dipyn o ganabis, dyna'r cwbwl fydda i'n werthu, fel ti'n gwybod. Dim ond digon iddo fo'i hun, ond dwi ddim wedi'i weld o ers dros flwyddyn dwi'n siŵr.'

'Be taswn i'n deud wrthat ti ei fod o wedi cael ei ddal efo gwerth dros bum mil o bunnau o gyffuriau caled?'

'Blydi hel! Mi fysa hynny'n sathru ar draed y lleill sy'n gwerthu yn y dre 'ma, ond hyd y gwn i, dydi o ddim yn ddeliwr. Wel, ddim yng Nglan Morfa beth bynnag, neu mi fyswn i'n gwbod am y peth, saff i ti.'

'Dyna'r cwbwl o'n i isio'i wybod. Diolch i ti, Nansi, a chadwa dy glustia'n agored, wnei di? Dwi isio gair efo fo, gynted â phosib. Os glywi di ei hanes o, neu ei weld o rownd y lle 'ma, mi wyddost ti lle i gael gafael arna i.'

Adref, meddyliodd Jeff. Roedd hi'n tynnu at wyth o'r gloch ac roedd o wedi bod allan o'r tŷ ers wyth y bore hwnnw. Cofiodd am yr addewid a wnaeth i'w wraig, Meira, i weithio llai a threulio mwy o amser yn bod yn ŵr a thad. Ond ar y ffordd adref ni allai beidio â meddwl am Colin. Oedd o'n delio? Oedd, siŵr o fod. Os felly, i bwy oedd o'n gwerthu? Ar ôl chydig oriau yn unig o ymchwil, edrychai'n debyg fod Colin ar ben y rhestr o bobl a allai fod wedi ymosod ar Dan Dŵr.

# Pennod 6

Ar ôl danfon y plant i'r ysgol, cyrhaeddodd Jeff orsaf heddlu Glan Morfa ar ben naw o'r gloch fore trannoeth. Wrth gerdded tuag at y drws cefn, cafodd gip ar yr Arolygydd Eirwyn Thomas yn ei wylio'n croesi'r maes parcio a gwneud sioe o edrych ar ei oriawr. Twll ei din o, meddyliodd Jeff. Mi ddylai fod wedi dysgu'i wers bellach. Cafodd dipyn o drafferth efo'r Arolygydd yn y gorffennol, ond roedd Thomas wedi callio rhywfaint wedi iddo ddeall fod gan Jeff gysylltiadau cryf yn y Pencadlys a'r tu hwnt.

Wedi darllen trwy restr o ddigwyddiadau'r shifft nos a threfnu a thrafod gwaith y ditectif gwnstabliaid, aeth Jeff i'w swyddfa gyda phaned o goffi. Doedd dim diweddariad ynglŷn â chyflwr Daniel Pritchard, ac ystyriodd fod hynny'n beth da. Trodd ei feddwl at yr ymchwiliad.

Roedd nifer o gwestiynau angen eu hateb. Beth oedd Dan yn ei wneud allan ger yr afon y noson honno? Lle oedd ei ffôn symudol a'i lyfr nodiadau? Oedd rhywun wedi cymryd y llyfr bach rhag ofn fod Dan wedi nodi rhyw wybodaeth ddamniol ynddo? Roedd o angen cadarnhau symudiadau Colin y noson honno hefyd, a darganfod a oedd y llanc yn ymwybodol fod ei daid wedi helpu'r heddlu i'w yrru i'r carchar. Ystyriodd y cyffuriau – os nad oedd o'n gwerthu'n lleol, oedd o'n eu cadw ar ran rhywun arall yn sied ei daid? A'r ddau ymosodiad: yr un ar Colin cyn ei achos llys a Dan echnos. Oedd cysylltiad rhyngddyn nhw, ynteu oedd Jeff yn gorfeddwl? Cofiodd mai yn nhafarn y Rhwydwr y gwnaeth Colin y bygythiad yn erbyn ei daid – byddai'n rhaid iddo fynd i gael sgwrs efo Sam Little, y tafarnwr. Roedd Sam Bach, fel yr oedd yn cael ei alw gan bawb yn lleol, yn ddyledus i Jeff ar ôl i'r ditectif ei arbed rhag cael ei gyhuddo am dderbyn arian papur ffug dro yn ôl.

Gan nad oedd ganddo unrhyw wybodaeth i weithio arno, penderfynodd Jeff mai'r cam nesaf synhwyrol fyddai chwilio tŷ Dan. Ffoniodd Daf i ofyn am ganiatâd, gan ddweud bod ganddo allwedd – yr un a oedd ar yr un cylch ag allwedd car ei dad. Cytunodd hwnnw, ond gwrthododd y cynnig i ymuno â Jeff yno gan ei fod ar ei ffordd i'r ysbyty.

Ychydig yn ddiweddarach agorodd Jeff ddrws ffrynt y tŷ a safai ar ei ben ei hun mewn stryd o dai cerrig tebyg ar gyrion y dref. Doedd neb i weld o gwmpas. Roedd pethau wedi newid, meddyliodd Jeff. Ddeng mlynedd yn ôl, petai rhywun dieithr yn mynd i mewn i dŷ byddai un o'r cymdogion yno'n syth i wneud yn siŵr fod popeth yn iawn.

Fel yr agorodd Jeff y drws, clywodd ddrws arall yn cau y tu mewn. Brysiodd drwodd i'r gegin: roedd y drws cefn wedi ei gau ond pan roddodd ei law ar yr handlen darganfu nad oedd wedi'i gloi. Rhedodd i lawr y llwybr i ben draw'r ardd heibio i'r sied a thrwy'r giât, ac edrychodd yn gyflym i fyny ac i lawr y lôn gefn a redai rhwng cefnau'r tai. Doedd neb yno.

Pan aeth yn ôl i mewn i'r tŷ sylwodd fod allwedd y drws cefn ar lawr y tu ôl i'r drws. Oedd o wedi disgyn allan wrth i'r drws gau yn glep, tybed? Edrychodd o'i gwmpas a gweld bod gwydr y ffenest uwchben y sinc wedi malu, a'r ffenest ar agor. Roedd olion bod rhywun wedi dringo i mewn trwyddi, ac edrychai'n debyg ei fod wedi aflonyddu ar y rhywun hwnnw – a hynny yng ngolau dydd. Enw Colin oedd y cyntaf ddaeth i'w feddwl. Am beth roedd o'n chwilio, tybed? Arian? Rhyw fath o dystiolaeth? Ac yn bwysicach, oedd o wedi darganfod yr hyn roedd o'n chwilio amdano? Ond ar y llaw arall, efallai fod y llanc wedi bod yn cysgu yn nhŷ ei daid gan nad oedd ganddo unman arall i fynd. Petai Jeff yn gallu profi mai Colin fu yno, byddai ganddo reswm i'w arestio, a'i holi am yr ymosodiad yn ogystal ag am dorri i mewn i dŷ ei daid.

Gwyddai Jeff fod gan y Swyddogion Lleoliad Trosedd fwy na digon i'w wneud heb ddod i ddelio ag achos o fwrgleriaeth mewn tŷ gwag, ond fel pob ditectif profiadol roedd gan Jeff daclau i wneud peth o'r gwaith ei hun. Aeth i nôl y bocs offer o fŵt ei gar.

Yn ôl yn y gegin, defnyddiodd y brwsh bach cynffon wiwer, fel yr oedd o'n ei alw, i rwbio'r powdwr du yn ysgafn ar y teils gwyn a ffrâm y ffenest. Ar unwaith ymddangosodd delwedd o'r marciau a adawyd wrth i'r tramgwyddwr ddringo i mewn, yn union fel yr oedd Jeff wedi gobeithio. Ond suddodd ei galon: nid delwedd o olion bysedd a welodd ond marciau menig rwber. Y cam nesaf oedd defnyddio tâp gludiog arbennig i godi unrhyw ffibrau o ddefnydd dillad a adawyd ar ôl – byddai modd eu cymharu â dillad yr un a dorrodd i mewn i dŷ Dan, ond nid tan y byddai'r person hwnnw wedi cael ei arestio, gwaetha'r modd, felly fyddai dim atebion cyflym.

Ar ôl rhoi'r cyfarpar a'r dystiolaeth yn ôl yn y car, aeth Jeff i edrych yn fanwl o gwmpas y tŷ. Roedd popeth yn dwt a'r lle fel pìn mewn papur, yn union fel y tu mewn i gar Dan.

Aeth i fyny'r grisiau: yno roedd tair ystafell wely, toiled

a stafell molchi. Edrychai'r ystafell wely leiaf fel petai hi heb gael ei defnyddio ers tro. Yn yr un ganol roedd y gwely heb ei wneud, ac roedd jîns denim budr a chrys ar ganol y llawr. Tybed ai dillad Colin oedden nhw? Chwiliodd drwy'r droriau a'r cypyrddau ond doedd dim o bwys yno.

Yr ystafell wely yn ffrynt y tŷ oedd y fwyaf, a hon oedd llofft Dan – eto roedd popeth yn daclus, y gwely wedi'i wneud a'i ddillad wedi eu smwddio. Roedd iwnifform cipar yn hongian yn y wardrob ymhlith siwtiau eraill. Aeth Jeff trwy bocedi pob dilledyn, eto heb ddarganfod dim o bwys. Ar y bwrdd wrth ochr y gwely roedd un llyfr, hen Feibl teulu mawr.

Aeth Jeff i lawr y grisiau ac yn ôl i'r gegin. Yn y cypyrddau roedd tuniau a phacedi bwyd – digon i awgrymu fod Dan yn bwyta'n iawn ond nid yn foethus. Roedd teledu eitha mawr a newydd yn y lolfa a bocs Sky oddi tani, ac ar y silffoedd roedd llyfrau Cymraeg a Saesneg amrywiol, yn cynnwys llyfrau am bysgota a chrefft y pysgotwr. Tynnodd Jeff bob un allan fesul un, eu hysgwyd a bodio drwy'r tudalennau cyn eu rhoi yn ôl yn eu lle. Doedd dim byd wedi cael ei guddio ymysg y tudalennau, ac er ei fod wedi gobeithio dod o hyd i rywbeth fyddai'n egluro pam fod Dan allan ger yr afon mor hwyr echnos, doedd o wir ddim wedi disgwyl canfod unrhyw beth.

Roedd y parlwr bach yn debycach i stydi na dim byd arall. Mewn un cornel roedd cadair freichiau a lamp ar fwrdd wrth ei hochr, ac ar hyd un wal roedd bwrdd derw gyda mwy o lyfrau arno. Edrychodd Jeff drwy'r rhain fel y gwnaeth efo'r lleill. Yn erbyn yr unig wal arall safai desg dderw gyda chaead oedd yn rowlio drosti. Roedd cortyn gwefru ffôn symudol ar ei thop, ond doedd dim golwg o'r ffôn ei hun. Rowliodd Jeff y caead i fyny. Yn y ddesg gwelodd lythyrau o'r banc, manylion cyfrifon a phapurau personol eraill. Aeth trwyddynt fesul un. Edrychai'n debyg fod Dan wedi bod yn gynnil efo'i arian dros y blynyddoedd, gan gadw cofnod manwl o'i wariant bob mis.

Roedd dau gwpwrdd mawr yng ngwaelod y ddesg. Ceisiodd Jeff eu hagor ond roedd drysau'r ddau ar glo. Rhaid bod rhywbeth diddorol oddi mewn, ystyriodd, gan mai dyma'r unig beth oedd dan glo yn y tŷ. Tybed oedd yr allwedd wedi ei guddio o fewn cyrraedd? Dechreuodd chwilota, ac ymhen ychydig funudau roedd wedi darganfod adran gudd ym mhen pella'r ddesg. Dim ond un allwedd oedd yno, a defnyddiodd Jeff honno i agor y drysau islaw.

Roedd y ddau gwpwrdd yn llawn o lyfrau poced bach â dyddiadau arnynt, o'r cyfnod y bu Dan yn gweithio i Fwrdd Dŵr Sir Gaernarfon a Gwynedd yn y pumdegau hyd at ddiwedd ei yrfa yn 2006. Yna, flwyddyn yn ddiweddarach, roedd y llyfrau'n ailddechrau i gyd-fynd â'i swydd gyda Chymdeithas Bysgota Afon Ceirw. Edrychodd Jeff drwyddynt yn gyflym, a gweld ei fod wedi treulio llawer mwy o oriau ar yr afon nag yr oedd o'n cael tâl gan y Gymdeithas amdanynt. Penderfynodd fynd â phob un o'r llyfrau diweddaraf efo fo er mwyn cael golwg fanylach arnynt.

Roedd un peth arall yn pwyso ar feddwl Jeff. Beth petai Colin, neu pwy bynnag oedd yn gyfrifol am dorri i mewn i'r tŷ, yn dychwelyd ar ôl iddo fynd? Penderfynodd ffonio Daf i roi gwybod iddo am ei ddarganfyddiadau, a chael ei ganiatâd i ddiogelu'r ffenest a chuddio mat arbennig yn y tŷ, un a fyddai'n gyrru signal i'r heddlu petai rhywun yn camu arno.

Wedi iddi ddistewi yn hwyr y prynhawn, ac wedi iddo sicrhau fod y gwaith angenrheidiol wedi'i wneud yn nhŷ Dan, eisteddodd Jeff yn ei swyddfa i bori drwy lyfrau nodiadau Dan. Yr un diweddaraf oedd y mwyaf diddorol, ac roedd y cofnod olaf ynddo wedi'i wneud ddydd Gwener y trydydd ar hugain o Fedi, deng niwrnod cyn i Dan gael ei anafu. Os oedd Dan wedi bod yn cario llyfr nodiadau newydd y noson honno, naw diwrnod yn unig o gofnodion oedd ynddo.

Roedd y llyfr yn nwylo Jeff wedi ei ddechrau ym mis Mawrth ac roedd Dan wedi sgwennu ynddo bob dydd ar hyd y tymor pysgota. Synnodd Jeff faint o wybodaeth oedd ynddo: manylion dyddiol y tywydd, cyflwr yr afon a nodyn o faint o amser roedd Dan wedi'i dreulio ym mha ran o'r afon a phryd. Yn ogystal, cofnodwyd enwau'r pysgotwyr roedd o wedi dod ar eu traws, pa fath o dacl roedden nhw'n ei ddefnyddio a manylion unrhyw bysgod a ddaliwyd. Ysgrifennwyd pob gair mewn llaw eithriadol o daclus, oedd yn cyd-fynd ag agweddau eraill ei gymeriad.

Yna, sylwodd Jeff ar nodiadau blerach a llai manwl na gweddill y cofnodion, yn disgrifio digwyddiadau amheus mewn ardal yn agos i darddiad yr afon yn hwyr ar nosweithiau yng nghanol yr haf. Cawsai Jeff drafferth i ddarllen pob gair, ond credai fod cyfeiriad at Lyn Ceirw hefyd. Rhyfedd nad oedd y llecyn wedi ei nodi'n fanylach, meddyliodd Jeff, o ystyried safon gweddill cynnwys y llyfrau, ond efallai fod Dan wedi bod yn ysgrifennu yn y tywyllwch. Os hynny, beth oedd o'n ei wneud ger yr afon bryd hynny? A oedd o'n gwylio pysgotwyr sewin y nos? Ceisiodd wneud synnwyr o'r geiriau. Darllenodd am symudiadau amheus wedi iddi dywyllu, ond doedd dim manylion am y symudiadau hynny. Roedd Dan wedi nodi rhifau ceir a'r enw 'Col bach' ar yr un dudalen bythefnos ynghynt, ond heb fwy o fanylion. Rhaid mai Colin oedd hwnnw, a hynny rhwng y degfed ar hugain o Awst, pan ddaeth Colin allan o'r carchar, a'r trydydd ar hugain o Fedi pan orffennwyd y llyfr. Gwelodd y gair 'fflamau' hefyd, ond heb fwy o ddisgrifiad. Roedd cyfeiriadau blêr, dryslyd ar dri gwahanol achlysur ers canol yr haf – oedd o wedi sôn wrth Esmor am yr hyn a welodd, tybed? Byddai'n rhaid iddo gadarnhau hynny efo'r cipar.

Ffoniodd Jeff y pencadlys i wneud ymholiadau ynglŷn â pherchnogion y cerbydau roedd Dan wedi nodi'u rhifau cofrestru, ond doedd dim un yn cyd-fynd â'r rhifau ceir ar gyfrifiadur cenedlaethol yr heddlu. Oedd Dan wedi gwneud camgymeriadau wrth graffu ar blatiau cofrestru'r ceir? Os felly, dyna fwy o dystiolaeth i awgrymu ei fod wedi gwneud ei nodiadau liw nos, ac efallai o bell.

Ceisiodd Jeff ddychmygu Daniel Pritchard yn cuddio ar ei fol mewn coed a llystyfiant yng nghanol y nos, yn trio'i orau i wneud nodiadau yn ei lyfr bach. Beth aflwydd oedd yn mynd ymlaen?

# Pennod 7

Roedd hi'n chwech o'r gloch a phenderfynodd Jeff fynd am beint ar y ffordd adref, er mwyn cymysgu busnes efo chydig bach o bleser.

Doedd dim llawer o gwsmeriaid ym mar y Rhwydwr pan gerddodd i mewn, dim ond yr yfwyr arferol fyddai yno drwy'r dydd bob dydd, bron â bod. Cododd un neu ddau eu pennau a nodio'n gyfeillgar arno, a gwnaeth yntau'r un fath. Cerddodd at y bar.

'Peint o chwerw plis, Sam,' meddai wrth y tafarnwr a oedd yn anarferol o brysur yn glanhau gwydrau.

'Siŵr iawn, Ditectif Sarjant,' atebodd Sam Little yn ddigon uchel i bawb arall glywed.

Nid oedd Jeff yn hollol sicr y gallai ymddiried yn Sam Little, er gwaetha'i addewid i'w helpu.

'Rŵan, Sam, 'sdim isio i ti fod mor ffurfiol a finna ddim ar ddyletswydd.'

'Welais i erioed mohonoch chi ddim yn gweithio,' atebodd y tafarnwr gyda chilwen wrth lenwi'r gwydr peint.

Roedd yn rhaid i Jeff gyfaddef fod dogn go lew o wirionedd yn hynny. 'Fel mae'n digwydd, Sam,' atebodd, 'mae 'na un neu ddau o betha ar fy meddwl i. Oes gen ti amser am sgwrs? Dwi'n gweld dy fod ti'n brysur, ond dim ond dau funud dwi isio.'

'Dim problem,' atebodd Sam, gan alw ar un o'r gweinyddesau i gymryd ei le y tu ôl i'r bar. 'Dewch i'r cefn.'

Roedd yr ystafell gefn yn wag, a dilynodd Jeff y tafarnwr yno. Eisteddodd y ddau i lawr.

'Colin Pritchard,' meddai Jeff. 'Be ydi'i hanes o'r dyddia yma?'

'Dwi ddim wedi gweld llawer ohono fo ers iddo ddod o'r jêl. Picio i mewn ac allan mae o, ac mi oedd rhyw fois diarth efo fo y tro dwytha. Saeson. Do'n i ddim yn lecio'u golwg nhw, a deud y gwir. Dim ond am un drinc mae o'n aros dyddia yma, yn wahanol iawn i fel roedd o cyn iddo gael ei yrru i lawr. Ers talwm mi fydda fo yma am oriau, yn trio bachu diodydd gan bawb achos nad oedd ganddo fo byth bres.'

Ystyriodd Jeff eiriau Sam. Doedd ganddo ddim arian ond eto roedd o'n cuddio gwerth miloedd o bunnau o gyffuriau – sut hynny?

'Wyt ti wedi'i weld o yn y deuddydd dwytha 'ma, Sam?' gofynnodd.

'Naddo.'

'Ma' siŵr dy fod ti'n gwbod pam y cafodd o'i garcharu?'

'Dim ond drwy ddarllen y papurau newydd a gwrando ar bobol yn sgwrsio wrth y bar 'cw.'

'Mae rhywun yn dy swydd di yn cael clywed lot mwy na fi am yr hyn sy'n mynd ymlaen yn y dre 'ma. Deud i mi, oedd Colin yn delio cyffuriau?'

'Fyswn i ddim yn rhoi hynny heibio iddo fo, Sarjant. Fedra i ddim deud yn sicr, ond er 'mod i'n ama'i fod o'n defnyddio cyffuriau o dro i dro, fel mae'r rhan fwya o'r petha ifanc 'ma, wnes i rioed feddwl amdano fel deliwr. Mae gen i syniad reit dda pwy sydd wrthi o gwmpas y lle 'ma, ac mi fydda i'n cadw llygad barcud arnyn nhw. Ond na, dwi ddim yn meddwl fod Colin wrthi.'

'Be am y cyfnod pan oedd o ar fechnïaeth, cyn ei achos llys? Yn ôl y sôn, mi gafodd o goblyn o gweir gan rywun.'

'Dwi'n cofio hynny'n iawn. Golwg y diawl, ei wyneb wedi chwyddo'n fawr a llygad du ganddo fo. Mi ddoth o i mewn 'ma'n flin fel cacwn, ac ar ôl cael llond cratsh roedd o'n bygwth pawb. Mi oedd raid i mi ei luchio fo allan.'

'Oes 'na sôn pwy wnaeth ei golbio fo?'

'Dim hyd y gwn i.'

'Mi glywais i ei fod o wedi gwneud bygythiadau yn erbyn ei daid, Dan Dŵr, yma un noson. Glywist ti hynny?'

'Do. Wedi meddwi oedd o, efo'i fêts.'

'Pam wnaeth o'r fath beth?'

'Wn i ddim yn iawn. Ond o'r chydig glywis i, mater teuluol oedd o. Roedd o'n gofyn sut allai ei daid wneud y fath beth iddo fo. Sgin i ddim syniad be'n union roedd Dan wedi'i wneud, ond waeth iddo fo fod wedi'i yrru o i'r carchar ddim, yn ôl Colin. Ddeudodd o'i fod o am sortio Dan allan unwaith ac am byth, ond chlywais i 'mo'r cwbwl ddeudodd o. Rwdlan meddw oedd o, debyg.'

'Ac am ei daid roedd o'n sôn, yn bendant?'

'Ia, mi glywis i gymaint â hynny.'

'Pryd oedd hyn?'

'Tua'r un pryd ag y cafodd o'r gweir. Na, rhoswch funud, ryw ddiwrnod neu ddau ynghynt.'

'Pwy arall oedd o gwmpas ar y pryd, Sam?'

'Un neu ddau o'r cwsmeriaid arferol. Sgotwrs môr gan fwya, un neu ddau o bobol fusnes y dre, dau neu dri yn pasio trwadd... o, a'r cipar hefyd os dwi'n cofio yn iawn.'

'Esmor Owen?'

'Ia, dyna chi. A dyna i chi beth rhyfedd. Nid chi ydi'r

unig un sydd wedi bod yn holi am Colin heddiw. Mi fu Esmor yn gofyn yr un cwestiynau i mi bore 'ma.'

'Sut fath o gwestiynau?'

'Gofyn o'n i wedi gweld Colin o gwmpas, holi lle mae o'n byw ac ati. Ddeudis i nad o'n i'n gwbod.'

'Wel, diolch i ti, Sam. Dwi'n gwerthfawrogi dy help di.'

Yfodd Jeff weddill ei gwrw cyn gadael y dafarn. Roedd o wedi dysgu cryn dipyn o fewn byr amser, ond nid yr wybodaeth roedd o wedi gobeithio'i dysgu chwaith. Byddai'n rhaid iddo feddwl yn galed am ei gam nesaf. Ond nid heno. Roedd ei gartref yn galw.

Fore trannoeth, wrth gerdded drwy ddrws gorsaf yr heddlu, doedd Jeff ddim yn edrych ymlaen at y dasg o'i flaen. Dechreuodd ei ddiwrnod yn y ffordd arferol drwy gael sgwrs efo bois y ddalfa cyn edrych trwy'r digwyddiadau newydd a gofnodwyd ar y system gyfrifiadurol dros nos. Roedd Ditectif Gwnstabl Owain Owens, neu 'Sgwâr' fel roedd o'n cael ei alw gan yr hogiau, ar ddyletswydd a gofynnodd Jeff iddo wneud tipyn o ymholiadau i geisio darganfod lleoliad Colin Pritchard.

Gwyddai fod Esmor yn arfer picio adref tua deg bob bore am baned, a phenderfynodd fynd i'w weld. Fel roedd o'n cyrraedd cartref y cipar gwelodd fod ei fan eisoes y tu allan i'r tŷ. Cnociodd ar y drws cefn yn ôl ei arfer, a gallai weld drwy'r ffenest fod ei gyfaill, oedd yn eistedd yn ei hoff gadair gyda phapur newydd yn ei law, yn chwifio'i fraich fel arwydd iddo ddod i mewn. Paratôdd ei hun am sgwrs anodd... neu a fyddai 'cyfweliad' yn ddisgrifiad gwell?

'Ty'd i mewn a gwna baned i ti dy hun,' galwodd Esmor arno'n llon.

‘Newydd gael un, diolch,’ atebodd Jeff wrth eistedd ar y soffa ychydig lathenni oddi wrtho.

‘Be sy’n digwydd rownd y lle ’ma?’ gofynnodd Esmor ar ôl cymryd llymaid o’i de.

Dan yr amgylchiadau, doedd gan Jeff ddim awydd mân-siarad felly aeth yn syth at y pwynt. ‘Clywed dy fod ti wedi bod yn chwilio am Colin yn y Rhwydwr ddoe,’ meddai, a disgynnodd wyneb ei gyfaill.

‘Do,’ atebodd Esmor yn swta.

‘Pam, Es?’ gofynnodd mor ysgafn â phosib.

Pasiodd rhai eiliadau cyn i Esmor ateb, a hynny heb edrych ar Jeff.

‘Isio gair efo fo am be ddigwyddodd i Dan o’n i.’

‘Am dy fod ti’n amau mai fo oedd yn gyfrifol?’

Oedodd eto cyn ateb. ‘Ia,’ meddai ymhen sbel.

‘Gest ti afael arno fo?’

‘Naddo.’

‘Be fysat ti wedi’i wneud petaet ti wedi dod o hyd iddo fo?’

‘Wn i ddim, deud y gwir. Ei holi o ma’ siŵr.’

‘Ei holi am be, Esmor?’

‘Wel, ynglŷn â Dan, a bod Colin wedi bygwth ei sortio fo allan ddechrau’r flwyddyn ’ma.’

O leia roedd ei gyfaill yn onest, ystyriodd Jeff.

‘Mi wn i dy fod ti yn y Rhwydwr y noson honno.’ Edrychodd Esmor yn syth i lygaid Jeff, ond ni ddywedodd air. ‘Be yn union ddeudodd o i fygwth Dan?’

‘Doedd Colin ddim yn gwybod ’mod i yno. Deud wrth ei fêts oedd o ei fod o’n debygol o gael ei yrru i lawr ymhen tridiau, a’i fod bron yn siŵr fod Dan wedi deud wrth yr heddlu am y cyffuriau roedd o wedi’u cuddio yn ei dŷ o.

Roedd Colin am ddysgu gwers i'w daid, medda fo.' Ochneidiodd Esmor yn drwm. 'Pa siawns fysa gan yr hen fachgen o amddiffyn ei hun yn erbyn hogyn ifanc nobl fel Colin? Roedd yn rhaid i mi wneud rwbath.'

'A dyma chdi'n penderfynu rhoi uffar o gweir iddo fo.'

'Na, na. Dim fel'na oedd hi, Jeff. Ddim o gwbl. Rhoi rhybudd iddo fo o'n i am wneud... mi wyddost ti pa mor agos ydw i a Dan ers blynyddoedd maith. Mae gen i gymaint o ddyled iddo fo, ac mi wn i faint mae o wedi trio'i wneud dros Colin hefyd, ond do'n i ddim am wneud dim byd iddo fo y noson honno. Roedd Colin a'i fêts wedi gweithio'u hunain i fyny am ffeit ar ôl bod yn yfed, ond ro'n i isio cael gafael arno fo'n sobor, am sgwrs a dim byd arall.' Oedodd, a wnaeth Jeff ddim pwyso arno i barhau. 'Mi es i allan i feddwl be oedd orau i'w wneud. Hanner awr yn ddiweddarach mi adawodd Colin a'i griw ac mi ddilynais i nhw i ryw fflat ddim yn bell o ganol y dre. Fanno fuon nhw drwy'r nos. O leia ro'n i'n gwybod bod Dan yn saff y noson honno, ac mi o'n i'n benderfynol o gael gair yng nghlust Colin yn y bore.'

'Arhosaist ti tu allan i'r fflat drwy'r nos?'

'Do, yn y fan, ond er 'mod i'n pendwmpian bob hyn a hyn, dwi'n siŵr na wnaeth 'run ohonyn nhw adael y fflat. Chydig ar ôl wyth y bore, mi welais i Colin yn gadael ar ei ben ei hun a golwg digon blêr arno fo, felly mi ddilynais i o. Mynd i dŷ Dan oedd o, fel ro'n i wedi ofni, felly mi adewais y fan a cherdded ar ei ôl o i lawr y llwybr drwy'r coed. Coelia fi, Jeff bach, doedd gen i ddim bwriad o gwbl o wneud unrhyw niwed iddo fo – dim ond isio rhoi gair o rybudd iddo fo o'n i cyn iddo fo fynd i'r carchar, yn y gobaith y bysa fo wedi callio erbyn iddo ddod allan. Coblyn o beth ydi gobaith 'de?'

Cymerodd Esmor lymaid arall o'i de oer cyn parhau.

'Mi alwais arno, a throdd Colin rownd. "Be ffwc ti isio?" medda fo, ac mi ddeudis i wrtho be glywis i'r noson cynt, a'i rybuddio fo i beidio gwneud dim byd y bysa fo'n ei ddifaru. Mi aeth hi'n ffrae, y ddau ohonan ni'n codi'n lleisiau. Tasa Duw yn fy lladd i'r munud 'ma, fo hitiodd fi gynta, ar ochr fy wyneb. Erbyn yr ail ergyd ro'n i'n barod amdano fo, a dyna pryd wnes i 'i cholli hi, mae gen i ofn.'

'Wel, yn ôl y sôn mi oedd 'na ddiawl o olwg arno fo, Es.'

Gwyddai Jeff fod Esmor yn gallu gofalu amdano'i hun. Roedd o wedi clywed ei hanes fwy nag unwaith yn cuddio wrth yr afon liw nos yn disgwyl am botsiars, a neidio i'w canol – a chael y gorau arnyn nhw hefyd.

'Ar ôl y trawiad cyntaf, y peth nesa dwi'n gofio ydi penlinio drosto fo yn ei ddyrnu, ac yn gweiddi arno i beidio â meddwl brifo'i daid.' Ysgydwodd Esmor ei ben yn araf. 'Wnes i jest ddim meddwl.'

'Biti ar y diawl na fysat ti wedi deud hyn wrtha i ynghynt, Esmor.'

'Mae gen i wraig a theulu i edrych ar eu holau, a morgais i'w dalu. Taswn i'n cael fy nghyhuddo a 'nghael yn euog mi fyswn i'n colli fy swydd, a dyna ddiwedd arni. Ac mae'n edrych yn debyg mai dyna sut fydd hi rŵan.'

'Paid â bod mor fyrbwyll, mêt. Fel dwi'n ei gweld hi, amddiffyn dy hun oeddat ti er dy fod di wedi mynd dros ben llestri braidd... a beth bynnag, mi wrthododd Colin wneud cwyn am y peth. Pwy ydw i i agor hen graith?'

Ochneidiodd Esmor. 'Reit, be am y baned 'na rŵan?' gofynnodd. 'Mae hon wedi mynd yn oer.'

Derbyniodd Jeff y tro hwn, yn teimlo'n well ar ôl cael clirio'r aer.

'Ydi Colin yn bysgotwr?' gofynnodd Jeff wrth sipian ei de.

'Nac'di,' atebodd Esmor. 'Fuo ganddo fo 'rioed ddiddordeb. Pam ti'n gofyn?'

'Felly fysa ganddo fo ddim busnes bod ar lannau'r afon yn hwyr y nos, neu yn oriau mân y bore?'

'Fysa fo ddim ar berwyl da, mae hynny'n sicr i ti.'

'Ydi Dan wedi sôn wrthat ti am unrhyw ddigwyddiadau amheus ger yr afon ar ôl iddi nosi, cyn neu ar ôl i Colin gael ei ryddhau o'r carchar?'

'Naddo.'

'Un peth arall, Esmor, cyn i mi fynd. Rydan ni'n chwilio am Colin mewn cysylltiad â'r hyn ddigwyddodd i Dan, ond gad di bob dim i'r heddlu o hyn allan, plis. Os glywi di rwbath o'i hanes o, rho alwad i mi'n syth.'

Roedd Esmor, y cipar afon, yn falch o allu cytuno.

Ystyriodd Jeff y ffeithiau ar y ffordd o dŷ Esmor. Doedd Colin ddim yn bysgotwr, ond roedd ei enw yn llyfr bach Dan, yn gysylltiedig â rhyw ddigwyddiadau amheus. Ond yn ôl nodiadau Dan, roedd o wedi cofnodi rhai o'r digwyddiadau hynny pan oedd Colin yn y carchar. Beth oedd yn mynd ymlaen?

# Pennod 8

Wrth i Jeff gael rhywfaint o ginio yng nghantîn gorsaf yr heddlu, daeth Ditectif Gwnstabl Owain Owens i eistedd wrth ei ochr.

'Sut ma'i, Sarj?' meddai, 'meddwl y byswn i'n gadael i chi wybod nad oes 'na lawer o wybodaeth o werth am Colin Pritchard, er 'mod i wedi bod yn holi drwy'r bore.'

'Deud be sgin ti beth bynnag, Sgwâr, atebodd Jeff, â'i geg yn hanner llawn. 'Mae'n bwysig ein bod ni'n cael gafael ar y diawl bach cyn gynted â phosib.'

'Does neb wedi'i weld o ers dydd Llun.'

'Ac ma' hi'n ddydd Iau heddiw. Nos Lun anafwyd Daniel Pritchard.'

'Dwi wedi trio bob man – bob cyfaill neu gyswllt y gwyddon ni amdanyn nhw. Ond wrth gwrs, doedd pawb ddim yn fodlon siarad.'

'Fel'na ma' hi yn y math o gylchodd mae Colin yn troi ynddyn nhw. Mae 'na fflat yng nghanol y dref roedd o'n ei ddefnyddio cyn iddo gael ei yrru i lawr. Mae'n werth trio yn fanno.' Rhoddodd Jeff y cyfeiriad a gafodd gan Esmor i Sgwâr. 'Os dwi'n meddwl am y fflat iawn, mae'r lle yn fagned i'r llanciau di-waith lleol – mi wyddost am y criw; rheiny sy'n yfed a mocha efo cyffuriau. Defnyddia dipyn o ddychymyg ac ella cei di rwbath gwerth ei gael yno, os ydi Colin yno neu beidio. Dos â dau neu dri o'r hogiau iwnifform efo chdi.'

'Iawn Sarj. Dim probs. Peth rhyfedd fod Colin wedi

diflannu'r union noson gafodd Daniel Pritchard ei anafu, de? Yr euog a ffy, fel maen nhw'n deud.'

'Ti'n llygad dy le, Sgwâr. Dwi'n meddwl bod 'na ddigon o reswm erbyn hyn i ni gylchredeg manylion Colin ar y system genedlaethol, gan ddeud ein bod ni'n chwilio amdano fo ar amheuaeth o geisio lladd Daniel Pritchard. Wnei di hynny i mi os gweli di'n dda? Rho fy enw fi i lawr fel y swyddog sy'n awdurdodi.'

'Iawn Sarj. Gadwch o efo fi.'

Un da oedd Sgwâr, a gwyddai Jeff y gallai ymddiried ynddo.

Ar ôl i'r heddwas ifanc adael, trodd ei feddwl at yr ardal lle darganfuwyd Dan yn anymwybodol, ac yn bwysicach, pam roedd Dan Dŵr yno'r noson honno. Gwyddai fod y llecyn yn agos i dir fferm fawr Ceirw Uchaf – tir oedd yn perthyn i Emyr Lloyd, yr Ynad Heddwch. Cofiodd Jeff iddo fod mewn cysylltiad â Lloyd rai blynyddoedd ynghynt, er nad oedd o wedi'i weld o ar fainc yr ynadon ers tro bellach. Daeth y ddau ar draws ei gilydd pan foddodd deifar yn rhan ddyfnaf Llyn Ceirw. Ceisiodd yr awdurdodau gael ei gymorth ar y pryd i gau'r rhan honno o'r llyn i'r cyhoedd oherwydd bod cynifer o ddamweiniau wedi digwydd yno dros y blynyddoedd, a sawl bywyd wedi'i golli. Ond doedd gan Mr Lloyd ddim awydd cydymffurfio gan ei fod yn gwneud arian sylweddol drwy godi tâl am adael i'r deifwyr ddefnyddio'i dir. Gosododd garafán yno ar un adeg, hyd yn oed, i werthu bwyd a diod iddyn nhw. Roedd Emyr Lloyd yn ddyn pwysig ym myd amaethyddol yr ardal hefyd, yn llais uchel yn Undeb yr Amaethwyr yn ogystal â bod yn un o uwch-swyddogion y Sioe Fawr.

Gyrrodd Jeff i fyny'r lôn fach breifat daclus a redai'n gyfochrog â'r afon cyn troi i gyfeiriad tŷ urddasol Ceirw Uchaf, a adeiladwyd ryw ganrif a hanner ynghynt, dychmygodd. Roedd y tŷ wedi cael ei ymestyn yn y cyfamser, sylwodd wrth nesáu, ond roedd y gwaith wedi'i wneud yn chwaethus fel nad oedd gwahaniaeth amlwg rhwng yr estyniad a'r adeilad gwreiddiol. Arafodd i werthfawrogi'r olygfa wych i lawr tuag at y coed trwchus a ddilynai'r afon i gyfeiriad y môr, ac yna i'r mynyddoedd uchel i'r cyfeiriad arall lle roedd defaid a gwartheg yn pori'n braf yn haul gwan yr hydref. Lle braf i fyw, dychmygodd, yn enwedig i rywun oedd yn hoff o breifatrwydd – doedd 'run tŷ arall i'w weld am filltiroedd.

Parciodd y car wrth ochr y tŷ – hwn oedd buarth y fferm ers talwm, mae'n rhaid, ond erbyn hyn edrychai'n debyg mai maes parcio mawr oedd o. Mae'n rhaid bod Lloyd yn hoff iawn o gymdeithasu os oedd angen cymaint o le â hyn arno i barcio ceir.

Canodd Jeff y gloch wrth ochr y drws derw mawr, a disgwyl. Daeth dynes smart yn ei phedwardegau i'w agor toc. Gwisgai jîns glas a siwmper wlân wen gyda gwddf uchel iddi – dillad oedd yn edrych yn ddrud. Roedd ei gwallt du wedi'i dorri mewn steil ffasiynol ond clasurol, ac yn ddigon cwta i arddangos y clustdlysau mawr gwerthfawr yr olwg oedd yn disgleirio yn yr haul.

'Ia?' gofynnodd gyda gwên chwareus. Roedd wedi codi'i braich dde i afael yn y drws, a phwysai'n hyderus yn ei erbyn wrth aros am ymateb Jeff.

'Ditectif Sarjant Evans, CID Glan Morfa,' meddai. 'Hoffwn i gael gair efo Mr Emyr Lloyd, os gwelwch yn dda.'

Newidiodd ei hagwedd ar unwaith. Safodd yn syth a diflannodd y wên a phob arlliw o groeso.

'Oes ganddoch chi apwyntiad? Ddeudodd o ddim ei fod o'n disgwyl ymweliad gan aelod o'r heddlu.' Roedd ei Chymraeg yn ddi-acen, a gallai Jeff ddychmygu ei bod wedi cael addysg o safon.

'Nagoes,' atebodd Jeff. 'Mae rwbath wedi codi heddiw rydw i angen cael gair efo Mr Lloyd yn ei gylch, yn gysylltiedig â throsedd ddifrifol a ddigwyddodd yn yr ardal 'ma rai dyddiau'n ôl.'

'Arhoswch yn fanna, os gwelwch yn dda,' atebodd y ddynes. 'Mi a' i i weld ydi Mr Lloyd o gwmpas.'

Arhosodd Jeff ar stepen y drws am ychydig funudau yn ceisio dyfalu pwy yn union oedd y ddynes, gan ei bod yn edrych dipyn yn iau nag Emyr Lloyd, a pham fod ei hagwedd wedi ymylu ar fod yn ymosodol pan ddarganfu mai heddwas oedd o. Edrychodd i mewn i'r cyntedd. Gwelai gloc derw mawr yn sefyll ar lawr o lechfaen, a nifer o baentiadau olew o dirluniau lleol ar y waliau. Roedd y llawr llechfaen yn lleol hefyd, siŵr o fod, gan fod nifer o hen chwareli yn y cyffiniau.

Clywodd sŵn traed yn dod o ddyfnderoedd y tŷ cyn i Emyr Lloyd ymddangos. Camodd allan i ymuno â Jeff, a chau'r drws ar ei ôl. Dyn yn ei bumdegau hwyr neu ei chwedegau cynnar oedd Lloyd; tua phum troedfedd a deng modfedd o daldra ac yn cario chydig gormod o bwysau. Gwisgai drowsus melfaréd brown, crys siec heb dei a gwasgod frethyn oedd â'r botymau ar agor i gyd. Yn amlwg, doedd o ddim wedi gwneud ymdrech i dwtio'i hun cyn dod i'r drws.

'Ditectif Sarjant Evans. Dyma dipyn o syrpréis. Be fedra i wneud i chi?' gofynnodd yn ei lais cryf, eglur.

'Maddeuwch i mi am beidio ffonio cyn dod,' ymddiheurodd Jeff, 'ond ro'n i'n digwydd bod yn yr ardal yn gwneud ymholiadau ynglŷn â'r ymosodiad ar Mr Daniel Pritchard nos Lun.' Celwydd bach, ond er lles yr ymchwiliad.

'Ymosodiad?' meddai Lloyd, gan godi'i lais mewn syndod amlwg. 'Damwain oedd hi yn ôl be glywais i. Sut fath o ymosodiad?'

'Cael ei daro ar draws ei ben ddaru o, Mr Lloyd. Be glywsoch chi felly?'

'Dewch i eistedd yn fan hyn,' awgrymodd Emyr Lloyd, gan bwyntio at gadeiriau metel wrth ochr bwrdd bychan ychydig lathenni o'r drws, wedi'u gosod i fanteisio'n llawn ar yr olygfa ar hyd y dyffryn islaw.

Eisteddodd y ddau, un bob ochr i'r bwrdd.

'Ymosodiad, medda chi? Wel wir.'

'Be wyddoch chi am y digwyddiad, Mr Lloyd?'

'Wel ro'n i a fy ngwraig yn y gwely pan glywson ni sŵn yr hofrenydd.'

'Eich gwraig?'

'Dwynwen. Hi agorodd y drws i chi.'

Er bod Jeff wedi amau, roedd yn dal yn rhyfeddol fod dynes mor ifanc, smart a soffistigedig wedi dewis priodi dyn fel Emyr Lloyd. Ond eto, ystyriodd, roedd o'n ddyn llwyddiannus.

'Sŵn yr hofrenydd?' Ceisiodd Jeff ganolbwyntio ar yr holi. 'Mae'n siŵr bod hynny'n beth anghyffredin yn y cyffiniau yma yr adeg honno o'r nos.'

'Yn sicr.'

'Aethoch chi allan?'

'Naddo, dim ond codi at y ffenest a gweld y goleuadau

o bell wnes i. Mi ffoniais yr heddlu'n syth, ac mi ddeudon nhw wrtha i mai'r ambiwlans awyr oedd o. Es i'n ôl i 'ngwely a'i glywed o'n codi eto o fewn tua hanner awr.'

'Pryd ddealloch chi mai Daniel Pritchard oedd wedi'i anafu?'

'Y diwrnod canlynol, neu... arhoswch am funud, efallai mai ddoe oedd hi. Rhyw fân-siarad yn y dre.'

'Ac wrth gwrs, rydach chi'n adnabod Daniel Pritchard yn eitha da, mae'n siŵr gen i?'

'Dan Dŵr? Ydw, yn o lew, ond dim yn dda iawn chwaith. Mi fydd o'n cerdded yr afon 'ma yn ystod y tymor pysgota. Rois i ganiatâd iddo wneud hynny rai blynyddoedd yn ôl, ond wnes i erioed ofyn iddo gadw golwg ar fy nhir i. Ei ddewis o oedd hynny.'

'Deudwch wrtha i, Mr Lloyd, pa reswm fyddai 'na i Dan fod allan ar lannau'r afon mor hwyr nos Lun?'

'Dim syniad, Ditectif Sarjant. Un fel'na oedd o, am wn i, allan ddydd a nos. Ar ddŵr y Gymdeithas Bysgota oedd o fwya.'

'Mae 'na awgrym – dim ond awgrym – mai ar drywydd rhyw ddigwyddiad amheus oedd o. Oes ganddoch chi unrhyw syniad be allai'r digwyddiad hwnnw fod?'

Ystyriodd y dyn o'i flaen am rai eiliadau.

'Fedra i ddim meddwl am ddim byd heblaw dipyn o botsio,' atebodd. 'Does dim byd arall yn digwydd mewn lle mor anghysbell â hwn.'

'Wel, diolch i chi, Mr Lloyd. Os glywch chi rwbath a allai fod o help i ni, mi wyddoch chi lle i gael gafael yndda i.'

'Siŵr o wneud, Sarjant Evans. A diolch i chi am alw.'

Ysgydwodd y ddau ddwylo'i gilydd yn barchus, ond wrth i Jeff gerdded at ei gar, clywodd Emyr Lloyd yn galw arno.

'Anghofiais i ofyn, Sarjant. Sut mae Daniel erbyn hyn?'

'Dal i fod mewn coma mae gen i ofn, Mr Lloyd. Tydi'r doctoriaid ddim yn gwybod ddaw o allan ohono neu beidio ar hyn o bryd.'

'Ddrwg iawn gen i glywed. Ddrwg iawn wir. Dwi'n gobeithio y cewch chi afael ar bwy bynnag sy'n gyfrifol yn reit handi. Y peth dwytha 'dan ni ei angen mewn lle heddychlon fel hyn ydi trais.'

# Pennod 9

Gyrrodd Jeff yn ôl i'r ffordd fawr, nad oedd mewn gwirionedd yn fwy na ffordd fach wledig, a throi i gyfeiriad y bryniau tu hwnt i Ceirw Uchaf. Roedd y pentyrrau o lechi ar lethrau'r mynyddoedd uwch ei ben fel creithiau ar y tir wrth iddo yrru i fyny at Lyn Ceirw. Gan fod giât ar draws y lôn a arweiniai at y llyn, a honno wedi'i chloi gyda chadwyn drom, bu'n rhaid iddo gerddded at fan dyfnaf y llyn – tir nad oedd o wedi'i droedio ers blynyddoedd, pan fu'n ymchwilio i un o'r damweiniau angheuol yno. Edrychai'r dŵr llwydlas yn oer a pheryglus – bron nad oedd angen yr arwydd mawr a oedd wedi'i godi yno i ddynodi'r perygl. Roedd hwnnw wedi profi sawl gaeaf garw ers iddo gael ei osod, a'r llythrennau arno wedi pylu ym mhelydrau'r haul.

Edrychodd Jeff o'i gwmpas, a draw i ben arall y llyn lle'r oedd o wedi bod yng nghwmni Esmor ddeuddydd ynghynt. Wrth edrych ar hyd y glannau tarodd ei lygaid ar dir garw oedd yn frith o frwyn ac eithin, a dibyn serth o tua ugain troedfedd i'r dŵr dwfn islaw. O flaen y dibyn sylwodd ar olion teiars cerbyd go drwm oedd yn edrych yn reit ffresh. Tybed a oedd deifwyr yn dal i ddefnyddio'r rhan hon o'r llyn? Ni allai feddwl am reswm arall i gerbyd fod yn y ffasiwn le.

Aeth yn ôl i'w gar a theithio ymhellach i'r bryniau. Roedd o'n adnabod dyn o'r enw Iwan Fox a oedd yn berchen ar fwthyn, Bryn Eithin, hanner milltir yn uwch na'r llyn. Cymro oedd Iwan, yn tynnu am ei wythdegau, a dreuliodd y rhan fwyaf o'i oes yn Lloegr. Tŷ ei nain a'i daid oedd Bryn Eithin, ac yn dilyn marwolaeth ei nain flynyddoedd ynghynt dechreuodd Iwan ddefnyddio'r lle fel tŷ haf. Wedi iddo ymddeol gwariodd arian sylweddol ar foderneiddio ac adnewyddu'r bwthyn i safon uchel iawn, ac roedd o wedi byw yno ers dros ugain mlynedd bellach.

Daeth Jeff i adnabod Iwan pan dorrwyd i mewn i'r tŷ – llwyddodd lladron i ddwyn nifer o hen gelfi gwerthfawr, ond cawsant eu dal gan Jeff pan stopiodd o eu fan oedd ar ei ffordd i ocsiwn hen bethau yn Llundain. Roedd Iwan yn hynod o ddiolchgar o gael hen ddodrefn ei deulu yn ôl, a daeth y ddau i adnabod ei gilydd yn dda wrth i Jeff baratoi ar gyfer yr achos llys dilynol.

Wrthi'n tacluso'r ardd ffrynt oedd Iwan pan gyrhaeddodd Jeff, a chododd ei ben i'w gyfarch.

'Jeff. Dda gen i dy weld ti. Ty'd i mewn am banad... neu rwbath cryfach os leci di.'

'Panad wneith y tro yn iawn, Iwan, diolch. Sut wyt ti?'

'Eitha, diolch. Dechrau trefnu petha at y gaeaf ydw i, fel y gweli di. Mae hwn yn lle braf y rhan fwyaf o'r amser, yr haf yn enwedig, ond rhaid i mi ddechrau paratoi at y tywydd mawr rŵan. Mae Siân allan yn siopa, ond mae 'na damaid o'i bara brith hi yn y gegin,' ychwanegodd, gan wenu.

Tra oedd Iwan yn paratoi'r lluniaeth, edrychodd Jeff trwy'r ffenest i lawr i gyfeiriad Glan Morfa a'r môr. Roedd yr olygfa hon gystal os nad gwell na'r un o ffermdy mawr Ceirw Uchaf, meddyliodd, ond fyddai o ddim yn hoffi byw yma, yn llygad y gwynt a'r glaw, chwaith.

'Be sy'n dod â chdi yma heddiw, Jeff? Paid â deud mai pleser yn unig ydi pwrpas dy ymweliad di?'

'Na, yn anffodus,' atebodd. 'Mi anafwyd hen fachgen ger yr afon yn hwyr nos Lun, ac yn anffodus, nid damwain oedd hi. Ella dy fod ti wedi clywed hofrenydd yr ambiwlans awyr.'

'Mi glywson ni sŵn hofrenydd nos Lun, do. Mi basiodd yn weddol agos i'r tŷ 'ma yn hwyr, neu yn oriau mân y bore, ond wnes i ddim meddwl llawer am y peth. Wyddwn i ddim ei fod o wedi glanio.'

'Tua hanner neu dri chwarter milltir i ffwrdd oedd y digwyddiad, ar lan yr afon, chydig yn is na'r llyn.'

'Ddim ymhell o dŷ Emyr Lloyd felly,' meddai Iwan. 'Welodd o rwbath, sgwn i?'

'Dim ond goleuadau'r hofrenydd, medda fo. Cipar afon oedd yr hen fachgen a anafwyd, ond fedra i ddim yn fy myw â dyfalu be oedd o'n wneud wrth yr afon mor hwyr.' Penderfynodd Jeff ddatgelu'r hyn a wyddai. 'Mae'n bosib bod rhyw ddigwyddiad amheus wedi'i ddenu o yno.'

'Sut fath o ddigwyddiad amheus?' gofynnodd Iwan ar ôl ystyried y datganiad.

'Pam? Oes 'na rwbath yn canu cloch?' gofynnodd Jeff. Roedd y ditectif yn un eitha da am ddarllen ymateb pobl.

'Wn i ddim, ond dwi wedi gweld rhyw oleuadau rhyfedd iawn ar ôl iddi dywyllu yn yr un cyffiniau fwy nag unwaith yn ystod yr haf dwytha 'ma.'

'Sut fath o oleuadau, Iwan?'

'Anodd deud, gan eu bod nhw mor bell. Ond nid goleuadau tortsh na thrydan... tebycach i fflamau tân ella: rhyw wawr oren o'n i'n ei weld o fama.'

'Diddorol iawn,' atebodd Jeff wrth gofio'r cofnodion yn llyfrau nodiadau Dan. 'Sawl gwaith welist ti hyn?'

'Dwy neu dair gwaith.'

‘Oes ’na unrhyw batrwm? Oedd hyn ar nosweithiau neilltuol o’r wythnos?’

‘Ddim i mi allu cofio, ond dwi wedi bod i ffwrdd, ac ella bod y goleuadau wedi ymddangos yn amlach na hynny.’

Arweiniodd Iwan ei gyfaill allan er mwyn dangos, cystal ag y gallai, ble yn union y gwelodd y goleuadau.

‘Wrth gwrs, roedd hi’n dywyll fel bol buwch ar y pryd, ac mae’n anodd iawn deud. Dipyn is na’r llyn, beth bynnag,’ meddai, gan bwyntio i’r cyfeiriad hwnnw. ‘Ond yn yr un lle roedd y goleuadau bob tro.’

‘Fel deudist ti gynna, ddim ymhell o gartref Emyr Lloyd,’ meddai Jeff.

‘JP ac MBE, dim llai. Gafodd o’r anrhydedd honno am ei gyfraniad i’r byd amaethyddol, fel dwi’n dallt. Ond tydi pawb yn yr ardal ’ma ddim yn canu ei glodydd o chwaith, cofia.’

‘Pam felly?’

‘Rwbath i’w wneud â hawliau pysgota ar yr afon, ond wn i ddim mwy na hynny. Mi fysa’r ffermwyr sy’n dal y tir ymhellach i lawr yr afon yn gallu deud mwy wrthat ti.’

‘Peth rhyfedd na wnaeth o sôn am unrhyw oleuadau pan ges i air efo fo gynna. Dwi’n meddwl y dylwn i fynd i gael golwg agosach.’

Ar ôl ffarwelio ag Iwan, teithiodd Jeff yn ôl i lawr y dyffryn a pharcio yn yr un lle ag yr oedd car Daniel Pritchard wedi cael ei ddarganfod gan Esmor nos Lun. Cerddodd i fyny glan yr afon ac aros am ychydig funudau yn y llecyn lle canfuwyd corff anymwybodol Dan. Anadlodd yn ddwfn ac yn araf er mwyn ceisio cael rhyw fath o ysbrydoliaeth, ond roedd hwnnw’n araf yn dod.

Parhaodd i fyny'r afon gan stopio i siarad â physgotwr ar y ffordd. Edmygodd ei ddull o drin y wialen er mwyn taflu'r bluen fel ei bod yn osgoi'r holl ganghennau isel dros y dŵr ar y lan arall. Cerddodd ymhellach, ac o fewn ychydig funudau sylweddolodd ei fod yn agos i ffermdy Ceirw Uchaf, er na allai weld y tŷ oherwydd bod y tir yn codi tuag ato o gyfeiriad yr afon. Roedd llannerch ymysg y coed trwchus o'i flaen; llannerch a oedd bron yn grwn ac yn mesur tua deugain llath ar draws. Prin roedd golau haul isel yr hydref yn treiddio trwodd i'r tir. Yng nghanol y cylch agored roedd carreg fawr, un fflat ac annaturiol yr olwg, ond roedd yn rhy fawr o lawer iddi fod wedi cael ei symud yno, ystyriodd. O fewn ychydig droedfeddi i'r garreg roedd olion bod y tir wedi cael ei losgi, yn union fel petai tân wedi'i gynnau yno. Disgynnodd Jeff ar ei gwrcwd a rhwbio'i law yn y llwch. Doedd dim posib dyfalu pryd y cynheuwyd y tân, nac ychwaith sawl tân a fu yno, ond yn sicr, dyma ffynhonnell y golau oren a welodd Iwan. Doedd y lle ddim llawer mwy na thafliad carreg o'r man lle ymosodwyd ar Dan.

Dechreuodd Jeff ystyried y sefyllfa. Oedd 'na gysylltiad? Ynteu cyd-ddigwyddiad oedd bod y ddau lecyn mor agos i'w gilydd? Ond doedd Jeff ddim yn credu mewn cyd-ddigwyddiadau.

Ni wyddai yn union pa mor hir y bu yno'n pendroni, ond yn sydyn, torrwyd ar y distawrwydd gan lais uchel o'r tu ôl iddo.

'Ditectif Sarjant Evans! Be ydach chi'n ei wneud yn y fan hyn?'

Cododd Jeff yn gyflym ar ôl deffro o'i fyfyrdod, a gweld Emyr Lloyd yn sefyll ychydig lathenni oddi wrtho.

'Does ganddoch chi ddim hawl i fynd lle mynnoch chi ar fy nhir i heb ganiatâd.' Adleisiodd ei eiriau fel taran o amgylch y llannerch fechan, ac roedd ei wyneb coch a'i lygaid cul yn arwydd o'i dymer. Roedd ei hwyliau wedi newid yn hollol ers iddo ffarwelio'n gwrtais â Jeff y tu allan i'w dŷ lai na dwyawr ynghynt.

Atebodd Jeff yn ddistaw ac yn bwyllog. 'Os cofiwch chi, Mr Lloyd, mi ydw i'n cynnal ymchwiliad i ymgais i ladd Daniel Pritchard, ac mae gen i hawl i chwilio lleoliad yr ymosodiad mor fanwl ag sydd angen, a'r tir o amgylch y llecyn hwnnw o fewn pellter rhesymol. Dwi ddim angen eich caniatâd chi na neb arall i wneud hynny, a dwi'n synnu fod dyn fel chi yn gwrthwynebu, Mr Lloyd.'

'Peidiwch chi â meiddio ateb eich gwell fel'na, Ditectif Sarjant. Ewch o 'ma rŵan, a pheidiwch â rhoi blaen troed ar dir Ceirw Uchaf eto heb fy nghaniatâd i.'

Ceisiodd Jeff frathu ei dafod, ond roedd o wedi gwylltio gormod. Ei well, wir! Cododd yntau ei lais. 'Gwranda di, mistar,' meddai, gan gamu'n nes at Lloyd. 'Dim ots gen i pwy wyt ti'n feddwl wyt ti. Pan mae rwbath fel hyn yn digwydd ar fy mhatsh i, mi fydda i'n mynd i lle bynnag licia i ac yn archwilio pob dim o fewn fy ngafael, a does neb yn mynd i fy rhwystro fi rhag gwneud hynny. Ac mae hynny'n dy gynnwys di.' Gwyddai wrth boeri'r geiriau allan ei fod wedi mynd chydig yn rhy bell, ond roedd hi'n rhy hwyr bellach.

'Mi fydd y Prif Gwnstabl yn clywed am hyn,' meddai Lloyd, gan droi ar ei sawdl a cherdded ymaith.

'A be ydi hanes y tân yma?' gwaeddodd Jeff ar ei ôl. 'Neu y tanau, ddylwn i ddeud.'

Doedd Jeff ddim yn disgwyl iddo ymateb, ond trodd

Lloyd yn ôl i'w wynebu, ei wyneb bellach yn biws a'i anadl yn gyflym.

'Ro'n i'n meddwl mai ymgais i lofruddio oedd ffocws eich ymchwiliad chi, Ditectif Sarjant,' gwaeddodd, 'nid mynd ar ôl plant yr ardal am danio ambell goelcerth fin nos. Dyna'r cwbwl ydi hwnna.'

Trodd ar ei sawdl unwaith eto a brasgamu drwy'r coed i gyfeiriad ei dŷ. Arhosodd Jeff yn ei unfan. Pam fu cymaint o newid yng nghymeriad y dyn? Oedd rhywbeth wedi digwydd ers i Jeff adael Ceirw Uchaf?

Penderfynodd ei ddilyn, dim ond er mwyn gweld pa lwybr fyddai'n ei ddilyn a pha mor bell oedd ei gartref. Erbyn gweld, doedd ffermdy Ceirw Uchaf yn ddim pellach na dau gan llath o'r llannerch. Cuddiodd yn y coed i wylio Lloyd yn brasgamu'n wyllt ar draws y maes parcio a thrwy'r drws ffrynt.

Trodd Jeff yn ôl i gyfeiriad y llannerch ond stopiodd pan sylwodd ar rywbeth nad oedd o wedi'i weld ar y ffordd i fyny, a hynny am ei fod yn ceisio dilyn Lloyd yn gudd. Roedd yn cerdded ar ryw fath o lwybr – nid un amlwg, ond roedd y llystyfiant o dan ei draed wedi cael ei sathru i lawr yn gyson ac yn ddiweddar. Roedd rhywun neu rywrai wedi defnyddio cryn dipyn ar y llwybr hwn i gerdded yn ôl ac ymlaen o ffermdy Ceirw Uchaf i'r llannerch.

# Pennod 10

Roedd hi bron yn chwech o'r gloch y noson honno pan gyrhaeddodd Jeff yn ei ôl i orsaf heddlu Glan Morfa. Defnyddiodd y drws cefn yn ôl ei arfer a cherdded i mewn trwy'r ddalfa.

Roedd hi fel ffair yn y fan honno, a'i gyfaill, Sarjant Rob Taylor, yn boddi mewn carcharorion, cyfreithwyr a gwaith papur. Sylwodd Jeff fod Rob yn gwisgo'i iwnifform orau, yn wahanol i'r arfer.

'Ti'n edrych yn smart iawn am unwaith, Rob,' meddai Jeff yn ei glust.

'O, paid â sôn, Jeff bach. Dwi wedi bod mewn cwest drwy'r pnawn a heb gael amser i newid. Newydd gyrraedd ydw i, ac mi ddois i'n ôl i ganol y miri 'ma.'

'Pa gwest oedd heddiw, Rob?'

'Mandy Cowell, yr hogan ifanc laddodd ei hun chwe wythnos yn ôl. Coblyn o drist.'

'Dyna oedd y dyfarniad: hunanladdiad? Ro'n i'n meddwl bod amheuaeth ar un adeg mai damwain oedd hi.'

'Na. Nid damwain, yn anffodus. Roedd hi wedi llyncu digon o dabledi i ladd eliffant.'

'Oedd 'na unrhyw awgrym pam wnaeth hi'r fath beth, Rob?'

'Ddaeth dim byd i'r amlwg yn y cwest. Hogan bach o deulu sefydlog, oedd i weld yn berffaith hapus ac yn gwneud yn weddol dda yn yr ysgol tan ryw ddau neu dri mis yn ôl. Tydi hi mor anodd deud be sy ar feddyliau plant y dyddia yma? Mae ei theulu hi wedi torri'u c'lonnau.'

'Dwi'n siŵr.' Newidiodd Jeff y pwnc. 'Be sgin ti yn fama, Rob? Sut bod cymaint yn y ddalfa?'

'Dy hogia di ddaeth â nhw i mewn ryw awr neu ddwy yn ôl ar gyhuddiadau o ddwyn, bod ag eiddo wedi'i ddwyn yn eu meddiant, torri i mewn a throseddau'n ymwneud â chyffuriau. Wrthi'n eu prosesu nhw ydw i rŵan, a dwi'n disgwyl i'r cyfreithwyr gael gair efo nhw cyn i dy hogia di ddechrau'r cyfweliadau. Hynny ydi, os fyddan nhw'n ffit i hynny – ma' nhw i gyd dan ddylanwad un ai cyffuriau neu alcohol.'

'Lle mae bois y CID?'

'I fyny'r grisiau yn mynd trwy'r eiddo gafodd ei feddiannu, ac yn paratoi at y cyfweliadau.'

'Edrych yn debyg bod gen ti noson go hir o dy flaen, Rob.'

'Rhaid i mi ennill fy nghyflog, Jeff bach.'

Aeth Jeff yn syth i mewn i swyddfa'r ditectif gwnstabliaid.

'Pnawn prysur, hogia?' gofynnodd gyda gwên.

Sgwâr atebodd. 'Wel, Sarj, mi oeddach chi'n llygad eich lle pan ddeudoch chi y bysa'n werth chwilio'r fflat 'na. Roedd y lle'n llawn o focsys o win a gwirod – y rhai gafodd eu dwyn o'r warws 'na bythefnos yn ôl. Mi welson ni'r dystiolaeth cyn mynd i mewn i'r fflat, hyd yn oed – yn y bin sbwriel yn yr iard gefn roedd 'na swp o boteli jin a fodca gwag a'u labeli i gyd a'u pen i lawr.'

'Poteli ar gyfer optics mewn tafarnau,' meddai Jeff.

'Hollol.'

'Gest ti warant i chwilio'r fflat?'

'Naddo,' cyfaddefodd Sgwâr. 'Do'n i ddim yn gweld

llawer o bwynt a deud y gwir, gan fod y poteli yn ddigon o dystiolaeth i ni. A beth bynnag, pan aethon ni at ddrws y fflat roedd y lle'n drewi o ganabis, felly roeson ni gic iddo fo i'r diawl. Dyna lle oedd pedwar ohonyn nhw'n smocio ac yfed. Beryg y bydd raid i ni aros tan y bore i'w cyfweld nhw gan eu bod nhw yn y ffasiwn stad.'

Gwelodd Jeff un o'r ditectifs eraill yn piffian chwerthin.

'O, paid â sbragio,' meddai Sgwâr wrtho, 'does dim angen i Sarjant Evans gael gwybod bob dim.' Erbyn hyn roedd pawb arall yn yr ystafell yn morio chwerthin.

'Dewch 'laen, hogia,' meddai Jeff. 'Be sy?'

'Gwneud hwyl am fy mhen i ma' nhw, Sarj,' dechreuodd Sgwâr esbonio. 'Mi ddechreuodd y carcharor ro'n i'n edrych ar ei ôl gadw reiat, ac mi oedd raid i mi roi gefyn llaw am un o'i arddyrnau a'r ochor arall am fy ngarddwrn fy hun. Erbyn i ni gyrraedd y ddalfa roedd o wedi cynhyrfu'n lân ac mi ofynnodd am gael mynd i'r lle chwech. Fedrwn i yn fy myw â ffeindio'r goriad i agor y gefyn llaw, ac mi oedd raid i mi fynd i'r toiled efo fo. I wneud petha'n waeth, nid i'r iwreinal oedd o angen mynd, felly mi fu'n rhaid i mi sefyll wrth ei ochor o tra oedd o'n cael cachiad. Fues i erioed yn y fath sefyllfa o'r blaen, a dwi ddim isio'r un profiad byth eto chwaith.'

'Wel dyna wers i ti, Owain bach. Tydan ni dditectifs ddim yn gorfod defnyddio gefynnau llaw yn aml, ond mi fydda i bob amser yn cario goriad sbâr, jyst rhag ofn. Ella bysa'n syniad i ti wneud 'run fath.'

'Mi fydda i'n siŵr o wneud, Sarj, a wna i 'mo'r un camgymeriad eto, mae hynny'n saff i chi.'

'Unrhyw hanes o Colin Pritchard?' gofynnodd Jeff, gan geisio stopio chwerthin.

'Dim sôn a dim gair, a hyd y gwelwn ni, doedd 'na ddim o'i eiddo yn y fflat chwaith. Mi ddeudodd un o'r hogia yn y fflat ei fod o wedi'i weld o'r wsnos dwytha efo dau foi diarth o Lerpwl. Dyna'r cwbwl ddysgon ni.'

'Gwaith da, hogia. Peidiwch â rhuthro i'w cyfweld nhw os ydyn nhw'n dal dan ddylanwad – mi wneith bore fory'n iawn. Tydw i ddim yn gweld 'run cyfreithiwr yn gwrthwynebu.'

Ar ôl cyrraedd ei swyddfa, trodd Jeff ei feddwl yn ôl at Emyr Lloyd, a'r newid a welodd yn ei agwedd o fewn amser mor fyr. Penderfynodd wneud mwy o ymholiadau ynglŷn â'r dyn. I ddechrau, oedd o wedi dweud y gwir am ddigwyddiadau nos Lun ac oriau mân fore dydd Mawrth? Ffoniodd y pencadlys i holi a oedd cofnod o'i alwad ynglŷn â'r hofrenydd a glywodd yn hedfan yn agos i'w gartref. Gwyddai fod pob galwad ffôn yn cael ei chofnodi, ynghyd ag unrhyw ymateb. Cafodd ateb yn gyflym: roedd Lloyd yn dweud y gwir. Yn ôl y cofnod, daeth yr alwad i mewn am chwarter wedi un y bore gan Mr Emyr Lloyd JP, yn holi am y sŵn anghyffredin, a dywedwyd wrtho mai sŵn yr ambiwlans awyr a glywodd. Eisteddodd Jeff yn ôl yn ei gadair. Wel, ble nesaf, meddyliodd.

Daeth yr ateb ynghynt na'r disgwyl gyda chnoc ar ddrws ei swyddfa. Agorwyd y drws yn syth, a gwelodd Jeff yr Uwch-arolygydd Talfryn Edwards o'r pencadlys rhanbarthol yn sefyll o'i flaen. Doedd y wên arferol ddim ar ei wyneb llawn, a chododd Jeff ar ei draed.

'Noswaith dda, syr,' meddai. 'Be sy'n dod â chi i Lan Morfa yr adeg yma o'r dydd?'

Ni fuasai Jeff yn meiddio cyfarch unrhyw uwch-arolygydd arall mor anffurfiol, ond roedd y ddau'n adnabod ei gilydd yn dda. Croesodd eu llwybrau bron i bymtheng mlynedd ynghynt pan oedd o'n dditectif ifanc dibrofiad a Talfryn Edwards yn Dditectif Sarjant yn Nolgellau. Cymro glân oedd yr Uwch-arolygydd, wedi'i eni a'i fagu ym Mlaenau Ffestiniog, ac roedd y ddau wedi cydweithio'n dda sawl tro dros y blynyddoedd pan fyddai achos iddyn nhw wneud hynny.

'Clywed dy fod ti wedi bod yn tynnu'n groes eto heddiw, Jeff,' dechreuodd.

Nid oedd yn rhaid i Jeff ystyried yn hir pwy oedd wedi cwyno amdano.

'Wel, ddaru'r ynad Mr Emyr Lloyd MBE ddim oedi cyn cysylltu efo chi, felly.'

Gwelodd Jeff awgrym o wên ar wyneb yr Uwch-arolygydd.

'Mi ddefnyddiodd ei statws i fynd drwodd yn syth i'r Dirprwy Brif Gwnstabl, ac mae Mr Owen wedi gofyn i mi ddod i dy weld di er mwyn cael y stori'n iawn. Os nad ydi'r Dirprwy yn clywed am gŵyn yn dy erbyn di bob hyn a hyn, Jeff, mae o'n poeni nad wyt ti'n gwneud dy waith yn iawn.' Gwenodd wrth ystyried y berthynas arbennig oedd gan Jeff â'r uwch-swyddog o'r pencadlys. 'Gyda llaw, ydi Emyr Lloyd yn dal i fod yn ynad?' gofynnodd.

'Wn i ddim,' atebodd Jeff, 'ond tydw i ddim wedi'i weld o ar y fainc ers tro byd.'

'Be ddigwyddodd pnawn 'ma i styrbio cymaint ar y dyn, felly?'

Wedi i Jeff adrodd yr hanes wrtho, dywedodd yn ddidwyll, 'Dwi'n gwybod 'mod i wedi mynd dipyn yn bellach nag y dylwn i, ond mi oedd cymaint o fai arno fo ag arna i. Deud 'mod i o flaen fy ngwell, wir! Mi ddylwn i fod wedi deud wrth fo 'mod innau wedi cael fy anrhydeddu hefyd.'

'Wel, does 'na ddim llawer o gwmpas yr ardal 'ma'n ymwybodol dy fod di wedi cael y QPM, ac mi wn i nad wyt ti'n sôn wrth neb amdano. Ond ta waeth am hynny rŵan, be wyt ti'n feddwl o'r dyn Lloyd 'ma? Chydig iawn dwi'n wybod amdano, ond mae gen i gof fod rhyw si o gwmpas flwyddyn neu ddwy yn ôl ei fod o wedi cael ei wahardd neu ei ddiswyddo o fod yn ynad. Wn i ddim ydi hynny yn wir ai peidio, ond os ydi o'n wir mi gafodd y rheswm am hynny ei gadw'n ddistaw iawn. Wn i ddim be ydi'r sefyllfa erbyn hyn – oes ganddo fo hawl i alw'i hun yn JP o hyd, 'ta dewis peidio eistedd ar y fainc mae o?'

'Anaml iawn mae rhywun yn clywed am ddiswyddiad ynad,' mentrodd Jeff. 'Fel arfer ymddeol maen nhw wrth gyrraedd ryw oed neilltuol. Ond mae un peth yn sicr: mae o'n dal i ddefnyddio'r teitl. Sut arall gafodd o afael ar y Dirprwy mor handi pnawn 'ma, a chael yr wybodaeth oedd o isio pan ffoniodd o'r heddlu am un o'r gloch fore dydd Mawrth?'

'Mi oedd ganddo enw da iawn yn y cylch 'ma a'r tu hwnt am flynyddoedd,' ychwanegodd Talfryn Edwards. 'Roedd o'n gynghorydd llwyddiannus am gyfnod hir ac yn llewyrchus yn y byd amaethyddol... a'i big ym mhob achos da. Ond yn ddiweddar mae o wedi diflannu i raddau o'r byd cyhoeddus – er, fel soniais i, ei fod o wedi defnyddio'i statws i gael gafael ar y Dirprwy.'

'Pwy fysa'n gwybod mwy, deudwch?'

'Fel mae'n digwydd, mae gen i gyfarfod bore fory efo Clerc yr Ynadon. Mi ofynna i iddo fo, ond paid â dal dy wynt. Mae'r math yna o wybodaeth yn tueddu i fod yn gyfrinachol.'

'Mi glywais i heddiw fod 'na rai yn lleol nad ydyn nhw'n hoff iawn ohono fo. Sgin i ddim syniad pam, ond dwi'n siŵr y medra i ddysgu mwy drwy ofyn yn y llefydd iawn. Os allwch chi holi Clerc yr Ynadon yfory, mi wna innau dipyn o ymholiadau hefyd. Ond i fynd yn ôl at y pwynt, be 'di hanes y gŵyn mae o wedi'i gwneud yn fy erbyn i heddiw?'

'Mi ro' i d'ochor di i'r Dirprwy bore fory, ac mi gawn ni weld be fydd ei benderfyniad o. Ella y gwna i hynny ar ôl i mi gael gair efo'r Clerc... rhag ofn y ca' i fwy o wybodaeth.'

# Pennod 11

Treuliodd Jeff oriau cyntaf y bore wedyn yn arolygu gwaith y ditectif gwnstabliaid oedd yn delio â'r llanciau ifanc o'r fflat a fu'n sobri yn y celloedd dros nos. Erbyn hanner dydd, cliriwyd pymtheg o fyrgleriaethau ac roedd cryn dipyn o eiddo a oedd wedi'i ddwyn yn nwylo'r heddlu, er bod cyfran helaeth ohono eisoes wedi'i yfed. Yn ogystal, cawsant rywfaint o wybodaeth am ffynhonnell y cyffuriau roedd y llanciau wedi bod yn eu cymryd. Cyfeillion newydd Colin Pritchard oedd wedi dod â nhw i lawr o Lerpwl, ond doedd 'run o'r carcharorion yn gwybod pwy oedd y dynion hyn... medden nhw. Boed hynny'n wir ai peidio, roedd y ditectifs yn eitha ffyddiog nad oeddynt yn ymwybodol o leoliad Colin Pritchard ers iddo ddiflannu y dydd Llun cynt.

Ychydig wedi hanner dydd daeth yr alwad ffôn roedd Jeff wedi bod yn disgwyl amdani gan yr Uwch-arolygydd Talfryn Edwards.

'Dipyn o newyddion drwg a dipyn o newyddion da i ti, Jeff,' meddai.

'Mi gymera i'r drwg gynta,' atebodd Jeff. 'Well gen i orffen efo newydd da bob tro.'

'Mi ges i air efo Clerc yr Ynadon bore 'ma. Tydi Emyr Lloyd ddim yn ynad bellach. Nid ymddiswyddo o'i wirfodd ddaru o, ond cael ei ddiswyddo gan y Weinyddiaeth Gyfiawnder ddwy flynedd a hanner yn ôl.'

'Pam?'

'Dyna'r newyddion drwg: wn i ddim, ac mi wrthododd y clerc ddeud wrtha i. Swyddfa'r Arglwydd Ganghellor a'r Arglwydd Brif Ustus fydd yn gwneud penderfyniadau fel'na ar ôl cael adroddiad gan y Swyddfa Ymchwiliadau Ymddygiad Barnwrol. Ges i'r argraff nad oedd y clerc yn gwybod yr holl hanes ei hun, ac mi ddwedodd nad oedd pwynt i mi geisio holi yn uwch i fyny'r ysgol. Dydi pobol fel'na ddim yn siarad efo pobol fel ni.'

'Peth rhyfedd na fysan nhw'n deud wrth blismon o'ch rheng chi.'

'Deud ddaru o ei fod o'n fater hynod o gyfrinachol, ac y bysa fiw iddo fo agor ei geg hyd yn oed petai o'n gwybod y ffeithiau.'

'Ddeudoch chi ei fod o'n dal i ddefnyddio'r teitl er mwyn agor drysau iddo fo'i hun?'

'Do. Mi ddeudodd nad oedd hynny'n syndod iddo fo o gwbl – a chadarnhau nad oes ganddo hawl i wneud hynny. Yr unig beth alla i ei ddychmygu ydi ei fod o wedi gwneud rwbath difrifol iawn. Tydi ynadon ddim yn cael eu gwahardd mor ddistaw a chyfrinachol ar chwarae bach. Wal frics mae gen i ofn, Jeff.'

'Wel, mi ydach chi wedi trio. Be ydi'r newyddion da, felly?'

'Dim ond na fydd y gŵyn wnaeth o yn dy erbyn di yn mynd ymhellach. Pan ddeudis i'r hanes ges i gan y clerc wrth y Dirprwy, mi wylltiodd hwnnw'n gacwn wrth sylweddoli dyn mor anonest oedd Lloyd i ddefnyddio'i deitl i wneud y ffasiwn gŵyn. Mae o am sgwennu ato i adael iddo fo wybod.'

'Mi fyswn i wrth fy modd yn cael gweld cynnwys y llythyr hwnnw. Wel, dyna ddiwedd ar y mater, felly.'

'Oes gen ti rywfaint mwy o wybodaeth, Jeff?' gofynnodd Talfryn Edwards.

'Dim eto. Ches i ddim cyfle i holi – mae'r lle 'ma wedi bod yn llawn carcharorion ers pnawn ddoe.' Dywedodd Jeff yn hanes wrtho.

'Job dda. Cofia ddeud wrth yr hogia 'mod i'n eu canmol nhw.'

'Mi wna i. Ac mae gen i syniad reit dda lle i fynd heddiw – mae 'na ffarmwr tua hanner milltir yn is i lawr yr afon na Ceirw Uchaf sy'n o agos at ei le. Arthur Thomas ydi'i enw fo, ac ella ga' i rywfaint mwy o wybodaeth ganddo fo.'

Wrthi'n chwalu tail ar gaeau Bryn Ceirw Isaf oedd Arthur pan gyrhaeddodd Jeff. Doedd y fferm hon ddim yn terfynu â Ceirw Uchaf gan fod fferm arall, Bryn Ceirw, rhwng y ddwy.

Roedd tir y ffermydd yn rhedeg i lawr at yr afon lle gwelai Jeff ddau neu dri o bysgotwyr ar y glannau yn pysgota â phlu, a'u ceir gyriant pedair olwyn drudfawr gerllaw. Pobl gyfoethog, meddyliodd. Pan sylwodd Arthur ar Jeff yn dringo allan o'i gar ar y ffordd fechan, cododd ei law arno i gydnabod ei bresenoldeb, a chymerodd funud neu ddau i orffen chwalu'r llwyth olaf o dail cyn gyrru'r tractor i gyfeiriad y giât. Diffoddodd yr injan, ac wrth ddringo i lawr o'r cab tynnodd Arthur ei gap stabl a sychu'i dalcen â'i lawes. Roedd y rhan fwyaf o'i wyneb yn dyst i flynyddoedd o haul a gwynt y bryniau ond roedd ei dalcen yn wyn.

Dyn dipyn dros ei hanner cant oedd Arthur, ei wallt yn dal yn dywyll a'i gorff yn fain a chyhyrog ar ôl degawdau o drin y tir ers iddo adael y brifysgol.

'Wna i ddim ysgwyd dy law di, Jeff,' meddai, gan ddal ei ddwylo budron o'i flaen. 'Be sy'n dod â chdi ffor'ma?'

'Yr ymosodiad ar Dan Dŵr nos Lun.'

'Ia, mi glywis i ei fod o wedi'i anafu, ond ew, ymosodiad? Chlywis i ddim am hynny. Pwy fysa'n meddwl? Mae pawb mor hoff o Dan ar hyd y fro 'ma.'

Rhoddodd Jeff ychydig o'r hanes iddo, cyn gofyn yn blwmp ac yn blaen, 'Oes gen ti unrhyw syniad pwy fysa'n gwneud y fath beth?'

'Dim clem, Jeff. Dwi'n ei nabod o ers pan o'n i'n pysgota'r afon 'ma yn blentyn ysgol, a chlywis i rioed neb yn deud gair drwg amdano fo. Mae pob un wan jac o'r sgotwrs yn meddwl y byd ohono fo.'

'Ia, dyna'n union dwi'n glywed. Wyddost ti rwbath am ei ŵyr o, Colin Pritchard?'

'Dim byd. Wyddwn i ddim fod ganddo fo ŵyr.'

'Sut oedd Dan yn gwneud efo Emyr Lloyd, Ceirw Uchaf?'

'Iawn, am wn i. Chlywis i ddim i'r gwrthwyneb, beth bynnag. Pam wyt ti'n holi?'

'Dim ond am fod Mr Lloyd i fod yn ddyn uchel ei barch o gwmpas y lle 'ma, a 'mod i wedi clywed ddoe bod ochor arall i'w gymeriad o. Tydi pawb ddim mor hoff â hynny ohono fo, er na wn i pam.'

'A ti'n gobeithio cael yr hanes gen i.' Gwenodd Arthur o glust i glust, a chododd Jeff ei aeliau. 'Mae 'na ochr dwyllodrus i Emyr Lloyd, ond hyd y gwn i does 'na ddim byd yn anghyfreithlon ynglŷn â'r hyn sydd gen i i'w ddeud wrthat ti – er 'mod i fy hun yn un o'r rhai a gollodd arian sylweddol o ganlyniad i'r hyn wnaeth o, ac yn dal i wneud.'

Roedd Jeff ar binnau eisiau gwybod mwy erbyn hyn.

‘Rai blynyddoedd yn ôl, saith mlynedd i fod yn fanwl gywir, yn 2015, daeth Emyr Lloyd ata i a phob perchennog tir ar ddwy ochr afon Ceirw, yr holl ffordd o’r llyn i lawr at ddŵr pysgota’r Gymdeithas. Yr adeg honno roedd Cymdeithas Bysgota Afon Ceirw yn talu rhywfaint i ni bob blwyddyn am yr hawl i’w pysgotwyr gael troedio’n tir ni i bysgota am frithyll. Dim ond brithyll oedd yno’r adeg honno, ti’n gweld, a phetha mân oeddan nhw beth bynnag. Dim gwerth eu cael.’

‘Rhent am yr hawliau pysgota oedd hynny?’

‘Ia, dyna chdi. Arian dwy a dima’ oedd o, ond mi oedd o’n rwbath. Yr unig beth oedd yn rhaid i ni ei wneud oedd gwneud yn siŵr fod y giatiau a’r camfeydd yn ddiogel. Roedd ’na drefniant tebyg wedi bod ers blynyddoedd maith, ers dyddiau ’Nhad a chyn hynny hefyd. Mi gynigiodd Emyr Lloyd brynu’r hawliau pysgota ganddon ni i gyd am bedair gwaith yn fwy na be oeddan ni’n ’i gael gan y Gymdeithas, gan ddeud y bysa fo’n cymryd cyfrifoldeb am ddiogelwch ar y tir hefyd. Wrth gwrs, mi neidiodd pawb at y cyfle, ac felly y bu hi. Rhoddwyd prydles yn ei lle i gadarnhau’r cytundeb am gyfnod o naw deg naw o flynyddoedd.’

Tynnodd Arthur ei gap eto, crafu’i ben a rhoi’r cap yn ei ôl yn gam fel arfer.

‘Mi weithiodd petha’n iawn am sbel fach, ond wedyn, heb fath o rybudd i berchnogion y tir, adeiladwyd grisiau eogiaid wrth ochr y rhaeadr fawr yn is i lawr.’

‘I alluogi’r eogiaid i redeg yr afon yr holl ffordd i fyny at y llyn, ac ymhellach, i gladdu eu hwyau yn y ffosydd.’

‘Dyna chdi. Doedd ’na ddim ond brithyll mân yno cyn hynny. Ac ar yr un pryd cafwyd caniatâd i greu pyllau newydd – dwsinau ohonyn nhw am filltiroedd – i greu amodau perffaith i'r eogiaid fagu.'

'Ac yn addas i bysgota, siŵr gen i?' rhoddodd Jeff ei big i mewn.

'Wrth gwrs,' cytunodd Arthur. 'Wedyn, adeiladwyd deorfa yn agos i ben yr afon ar dir Ceirw Uchaf. O fewn blwyddyn cafodd cannoedd ar filoedd o wyau eu gollwng yno, ac mae'r un peth wedi digwydd bob blwyddyn ers hynny. Erbyn hyn mae 'na rediad da o eogiaid yn yr afon bob tymor, a'r pyllau a gweddill yr afon yn un o'r llefydd gorau i bysgota eogiaid yng Nghymru.'

'Ac Emyr Lloyd sy'n dal yr hawliau pysgota. Diddorol,' meddai Jeff. 'Diddorol iawn. Ac ma' siŵr ei fod o'n codi arian mawr ar y sgotwyr. Mi welais i safon y ceir sydd wedi'u parcio'n is i lawr yn fanna.'

'Mae o'n codi cymaint â chanpunt y diwrnod am bysgota mewn rhai llecynnau, a miloedd am y tymor cyfan.'

'Mi fedra i ddychmygu sut wyt ti a'r tirfeddianwyr eraill yn teimlo.'

'Mae pawb wedi colli allan ar filoedd o bunnau, felly mi aethon ni i gyd at gyfreithiwr er mwyn cael cyngor ynglŷn â'r sefyllfa. Doedd 'na ddim byd anghyfreithlon wedi digwydd, medda hwnnw, gan ein bod ni i gyd wedi cytuno i werthu'r hawliau i Lloyd.'

'Faint oedd Emyr Lloyd yn ei wybod ynglŷn â'r cynlluniau pan wnaeth o'r cynnig i brynu'r hawliau pysgota?' Roedd Jeff yn gwybod y byddai rhyw ddrwg yn y caws, cyngor cyfreithiwr neu beidio. 'Pwy oedd yn gyfrifol am adeiladu'r grisiau a chreu'r pyllau, wyddost ti?'

'Y Bwrdd Dŵr, neu Cynefinoedd Cynhenid Cymru fel mae o bellach, am wn i.'

'A be am adeiladu'r ddeorfa?'

'Emyr Lloyd ei hun oedd yn gyfrifol am hynny, ond Esmor Owen, y cipar, oedd yn edrych ar ôl yr wyau ac yn dod â nhw yma, mi wn i gymaint â hynny.'

Dechreuodd Jeff ddyfalu faint o gymorth roedd ei gyfaill, Esmor, wedi ei roi i Emyr Lloyd. Pa mor agos oedden nhw? Byddai'n rhaid iddo ofyn un neu ddau o gwestiynau anodd i'w gyfaill yn y dyfodol agos.

# Pennod 12

'Glywaist ti rwbath o hanes Dan heddiw?' gofynnodd Jeff i Esmor yn ddiweddarach yr un prynhawn, er ei fod yn ysu i'w holi am yr hyn ddysgodd o gan Arthur Thomas. Sut fath o berthynas oedd rhwng ei gyfaill, y cipar, ac Emyr Lloyd, tybed? A phetai'n dod i hynny, pa fath o berthynas oedd rhwng Daniel Pritchard a Lloyd? Roedd y sefyllfa ar yr afon yn ystod y blynyddoedd diweddar wedi bod yn gythryblus a dweud y lleiaf – tybed oedd Dan yng nghanol y miri?

'Mi welais i Daf y peth cynta bore 'ma wrth fynd i nôl papur newydd,' atebodd Esmor gan dynnu sigarét allan o baced. 'Ar y ffordd i'r ysbyty oedd o'r adeg hynny. Dim newid, medda fo. Dwi'n teimlo'n ofnadwy drosto fo, cofia.'

'Ddaru o ddim digwydd sôn am Colin, ma' siŵr?' Waeth beth oedd y sefyllfa ar yr afon, roedd Colin yn dal i fod ar ben y rhestr o rai dan amheuaeth o ymosod ar Dan, a doedd Jeff ddim yn debygol o anghofio hynny.

'Dim gair, ond wnes inna ddim holi chwaith. Wn i ddim ydi Daf wedi gwneud unrhyw gysylltiad rhwng Colin a'r ymosodiad ar ei dad.'

Newidiodd Jeff y pwnc. 'Be wyt ti'n ei wneud o Emyr Lloyd, Ceirw Uchaf, Esmor?'

Gwyliodd Jeff wyneb Esmor wrth i'r cwestiwn ei daro, a chulhaodd llygaid y cipar wrth iddo geisio dychmygu beth oedd ar feddwl y ditectif.

'Emyr Lloyd?'

'Ia, sut wyt ti'n gwneud efo fo?'

'Dwyt ti rioed yn meddwl fod ganddo fo rwbath i'w wneud ag anaf Dan?' gofynnodd.

'Cadw fy meddwl a'm llygaid yn agored ydw i, Es, dyna'r cwbwl. Ei agwedd o – a'r newid ynddi – sy'n fy synnu fi braidd.' Dywedodd yr hanes wrtho.

'Paid â'i groesi o, beth bynnag wnei di, Jeff. Ddeuda i ddim mwy na hynny.'

'Mae gen i dipyn o brofiad o wneud hynny'n barod, ond pam?'

'Dyn sydd wedi arfer cael ei ffordd ei hun ydi Emyr Lloyd, ac yn fodlon sathru ar unrhyw un er mwyn ei gael o.'

'A be amdanat ti, Es? Wyt ti wedi profi'r ochor honno i'w gymeriad o?' Pan na chafodd ateb, gofynnodd eto, 'Sut wyt ti wedi gwneud efo fo ar hyd y blynyddoedd?'

'Dwi erioed wedi cael rheswm i ddadlau efo'r dyn.'

'Pa mor dda wyt ti'n ei nabod o? Mae rhai yn canu'i glodydd o ac eraill yn ei drin o efo cyllell a fforc.'

'Wnaiff y ffermwyr i lawr yr afon byth faddau iddo fo am be wnaeth o iddyn nhw ynglŷn â'r hawliau pysgota,' meddai.

'Dwi'n gyfarwydd â rhywfaint o'r hanes,' cyfaddefodd Jeff. 'Faint o amser oedd rhwng i'r ffermwyr arwyddo'r cytundeb ynglŷn â'r hawliau, ac adeiladu'r grisiau eogiaid er mwyn galluogi'r pysgod i redeg yn uwch i fyny'r afon?' Oedodd am ennyd. 'Mi ofynna i'r cwestiwn fel hyn: oedd y cynllun i adeiladu'r grisiau'n bodoli cyn i'r cytundebau gael eu cynnig i'r tirfeddianwyr?'

'Yr unig beth fedra i ddeud ydi bod y gwaith o adeiladu'r grisiau wedi dechrau chydig ar ôl y cytundeb. Ond sgin i ddim syniad ers pryd roedd y cynlluniau ar waith.'

'Chydig? Faint, felly?'

'Mater o wsnosau, os dwi'n cofio'n iawn.'

'Pwy oedd yn gyfrifol am adeiladu'r grisiau, Esmor?'

'Cynefinoedd Cynhenid Cymru. Fy nghyflogwyr i.'

'A syniad pwy oedd y peth yn y lle cynta?'

'Dim clem– rhywun yn lot uwch i fyny na fi. Ond mi oedd o'n ddatblygiad gwych, pwy bynnag feddyliodd amdano fo. Mi wyddost ti fod niferoedd yr eogiaid wedi lleihau dros y blynyddoedd dwytha. Mae top afon Ceirw yn lle bendigedig iddyn nhw gladdu eu hwyau, ac i'r pysgod bach dyfu wedyn cyn mynd i lawr i'r môr.'

'Pwy o Gynefinoedd Cynhenid Cymru oedd yn arolygu'r gwaith?'

'Dyn o'r enw Tony – dwi'n meddwl mai Anthony Stewart oedd ei enw llawn o. Chydig iawn o'n i'n ei wneud â fo.'

'Deud wrtha i am y ddeorfa ar dir Ceirw Uchaf, Es. Mi wyt ti wedi bod yn edrych ar ôl honno, yn do?'

'Dwi wedi bod wrthi ers blynyddoedd bellach yn rhoi wyau yno, edrych ar eu holau nhw yn y ddeorfa dros fisoedd y gaeaf a'u rhyddhau nhw mewn gwahanol lefydd yn agos i darddiad yr afon... a gadael i natur wneud ei waith wedyn. Mae dŵr afon Ceirw yn bur, a chei di ddim lle gwell i fagu pysgod. Wel, fel rheol, beth bynnag, nes mae rhyw ddiawliaid gwirion yn rhoi calch neu wenwyn ynddi i ladd pysgod, fel y deudis i wrthat ti y diwrnod o'r blaen.'

'O ble daw yr wyau?'

'Eogiaid o wahanol afonydd o gwmpas yr ardal 'ma, yn cynnwys afon Ceirw ei hun. Mae rhai yn dod gan bysgod efo clwyf arnyn nhw sy'n rhy wan i'w claddu eu hunain. Dan a finna, efo help un neu ddau arall, fydd yn defnyddio'r pysgotwr trydan i'w dal nhw.'

'Felly mae afon Ceirw yn cael budd o bysgod afonydd eraill?'

'Siŵr iawn. Dyna sut mae petha'n gweithio. Ac mae afonydd eraill yn cael mantais o'r ddeorfa hefyd. Unwaith mae'r iâr yn cael ei stripio o'i hwyau, a'r rheiny'n cael eu ffrwythloni gan geiliog, mi fyddwn yn rhoi'r wyau – cannoedd ar filoedd ohonyn nhw – mewn hambyrddau yn y ddeorfa a gadael i ddŵr o un o'r ffosydd redeg drostyn nhw. Pan mae'r wyau yn datblygu'n bysgod digon mawr yn y gwanwyn, mi fydda i'n eu rhyddhau nhw i sawl afon leol, gan gynnwys afon Ceirw. Wedi i bob eog bach dyfu'n ddigon mawr i nofio i'r môr a threulio blwyddyn neu ddwy, neu ragor, ym Môr Iwerddon, maen nhw'n dod yn ôl i'r union afon lle'u ganwyd nhw, neu'r afon lle rois i nhw yn bysgod ifanc, i fridio... a dyna'r cylch yn gyflawn.'

Myfyriodd Jeff ar yr wybodaeth. 'Pryd adeiladwyd y ddeorfa 'ta, Esmor, a chan bwy?'

'Emyr Lloyd ofynnodd i mi ei helpu i'w hadeiladu a'i rhedeg hi.'

'Pryd? Cyn y cytundeb wnaed ynglŷn â'r hawliau pysgota, neu ar ôl hynny?'

Gwelodd Jeff fod y cipar yn chwilio am yr ateb.

'Wel, fedra i ddim bod yn hollol sicr, ond dwi'n meddwl mai blwyddyn neu ddwy cyn i'r tirfeddianwyr arwyddo'r cytundeb ddigwyddodd petha.'

'Wnest ti ddim meddwl ar y pryd fod hynny'n beth od – adeiladu deorfa ar ddarn o afon lle nad oedd eogiaid yn rhedeg?'

'Rargian naddo, dim o gwbl. Cynllun Emyr Lloyd, medda fo, oedd rhyddhau'r pysgod ifanc i waelod yr afon, o dan y rhaeadr, ac i afonydd eraill hefyd fel bod sawl afon yn ffynnu. Cyn belled ag y gwyddwn i'r adeg honno, dyn felly oedd Emyr Lloyd: dyn a'i galon yn y lle iawn, yn meddwl am les yr eogiaid o flaen bob dim arall.'

'Wnest ti ddim newid dy farn ar ôl y trefniant ynglŷn â'r hawliau pysgota, wedi i werth y safleoedd pysgota gynyddu cymaint dan ei reolaeth o?'

'Do, siŵr iawn, ond mi oedd hi'n rhy hwyr erbyn hynny, yn doedd? A sut fedrwn i brofi ei fod o wedi bod yn anonest beth bynnag?'

Roedd Jeff yn dal i bendroni dros y sefyllfa, ond gallai weld sut roedd Esmor wedi derbyn y digwyddiadau'n ddidwyll.

'Sut dderbyniodd Dan y peth ar ôl iddo fo sylweddoli be oedd wedi digwydd?'

'Mi oedd o o'i go', Jeff. O'i go'. Ond ddaru'r geiniog ddim disgyn, wrth gwrs, nes i berchnogion y tiroedd sylweddoli be oedd wedi digwydd a dechrau cwyno. Ond be allai o wneud? Dim byd, dim ond derbyn y sefyllfa fel pawb arall.'

'Derbyn, a chytuno i gipera'r afon er mai Emyr Lloyd oedd berchen yr hawliau pysgota gwerthfawr?'

'Rhaid i ti gofio, Jeff, fod dŵr afon Ceirw yn ei waed o, ers pan oedd o'n hogyn ifanc, ac yn fy marn i fysa dim byd dan haul yn ei rwystro fo rhag cerdded ei glannau, tra medar o.'

'A sut ti'n meddwl mae Emyr Lloyd yn teimlo fod Dan yn dal i gipera'n answyddogol? Cipar y Gymdeithas ydi Dan, wedi'r cwbwl, nid cipar Lloyd, ac mae'r hen fachgen yn dod ar draws patshyn Lloyd heb fath o awdurdod na gwahoddiad.'

'Nid fy lle fi ydi rhoi barn, Jeff, un ffordd na'r llall. Does dim drwg yn dod o'r ffaith fod Dan yn edrych ar ôl yr afon i gyd – i'r gwrthwyneb. Mae Emyr Lloyd, y pysgotwyr a'r eogiaid yn elwa o'i waith, answyddogol neu beidio. Chlywais i rioed am unrhyw ffrae nag anghytundeb rhwng Dan a neb arall, ac a deud y gwir, dwi'n synnu dy fod ti'n hel amheuon am Dan a Lloyd.'

'Y cwbwl ddeuda i, Esmor, ydi 'mod i'n bell o fod yn hapus efo Mr Emyr Lloyd. Mae'r hen deimlad 'na yn fy mol i yn deud y dylwn i dwrio'n ddyfnach i weithgareddau'r boi. Mae 'na rwbath amdano fo sy'n fy ngwneud i'n anesmwyth. Ond i droi i gyfeiriad arall, fedri di ddeud wrtha i am y boi Stewart hwnnw oedd yn arolygu'r gwaith o adeiladu'r grisiau eogiaid? Be oedd ei swydd o? Peiriannydd sifil?'

'Dim syniad, Jeff,' atebodd Esmor. 'Mi oedd 'na rywun arall yma hefyd oedd yn edrych fel petai o'n goruchwylio'r adeiladu o ddydd i ddydd. Dwi'n meddwl fod Stewart uwch ei ben o yn y sefydliad, ond paid â gofyn be oedd teitl swydd 'run ohonyn nhw. Ac wn i ddim pa mor aml oedd o i fyny 'ma chwaith – ro'n i'n ei weld o bob hyn a hyn, ond gan nad o'n i yno'n ddyddiol, allwn i ddim cadw trac ar neb.'

'Oedd Stewart yn nabod Emyr Lloyd?'

'Welis i rioed y ddau yng nghwmni'i gilydd, ond ma' raid ei fod o.'

'Sut felly?'

'Am fy mod i wedi gweld Stewart yn gyrru BMW ail-law... dwi'n deud "ail-law", ond dim ond tua blwydd a hanner oedd oed y car ar y pryd. Car neis iawn.'

'Be ydi arwyddocâd hynny?'

'Car Emyr Lloyd oedd o, yli. Lloyd yn ei yrru o un munud a Stewart o fewn wythnos wedi hynny. Ma' raid eu bod nhw'n nabod ei gilydd yn eitha da os oedd Lloyd wedi gwerthu'i gar iddo fo.'

Y mwya'n y byd roedd Jeff yn ei ddysgu, y mwya'n y byd roedd ei amheuaeth yn tyfu. Llygredd oedd y gair ar flaen ei dafod, a doedd y cwestiwn nesaf ddim yn mynd i fod yn un hawdd i'w ofyn i'w hen gyfaill.

'Be sy?' gofynnodd Esmor wrth sylwi ar y tensiwn ar wyneb Jeff.

'Gwranda, Es, ma' raid i mi ofyn hyn i ti.' Oedodd Jeff. 'Wyt ti wedi cael dy wobrwyo o gwbl, unrhyw dro, gan Emyr Lloyd, am dy waith yn gysylltiedig â'r ddeorfa?'

'Mae o wedi dangos ei ddiolchgarwch i mi, ydi. Ond nid am fy mod i wedi gwneud dim byd o'i le.' Roedd Esmor yn ddigon call i wybod i ba gyfeiriad roedd yr holi'n mynd, ond wnaeth o ddim dangos unrhyw emosiwn. 'Mi oedd fy mòs i yn Cynefinoedd Cynhenid Cymru yn gwybod yn iawn am bob munud ro'n i'n ei dreulio ar y ddeorfa, ac yn dallt bod hynny er budd yr eogiaid yn yr ardal 'ma. I gorff cyhoeddus dwi'n gweithio, nid i Lloyd, a'r ardal sydd wastad yn elwa.'

'A faint o elwa sydd wedi bod?'

'O fewn pedair blynedd i mi roi pysgod o'r ddeorfa yn yr afonydd, mae 'na rediad gwych – lot mwy nag o'n i'n ddisgwyl, ym mhob un ohonyn nhw. Does dim posib rhoi ffigwr pendant, wrth gwrs, ond mi fedri di gymryd fy ngair i.'

'Be oedd gwerth y diolch gest ti gan Emyr Lloyd, Esmor?' Syllodd Jeff arno er nad oedd o'n disgwyl dim ond y gwir ganddo.

'Anrheg Dolig bob blwyddyn – canpunt yn fy llaw bob tro,' atebodd ar unwaith.

'Wel, fedra i ddim gweld bod hynny'n afresymol dan yr amgylchiadau, a chditha'n ei helpu o heb geiniog o dâl. Ond dwi'n dal ddim yn hapus. Pwy arall fysa'n ei nabod o, yn gwybod am ei gefndir o, dŵad?'

Erbyn hyn, roedd Jeff wedi dysgu nad oedd Lloyd yn swil o ddefnyddio'i arian i gael ei ffordd ei hun. Oedd o wedi defnyddio'r BMW i'r un perwyl hefyd, tybed?

'Does dim rhaid i ti edrych fawr pellach na'i gyn-wraig o,' atebodd Esmor efo gwên fach ar ei wyneb.

'Cyn-wraig?'

'Ia, ei wraig gynta fo. Roedd o'n briod cyn iddo fachu'r beth handi 'na sy ganddo fo rŵan. Dwi ddim yn cofio'i henw hi ond mi oedd 'na sôn, flynyddoedd yn ôl pan gawson nhw ysgariad, fod yr achos yn un blêr a budr iawn. Rwbath i'w wneud â'r arian oedd yn ddyledus iddi. Wnes i rioed glywed y manylion, ond ella bysa werth i ti fynd i chwilota.'

Ar y ffordd yn ôl i'r swyddfa, dechreuodd Jeff feddwl am y posibiliadau. Oedd twyll neu lygredd ynghylch trosglwyddo'r hawliau pysgota ac adeiladu'r grisiau eogiaid? Yn sicr, roedd Lloyd wedi gwneud llawer iawn mwy na cheiniog neu ddwy o'r prosiect. Ond beth oedd gan hynny i'w wneud â'r ymosodiad ar Dan Dŵr? Y gwir oedd nad oedd ganddo syniad o gwbl. Roedd holi cyn-wraig Lloyd yn syniad da, ond penderfynodd wneud chydig o waith ymchwil i gefndir Anthony Stewart i ddechrau.

# Pennod 13

Treuliodd Jeff y penwythnos yng nghwmni ei deulu. Cawsant eu pedwar ddeuddydd braf yn cerdded ar y traeth efo'r ci, chwarae yn y pwll nofio, garddio a choginio yng nghwmni ei gilydd, a daeth y bore Llun yn rhy gyflym o lawer.

Pan ffoniodd Jeff bencadlys Cynefinoedd Cynhenid Cymru ben bore Llun, cyflwynodd ei hun gan ddweud ei fod yn ymchwilio i bosibilrwydd o lygredd o fewn y corff. Yn rhyfeddol o sydyn, cafodd wahoddiad i gyfarfod y Prif Weithredwr, a oedd yn digwydd bod yn swyddfa'r gogledd y bore hwnnw.

Ymhen yr awr hebryngwyd ef i ystafell gynadledda smart, a chododd dyn canol oed ar ei draed wrth iddo gerdded i mewn. Edrychai'n ddyn cryf a ffit, a gwisgai ddillad hamdden smart a sgidiau cerdded, fel petai ar fin cychwyn ar daith fynydda.

'Bore da,' meddai'r dyn. 'Malcolm Foley ydw i. Ro'n i'n meddwl bod yn well i ni gyfarfod wyneb yn wyneb pan glywais i eich bod yn amau llygredd o fewn CCC.'

'Deall yn iawn,' atebodd Jeff. 'Diolch am wneud amser i fy ngweld i mor handi.'

Gwahoddwyd Jeff at fwrdd anferth oedd â nifer o gadeiriau lledr gwyn o'i amgylch, a phot o goffi arno.

Ar ôl tywallt eu paneidiau, eisteddodd y ddau i lawr wrth un pen o'r bwrdd.

'Reit,' meddai Foley, 'tydi'r gair "llygredd" ddim yn un dwi'n hoffi'i glywed. Be sydd ar eich meddwl chi?'

'Amheuaeth, dyna'r cwbwl ar hyn o bryd, ond digon ohono fo i'm gorfodi i ddod atoch chi ar unwaith, Mr Foley. Dwi'n ymchwilio i'r cynllun i adeiladu grisiau eogiaid ar afon Ceirw saith mlynedd yn ôl. Mae wedi dod i'r amlwg fod un person, o leiaf, wedi elwa'n ariannol o ganlyniad i allu'r eogiaid i redeg yn llawer iawn pellach i fyny'r afon. Mae'n edrych yn debyg ei fod o wedi twyllo perchnogion y tir ar y ddwy ochr i'r afon uwchben y grisiau er mwyn cael yr hawliau pysgota, ac wedi gwneud elw mawr o bysgotwyr wedyn.'

Rhoddodd fwy o'r manylion i Mr Foley ac edrychodd Jeff arno'n culhau ei lygaid wrth ddadansoddi'r wybodaeth.

'Dwi'n credu mai dyn o'r enw Anthony Stewart oedd yn edrych ar ôl y gwaith o'ch ochr chi, Mr Foley, a hoffwn gael gair efo fo, os gwelwch yn dda. Dwi'n amau bod cytundeb masnachol rhyngddo fo a'r un dwi'n ei amau o dwyll yn ardal Glan Morfa. Wn i ddim ar hyn o bryd a oedd y weithred honno'n un llygredig ai peidio... dyna pam rydw i yma.'

Cymerodd Foley lymaid o'i goffi a rhoi ei gwpan yn ôl yn araf ar y soser cyn ateb.

'Mi fyswn innau'n hoff iawn o gael gair efo Mr Anthony Stewart hefyd,' meddai o'r diwedd, 'ond dydw i na neb arall wedi'i weld o ers rhai wythnosau, mae gen i ofn.'

'Sut felly?' gofynnodd Jeff, wedi ei synnu. 'Ydi o'n dal i weithio i chi?'

'I fod, Sarjant Evans, ond mae o wedi diflannu oddi ar wyneb y ddaear.'

'Diflannu?' Tyfodd ei syndod.

'Ia. Un dydd Gwener roedd o yn ei waith efo sawl prosiect ar ei blât, ac ar ôl y penwythnos, heb fath o rybudd nac eglurhad, doedd dim golwg ohono. A tydan ni byth wedi clywed ganddo.'

'Mae'n rhaid bod rhyw esboniad. Be am ei deulu o – ydyn nhw wedi riportio ei fod o ar goll?'

'Mae'n stori hir a chymhleth, Sarjant Evans. Doeddwn i ddim yn gweithio yma saith mlynedd yn ôl pan adeiladwyd y grisiau eogiaid ar afon Ceirw, ond dwi wedi dysgu peth o'r hanes yn ddiweddar. Ond lle i ddechrau, dyna'r broblem.'

'Efo'r diflaniad, os yn bosib,' atebodd Jeff ar unwaith. 'Pryd ddiflannodd o, ac o ble? Lle roedd o'n byw?'

'Yn swyddfa'r de yng Nghaerdydd mae Mr Stewart yn gweithio, ac mi ddiflannodd saith wythnos yn ôl. Ar ddydd Gwener y pedwerydd ar bymtheg o Awst welson ni o ddwytha.'

'Wnaeth o ddim cyrraedd ei waith ar yr ail ar hugain felly?'

'Naddo. Yng Nghwmbrân mae o'n byw, a dydi'r heddlu i lawr yn y fan honno ddim isio gwybod am ei ddiflaniad. Deud ei fod o'n ddyn yn ei oed a'i amser a bod ganddo fo hawl i fynd a dod fel y mynno fo. Gan nad oes unrhyw fath o amheuaeth ei fod o'n agored i niwed, na rheswm i feddwl bod niwed wedi dod iddo, wnân nhw ddim edrych i mewn i'r achos.'

'Dyna ryfedd,' atebodd Jeff. 'Oes ganddo fo deulu?'

'Chwaer sy'n byw yn swydd Efrog, fel dwi'n dallt, ond creadur reit od oedd Mr Stewart. Dyn yn ei dridegau hwyr, wedi bod yn gweithio i ni ers iddo adael y brifysgol. Gradd mewn Gwyddor yr Amgylchedd wnaeth o – mae digon yn ei ben o, ac mae o'n weithiwr da pan mae o'n rhoi ei feddwl ar y job, ond anaml roedd o'n rhoi cant y cant. Ddaru o erioed wneud cais am ddyrchafiad er ei fod o wedi bod mewn sefyllfa i wneud hynny sawl gwaith.'

'Be yn union ydi ei swydd o, Mr Foley?'

'Ymchwilydd. Mae'r rhan fwya o'i waith o'n ymwneud â chyflwr dyfroedd ledled Cymru. Ymateb i gwynion am garthion mewn afonydd, gwneud profion ar y dŵr, ymchwilio i darddiad y llygredd a chydweithio â'n cyfreithwyr ni i erlyn pwy bynnag oedd yn gyfrifol, os ydi hynny'n briodol.'

'Sut mae safon ei waith o'n ddiffygiol?'

'Ei fywyd personol o sy'n amharu ar ei waith o, Sarjant Evans. Mae Mr Stewart yn yfed llawer iawn gormod, ac yn gamblo hefyd. Yn ôl y sôn mae o wedi gadael nifer fawr o ddyledion, a'r amheuaeth ydi ei fod o wedi diflannu oherwydd y rheiny.'

Nodiodd Jeff ei ben mewn dealltwriaeth. Roedd y darlun yn dod yn fwy eglur, er bod sawl cwestiwn eto i'w hateb. 'Mae 'na un neu ddau o bethau sydd ddim yn gwneud llawer o synnwyr i mi, Mr Foley,' meddai. 'Pam oedd gwyddonydd fel fo, oedd yn delio â phurdeb dŵr, yn ymwneud ag adeiladu grisiau eogiaid?'

'Fel y deudis i, Sarjant Evans, doeddwn i ddim yn y swydd yma ar y pryd, ac mae'r un cwestiwn wedi bod yn fy mhoeni innau ers iddo ddiflannu. Mi ddechreuon ni ymchwilio i'w waith o bryd hynny, yn y gobaith o gael rhyw fath o esboniad. Doedd dim rheswm iddo fod yn gysylltiedig â'r prosiect, dyna'r gwir. Ond fel dwi'n dallt, fo oedd yn gyfrifol am ddechrau'r holl fenter.'

'Sut felly?'

'Waeth i chi gael y stori o lygad y ffynnon ddim, Sarjant Evans,' Cododd Malcolm Foley ffôn oedd ar ddesg fechan yng nghornel yr ystafell. Yn fuan wedyn, cerddodd dyn yn ei bedwardegau i mewn i'r ystafell gynhadledd mewn dillad gwaith, gan gario het galed yn ei law.

'Roeddach chi isio 'ngweld i, Mr Foley,' meddai'r dyn.

'Oeddwn, dewch i mewn, plis, Eric. Steddwch.' Trodd i gyfeiriad Jeff. 'Ditectif Evans, dyma Eric Williams, un o'n peirianwyr ni. Eric oedd yn gofalu am adeiladu'r grisiau eogiaid ar afon Ceirw saith mlynedd yn ôl.' Ysgydwodd Jeff ei law. 'Isio gwybod ydan ni sut yn union y cafwyd y syniad gwreiddiol am y prosiect.'

'Syniad Tony Stewart oedd o o'r dechrau. Ddaeth o ata i un diwrnod a gofyn i mi fynd efo fo i edrych ar y rhaeadr oedd yn nadu'r eogiaid rhag dringo ymhellach i fyny'r afon. Ddeudodd o fod 'na filltiroedd o ddŵr uwchben y rhaeadr oedd yn addas i'r eogiaid gladdu, a bod y dŵr yn bur iawn. Y dyfroedd gorau yn y wlad ar gyfer magu pysgod ifanc, dyna ddeudodd o, a digon o fwyd yn yr afon iddyn nhw. Dŵr pur yn disgyn yn syth o'r mynyddoedd efo dim ond chydig iawn o nitradau o wrtaith amaethyddol. Wel, fo oedd yr arbenigwr ar gyflwr y dŵr, nid fi. Yr unig beth roedd o'i angen gen i oedd syniadau sut i adeiladu'r grisiau yn y graig, a'r gost.'

'A faint oedd y gost?' gofynnodd Foley.

'Rois i ffigwr o gwmpas wyth deg mil iddo fo, a'r peth nesa, mi oedd o'n wyllt am roi cais gerbron y Pwyllgor Prosiectau ar y cyd rhyngddon ni'n dau ar gyfer ariannu'r peth yn y flwyddyn ariannol ganlynol.'

'Sut oeddech chi'n teimlo am hynny, Eric?' gofynnodd Foley.

'Doedd gen i ddim gwrthwynebiad, ond y ffordd wnaeth y cais ddatblygu, mi fysa rhywun yn meddwl mai fy adran i oedd y tu ôl i bob dim. Nid felly oedd hi, ond roedd Tony yn fy swyddfa i neu ar y ffôn bob yn ail ddiwrnod isio rhuthro petha trwodd.'

'A dwi'n cymryd y bu'r cais yn llwyddiannus,' meddai Jeff.

'Do,' atebodd Eric, 'ac mi oedd Tony'n pwyso am gael dechrau'r gwaith yn syth pan ddaeth y flwyddyn ariannol newydd. Y rheswm, medda fo, oedd cael yr eogiaid i redeg i dop yr afon cyn gynted â phosib, ac roedd o'n pwysleisio y bysa'r adeiladu'n cymryd misoedd. Cofiwch, am fod y pysgod yn dod yn ôl i'r un lle ag y magwyd nhw i ddodwy, mi fyddai dwy neu dair blynedd nes i'r rhai cyntaf ddod yn ôl o'r môr i ddefnyddio'r grisiau. Roedd Tony'n eiddgar i gynyddu niferoedd yr eogiaid, a doedd gen i ddim rheswm i feddwl bod dim heblaw cadwraeth yn gyfrifol am hynny.'

'Oeddach chi ar y safle adeiladu bob dydd, Mr Williams?' gofynnodd Jeff.

'Bron iawn,' atebodd Eric.

'Dros faint o gyfnod?'

'Tua wyth mis i gyd.'

'A pha mor aml oedd Anthony Stewart yno?'

'Rhy aml o lawer yn fy marn i. Fysa rhywun yn meddwl nad oedd ganddo ddim byd arall i'w wneud.'

'Oedd rhywun arall yn dangos ei wyneb yno'n aml?'

'Ddim i mi fod yn cofio.'

'Oeddach chi'n gyfarwydd â ffarmwr o'r enw Emyr Lloyd sy'n byw ddeng milltir i fyny'r afon?'

'Nabod dim arno fo.'

‘Oes ganddoch chi gof i Anthony Stewart newid ei gar yn ystod cyfnod yr adeiladu?’

‘Dwi’n cofio hynny’n iawn. Hen racsyn o gar oedd ganddo fo cynt, ac un diwrnod mi drodd i fyny mewn BMW a hwnnw bron yn newydd. Fyswn i byth yn gallu fforddio’r fath gar, a dyma fi’n tynnu’i goes o a gofyn sut roedd dyn yn ei swydd o’n gallu gwneud. Cyffwrdd ei drwyn efo’i fys canol ddaru o a rhoi hanner gwên i mi, cystal â deud wrtha i am feindio fy musnes.’

Wrth yrru adref, ystyriodd Jeff yr wybodaeth newydd. Lle oedd Anthony Stewart erbyn hyn, tybed, a pham wnaeth o ddiflannu? Sut gymeriad oedd o? Edrychai’n debyg mai fo yn unig, o fewn Cynefinoedd Cynhenid Cymru, oedd yn gyfrifol am wthio’r prosiect i adeiladu’r grisiau yn ei flaen, a doedd dim angen llawer o ddychymyg i ddyfalu o ble daeth y syniad yn wreiddiol. A’r wobr? Y car, wrth gwrs.

Ar ôl cyrraedd gorsaf yr heddlu, ffoniodd Jeff swyddfa’r CID yng Nghwmbrân, ac wedi iddo gyflwyno’i hun ni fu’n rhaid iddo ddisgwyl yn hir cyn cael siarad â Ditectif Gwnstabl Chris Budd a oedd yn gyfarwydd ag achos diflaniad Anthony Stewart.

‘Beth yw’ch diddordeb chi ynddo fe?’ gofynnodd Budd.

‘Mae ei enw wedi codi mewn cysylltiad ag ymchwiliad sy’n ymwneud ag adeiladu grisiau eogiaid ar afon Ceirw yng ngogledd-orllewin Cymru rai blynyddoedd yn ôl. Dwi’n awyddus i gael gair â fo, ond dwi’n dallt nad oes neb yn gwybod lle mae o.’ Doedd o ddim eisiau datgelu mwy o wybodaeth na hynny am y tro.

‘Mae hynny’n ddigon gwir, Sarjant,’ atebodd Budd. ‘’Sdim clem ’da fi ble mae’r jiawl wedi mynd.’

‘Dwi’n cymryd nad oes ganddoch chi lawer o barch tuag ato.’

‘Na. Dyw Stewart ddim yn haeddu llawer o barch.’

‘Sut felly?’

‘Dda’th e i’n sylw ni’r heddlu sawl gwaith yn ystod y blynyddoedd diwetha. Gafodd e’i wneud am yrru dan ddylanwad alcohol ryw dair blynedd yn ôl, ond fe’i cafwyd yn ddieuog gan y llys apêl oherwydd rhyw fanylyn technegol yn y gyfraith, er nad o’dd e’n gallu sefyll ar ’i draed pan gafodd e’i stopio gan yr heddwas.’

‘Sut gar oedd o’n ei yrru?’ gofynnodd Jeff.

‘Uffern o BMW mawr pwerus. Do’dd e ddim ffit i fod yn berchen ar y fath gar ac ynte’n meddwi mor aml. Geisiodd y bois ’i ddal e wedyn, ond ro’dd e’n rhy glefer. Gadael ’i gar ym meysydd parcio’r tafarne a chael tacsi gartre, y math yna o beth.’

‘Meddwyn go iawn felly?’

‘A lot mwy hefyd. Ma’ ganddo fe ddyledion ym mhobman fel ’wy’n deall – ro’dd e’n betio’n dragwyddol ac ro’dd ambell gŵyn o gyffwrdd merched mewn modd anaddas hefyd, er na wna’th yr un gŵyn ddatblygu’n gyhuddiad.’

‘Ydw i’n deall yn iawn nad oes ymholiad wedi’i ddechrau o gwbl i’w ddiflaniad?’

‘Wnaethon ni rywfaint o holi o gwmpas... digon i benderfynu nad o’dd angen agor ymchwiliad swyddogol. Wn i ddim beth yw’ch polisi chi yn y gogledd, Sarjant Evans, ond os nag o’s tystiolaeth o drais yn erbyn rhywun, a bod y person hwnnw ddim yn agored i niwed, fyddwn ni ddim yn agor ymchwiliad i unrhyw oedolyn sy’n diflannu.’

'Oes ganddoch chi syniad be sydd wedi ddigwydd iddo fo?'

'Un ai mae e wedi ffoi rhag 'i ddyledion, yn agos i gan mil o bunne yn ôl y sôn, neu mae e wedi lladd 'i hun... am yr un rheswm.'

'Be mae ei deulu a'i ffrindiau o'n feddwl?'

'Do's ganddo fe ddim llawer o ffrindie. Ro'dd e wedi twyllo bron pawb roedd e'n nabod a dwgyd 'u harian nhw.'

Ar ôl iddo orffen yr alwad ffôn ddiddorol, eisteddodd Jeff yn ôl yn ei gadair, yn dal i bendroni. Oedd o ar y trywydd cywir ynghylch yr ymosodiad ar Daniel Pritchard?

# Pennod 14

Yn ddiweddarach y prynhawn hwnnw, tynnodd Jeff lyfrau nodiadau Daniel Pritchard allan o ddrôr ei ddesg er mwyn ailedrych arnyn nhw yng ngoleuni'r wybodaeth ddiweddaraf, er nad oedd ganddo syniad am beth yn union yr oedd yn chwilio. Efallai y byddai rhywbeth yn neidio o'r tudalennau wrth iddo ailedrych, rhywbeth a fyddai'n cysylltu'r ymosodiad ar Dan â gweddill ei ymchwiliadau i weithgareddau Emyr Lloyd.

Canolbwyntiodd ar y nodiadau blêr oedd yn anodd eu deall, y rhai roedd o'n credu iddyn nhw gael eu gwneud liw nos. Doedd dim pwynt ailchwilio Cyfrifiadur Cenedlaethol yr Heddlu am rifau cofrestru'r ceir a nodwyd, ond cafodd syniad gwell. Deialodd rif swyddfa'r CID yng Nghwmbrân eto, gan ofyn am Ditectif Gwnstabl Chris Budd.

'Chris? Jeff Evans o Lan Morfa sy 'ma eto. Yn dilyn ein sgwrs gynna, hoffwn i ti wneud un ffafr fach i mi os gweli di'n dda.'

'Dim problem, Sarj, os alla i,' atebodd hwnnw.

'Y BMW roedd Anthony Stewart yn ei yrru: fedri di ffeindio'i rif cofrestru o?'

'Fydd hynny ddim llawer o broblem. Wna i fe nawr os wnewch chi ddal mlân am funed.'

Doedd dim rhaid iddo ddisgwyl yn hir cyn cael yr ateb.

'Mae'r wybodaeth ar y ffeil sy'n gysylltiedig â'r achos o yfed a gyrru'n dal i fod yn weithredol rhag ofn i'r bois mewn iwnifform 'i weld e o gwmpas. BMW cyfres pump llwyd ydi o, rhif CX62 YMR.'

'Car oedd yn newydd ryw dro ar ôl Mis Awst 2012 felly,' meddai Jeff. 'Diolch i ti, Chris. Dyna'r cwbwl am y tro.'

'Dim problem, Sarjant. Dewch 'nôl ata i os alla i wneud mwy.'

Ni allai Jeff gredu ei lwc. Roedd un o'r rhifau ceir a nodwyd gan Dan yn ei lyfr bach yn debyg iawn i rif car Anthony Stewart: CX62 LNR. Ac ar ben hynny, roedd y dyddiad y gwelodd Dan y car yn fwy diddorol byth: nos Sul yr unfed ar hugain o Awst. Gafaelodd yn ei ffôn unwaith eto.

'Mr Foley,' meddai, 'Ditectif Sarjant Jeff Evans sy yma. Mae'n ddrwg gen i'ch poeni chi eto, ond fedrwch chi gadarnhau yr union ddyddiad ddaru Anthony Stewart ddiflannu, os gwelwch yn dda?'

'Medraf siŵr,' atebodd hwnnw ar unwaith, 'yr ail ar hugain o Awst oedd y dydd Llun pan fethodd o ddod i'w waith.'

'Diolch. Ac i gadarnhau, felly,' meddai Jeff, 'roedd o yn ei waith ar y dydd Gwener cynt.'

'Oedd, fel soniais i, ac roedd bob dim i'w weld yn iawn yr adeg honno. Neu cystal ag unrhyw ddiwrnod arall, am wn i.'

Ar ôl cwblhau'r alwad eisteddodd Jeff yn ôl yn ei gadair a'i feddwl ar garlam. Penderfynodd wneud un ymholiad bach arall, i gadarnhau mater pwysig. Cysylltodd â Chyfrifiadur Cenedlaethol yr Heddlu a chafodd gadarnhad ymhen eiliadau mai Emyr Lloyd oedd cyn-berchennog y BMW. Penderfynodd ei bod yn debygol iawn mai car Stewart a welodd Dan, a'i fod wedi gwneud camgymeriad bach wrth nodi'r rhif cofrestru. Er nad oedd yr wybodaeth newydd hon yn cadarnhau fod Anthony Stewart ar lannau afon Ceirw yn ystod y penwythnos y bu iddo ddiflannu, roedd yn debygol iawn i hynny fod yn wir. Ond roedd tystiolaeth gadarnach i awgrymu bod y BMW wedi mynd yn syth o ddwylo Lloyd i berchnogaeth Stewart saith mlynedd ynghynt. Oedd hynny'n ddigon i holi Emyr Lloyd? Ddim ynghylch y llygredd, penderfynodd, ond yn sicr mewn cysylltiad â diflaniad Stewart. Efallai y gallai holi am un achos ac arwain y cyfweliad tuag at y llall... byddai hynny'n sicr o godi gwrychyn Emyr Lloyd. Ond roedd hi'n rhy hwyr heno, penderfynodd, a byddai ystyried y cyfan dros nos yn syniad da.

Ychydig wedi naw y bore wedyn, ffoniodd rif ffôn tŷ Emyr Lloyd. Llais dynes atebodd, a chymerodd Jeff mai Mrs Dwynwen Lloyd oedd hi.

'Ga' i siarad efo Mr Lloyd, os gwelwch yn dda,' meddai mor gwrtais â phosib. 'Ditectif Sarjant Evans, CID Glan Morfa sy 'ma.'

'Arhoswch,' atebodd y llais yn swta.

Disgwyliodd Jeff am funud llawn, yna daeth llais arall.

'Be dach *chi* isio?' gofynnodd Lloyd yr un mor sarrug.

'Gair efo chi, Mr Lloyd, yn dilyn ein sgwrs y diwrnod o'r blaen.'

'A pham ddylwn i roi fy amser i chi?'

'Am fod yr hyn sydd gen i isio'i ofyn i chi yn bwysig, a gan 'mod i'n disgwyl i ddyn o'ch safle chi yn y gymuned roi cymaint o gymorth i'r heddlu ag y medrwch chi.'

'Gofynnwch 'ta.'

Y gwir oedd bod Lloyd ei hun ar binnau eisiau gwybod

beth oedd ar feddwl y ditectif. Roedd o'n gwneud yn siŵr ei fod yn ymwybodol o bopeth a ddigwyddai yn yr ardal, a doedd ymchwiliadau'r heddlu ddim yn eithriad.

'Ddim dros y ffôn, Mr Lloyd. Mi gewch chi ddod i lawr i orsaf yr heddlu os liciwch chi, neu dwi'n fodlon dod i Ceirw Uchaf atoch chi.' Clywodd Jeff ochenaid ddiamynedd ar ochr arall y ffôn. Roedd bron yn sicr pa ddewis fyddai Lloyd yn ei gymryd, ac roedd o'n llygad ei le.

Atebodd Lloyd o'r diwedd. 'Wel, o'r gorau 'ta. Dewch i fyny yma erbyn dau y pnawn 'ma. Mi fydda i'n aros amdanoch chi.'

Yn y cyfamser, aeth Jeff i gyfarfod cadeirydd Cymdeithas Bysgota Afon Ceirw. Doedd o ddim wedi cael cyfle i fynd i'w weld o ers yr ymosodiad ar Daniel Pritchard, a theimlai'n flin efo'i hun am beidio â gwneud yr ymdrech. Sais oedd Desmond Hamilton, dyn yn ei saithdegau oedd wedi bod yn gadeirydd ar y Gymdeithas ers dros ddeugain mlynedd. Dyn parchus ac uchel ei barch, oedd wedi ymddeol fel athro ers rhai blynyddoedd ac wedi rhoi cyfran helaeth o'i amser i'r clwb. Roedd Jeff yn ei adnabod yn eitha da, a gwyddai hefyd fod ganddo feddwl mawr o Dan Dŵr ac Esmor.

'Dewch i mewn, Ditectif Sarjant,' meddai Hamilton wedi i Jeff gnocio'r drws ffrynt.

Cerddodd Jeff i mewn a'i ddilyn i'r lolfa. Gwrthododd baned o de.

'Ddrwg iawn gen i nad ydw i wedi cael cyfle i alw ers y digwyddiad,' meddai. Doedd dim angen dweud pa ddigwyddiad.

'Mae'n iawn siŵr, Sarjant bach. Dach chi wedi bod yn

brysur, siŵr gen i. Oes 'na ryw newydd? Sut mae Dan erbyn hyn?'

'Chlywais i ddim byd yn rhagor am ei gyflwr o'r bore 'ma. Ella bod hynny'n beth da.' Dyna a obeithiai Jeff, beth bynnag. 'Ond tydw i ddim nes at ddarganfod pwy sy'n gyfrifol chwaith. Wyddoch chi rwbath am y berthynas rhwng Daniel a'i ŵyr, Colin?' gofynnodd.

Lledodd gwên o ddealltwriaeth ar draws wyneb Hamilton, a nodiodd ei ben. 'Dwi'n gyfarwydd â'r hanes, ond fedra i ddim gweld mai fo sy'n gyfrifol, dim ar ôl yr cwbwl mae Dan wedi'i wneud iddo fo dros y blynyddoedd.'

Penderfynodd Jeff beidio â datgelu'r hyn a wyddai am y berthynas honno, a newidiodd y pwnc. 'Wrth edrych i mewn i'r mater, dwi wedi dysgu bod Dan wedi bod yn cadw golwg fanwl ar yr ardal o gwmpas tarddiad yr afon yn hwyr y nos. Wyddoch chi rywbeth am hynny?'

'Dim byd. Fyswn i ddim yn disgwyl i ddyn o'i oed o wneud hynny, potswyr nos neu beidio. Dim ond gwirio trwyddedau'r pysgotwyr a helpu allan mae o, cyn belled ag y gwn i.'

'Wyddoch chi rwbath am wenwyn sydd wedi bod yn lladd pysgod yn yr afon yn ddiweddar?'

'Dim mwy nag y mae Esmor a'r pysgotwyr wedi'i ddeud wrtha i. Calch yn yr afon ydi'r eglurhad mwya tebygol, yn ôl Esmor. Yn agos i dop yr afon, fel dwi'n dallt, ond does neb yn gwybod lle yn union.'

'Ia, felly ro'n i'n clywed... ddim ymhell o dir Emyr Lloyd yn Ceirw Uchaf.' Roedd Jeff wedi gallu troi'r sgwrs i gyfeiriad Lloyd heb wneud hynny'n amlwg.

'Peidiwch â sôn am y dyn yna o 'mlaen i, Sarjant. Does gen i ddim gair da i'w ddeud amdano. Dim un.' Roedd yr emosiwn yn ei lais yn datgan dyfnder ei gasineb, rhywbeth a oedd yn groes i natur arferol y gŵr bonheddig.

'Dwi'n cymryd mai'r hawliau pysgota sy'n gyfrifol am eich barn chi?'

Ysgydwodd Hamilton ei ben yn araf. 'Twyll, a dim byd ond twyll, oedd hynny o'r dechrau, coeliwch chi fi. Cynllwyn gan y dyn o'r cychwyn i hawlio'r elw o'r pysgota iddo'i hun; dwyn yr hyn oedd yn eiddo i Glwb y Gymdeithas ers blynyddoedd maith, ac yna adeiladu'r grisiau eogiaid er ei fudd ei hun.'

'Wnaethoch chi gŵyn ynglŷn â'r peth?'

'Na. Be oedd y pwynt? Roedd perchnogion y tir wedi cael cyngor twrnai a ddeudodd fod bob dim yn gyfreithlon, a pha reswm oedd 'na i mi wario arian y Gymdeithas Bysgota i gyrraedd yr un canlyniad? Ond mi es i i'w weld o er mwyn rhoi fy marn fy hun iddo ar y sefyllfa. Roedd yn rhaid i mi wneud cymaint â hynny, neu fyswn i ddim wedi medru cysgu'r nos.'

'Pryd aethoch chi i'w weld o?'

'Flynyddoedd yn ôl, pan oedd y cynllun wedi datblygu digon i bawb fod yn deall be oedd wedi digwydd, a dwi ddim wedi siarad efo'r diawl dyn ers hynny.'

'Sut oedd ei agwedd o?'

'Ges i wahoddiad i fynd i mewn i'w dŷ o, ac roedd o'n glên iawn nes i mi esbonio be o'n i isio'i drafod. Wedyn dyma fo'n troi arna i, codi'i lais yn gas a deud wrtha i am beidio ymyrryd mewn mater nad oedd gen i fusnes ynddo. Cytundeb rhyngddo fo a pherchnogion y tir oedd o, medda fo, a neb arall. Mi wnaeth o fwy neu lai fy nghicio fi allan o'r tŷ, a dal i weiddi arna i nes i mi gyrraedd fy nghar. Welis i 'mo'r fath beth erioed.'

'Tydach chi ddim yn un o'r rhai sy'n canu ei glodydd yn lleol felly,' meddai Jeff gan wenu, ond roedd o wedi clywed digon am ymddygiad Emyr Lloyd pan nad oedd o'n cael ffordd ei hun. Edrychai ymlaen at gyfarfod y dyn ei hun unwaith eto.

# Pennod 15

Am ddau o'r gloch ar y dot y prynhawn hwnnw daeth Jeff â'i gar i stop ar flaengwrt Ceirw Uchaf. Gwelodd ar unwaith fod car arall wedi'i barcio yno hefyd: Mercedes gweddol newydd nad oedd yno y tro diwethaf iddo ymweld â'r lle. Canodd y gloch ac agorwyd y drws bron ar unwaith gan Emyr Lloyd ei hun. Roedd wedi ei wisgo'n smart y tro hwn mewn siaced wlân, gwasgod o'r un defnydd, tei a throwsus melfaréd.

'Dewch,' meddai'n swta, heb edrych i lygaid Jeff a heb fath o gyfarchiad – nid bod Jeff yn disgwyl mwy.

Dilynodd Jeff o drwy'r cyntedd ac i mewn i ystafell a edrychai'n debyg i swyddfa ar y llaw chwith. Wrth gerdded i mewn daeth wyneb yn wyneb â dyn arall, rhywun roedd yn ei adnabod yn iawn. Roedd Richard Price yn un o gyfreithwyr y dref – y gorau, ym marn nifer. Ato fo y gwnaeth Jeff ei hun droi pan gafodd ei arestio ar ôl cael bai ar gam ynglŷn ag achos o lofruddiaeth flynyddoedd ynghynt. Nid oeddynt yn gyfeillion agos, ond roedd y ddau'n hoffi ac yn parchu'i gilydd – tybed oedd Emyr Lloyd yn ymwybodol o hynny? Nid bod llawer o ots, meddyliodd Jeff, ond roedd presenoldeb Price yn dangos yn glir sut roedd Lloyd, y dyn a alwai ei hun yn ynad er nad oedd bellach yn deilwng o'r teitl, yn teimlo ynglŷn â'r cyfarfod. Gwnaeth Jeff bwynt o gerdded yn syth at y cyfreithiwr ac ysgwyd ei law.

‘Sut ydach chi, Mr Price?’ gofynnodd, heb ddefnyddio’i enw cyntaf, yn wahanol i’r arfer.

‘Eitha da, diolch, Ditectif Sarjant Evans,’ atebodd y llall, yr un mor amhersonol. ‘Digwydd bod yma ar berwyl arall oeddwn i, Ditectif Sarjant, ac mi ofynnodd Mr Lloyd i mi eistedd i mewn ar y cyfweliad ’ma.’

Gwenodd Jeff yn sinigaidd. Digwydd bod yno, wir. Eisteddodd y tri i lawr a thynnodd Richard Price lyfr A4 glas allan o’i fag a’i roi ar ei lin, yn barod i wneud nodiadau ynglŷn â’r sgwrs. Gallai Jeff daeru ei fod wedi gweld rhyw fflach ddireidus yn llygaid y cyfreithiwr, ond gwyddai Jeff o brofiad y byddai’n broffesiynol, gan gynrychioli ei gleient i’r eithaf. Ond pam roedd Emyr Lloyd wedi meddwl ei fod o angen cyfreithiwr yn y lle cyntaf?

‘Un peth cyn i ni ddechrau,’ meddai Richard Price. ‘Dwi’n sylwi nad ydach chi’n recordio’r cyfweliad yma, nac wedi rhoi’r rhybudd swyddogol i Mr Lloyd. Dwi’n cymryd felly nad ydi Mr Lloyd dan amheuaeth o droseddu?’

‘Fy mwriad ydi holi Mr Lloyd fel tyst. Coeliwch chi fi, Mr Price,’ ychwanegodd Jeff, ‘petai unrhyw dystiolaeth yn fy arwain i amau Mr Lloyd o fod yn gyfrifol am unrhyw drosedd, nid yn y fan hon fyddai’r cyfweliad ’ma’n digwydd.’

‘Debyg iawn,’ atebodd y cyfreithiwr gan besychu’n dawel i’w ddwrn ac edrych i gyfeiriad ei gleient wrth wneud.

Rhythodd Lloyd i gyfeiriad Jeff, ond ni ddywedodd air. Y pwynt cyntaf i mi, nododd Jeff yn fodlon, cyn dechrau holi.

‘Fel y gwyddoch chi, Mr Lloyd, gwneud ymholiadau i’r ymosodiad ar Mr Daniel Pritchard ydw i.’

Ochneidiodd Lloyd. ‘A be sy gan hynny i’w wneud â fi, wn i ddim wir.’

'Ymosodiad a ddigwyddodd ger yr afon, ddim ymhell o'r fan hyn.'

'Ac fel y deudis i, yn fy ngwely o'n i pan glywais sŵn yr hofrenydd. Mae fy ngwraig yn dyst i hynny.'

Doedd dim pwynt mynd dros yr un hen stori, penderfynodd Jeff. 'Dwi wedi mynd drwy'r llyfrau nodiadau roedd Daniel Pritchard yn eu cario wrth wneud ei waith,' datganodd, gan sylwi ar lygaid Lloyd yn culhau, 'ac mae wedi dod yn amlwg fod Dan, yn ystod yr wythnosau diwethaf, wedi bod yn rhoi sylw arbennig i'r pen yma o'r afon, a hynny ar ôl iddi dywyllu.'

'Felly fyswn i'n disgwyl. Dyna oedd ei waith o, yntê?' Trodd i gyfeiriad Price fel petai'n disgwyl rhyw fath o gadarnhad, ond ddaeth 'run.

Doedd Jeff ddim wedi disgwyl gweld arwyddion o straen ar wyneb a chorff Lloyd mor gynnar yn y cyfweliad, ond roedd y mân symudiadau a wnaethai yn hawdd i ddyn o brofiad Jeff sylwi arnynt.

'Mae'r nodiadau wnaethpwyd ganddo yn ddiweddar yn sôn am olau tebyg i dân.'

'Os, Sarjant Evans, y bu tân i lawr yn y coed neu ger yr afon, mwy na thebyg mai plant oedd yn gyfrifol, fel dwi wedi awgrymu eisoes.'

'Does 'na ddim "os" amdani, Mr Lloyd. Nid Daniel ydi'r unig un sydd wedi gweld goleuadau tân i lawr yn y llannerch ger yr afon. Mae pobol eraill sy'n byw ar y tir uwch yn tystio i weld rwbath tebyg hefyd, ac yn fwy na hynny, mi welson ni'n dau olion tân yno ein hunain.' Doedd Lloyd ddim am drafod y posibilrwydd o dân am ryw reswm. Pam hynny, tybed?

'A pham mae hyn yn ymwneud â fi?' gofynnodd Lloyd,

gan edrych unwaith eto ar ei gyfreithiwr a oedd yn brysur yn gwneud nodiadau.

'Am fod Daniel wedi gweld nifer o geir yn yr ardal ar yr un nosweithiau, a nodi eu rhifau cofrestru.' Gresynodd Jeff nad oedd nodiadau Dan yn manylu ar union leoliad y ceir, ond gwyddai y byddai'n rhaid iddo wneud y tro â'r ychydig wybodaeth a oedd ganddo. Yr anfantais arall oedd nad oedd y rhif cofrestru roedd am ei ddyfynnu yn hollol gywir, ond roedd wedi penderfynu anwybyddu hynny.

'Lle mae hyn i gyd yn ein harwain ni, Ditectif Sarjant?' gofynnodd Lloyd.

'Un o'r ceir a welwyd yno oedd BMW efo'r rhif cofrestru CX62 YMR.'

Gwelodd Jeff nerf ar ochr talcen Lloyd yn plycio'n wyllt, a'i edrychiad i gyfeiriad ei gyfreithiwr fel petai'n chwilio am ryw fath o gefnogaeth. Wnaeth Price ddim codi'i ben o dudalennau'r llyfr nodiadau o'i flaen.

'Be wyddoch chi am y car hwnnw?' gofynnodd Jeff.

'Oes gan hyn rwbath i'w wneud efo'r ymosodiad ar Mr Pritchard?' gofynnodd Lloyd.

'Roedd Daniel Pritchard wedi bod yn cadw golwg ar y car hwnnw a nifer o geir eraill, ac yn fuan wedyn mae rhywun yn ymosod arno. Dyna'r cysylltiad, Mr Lloyd. Rŵan 'ta, wnewch chi ateb fy nghwestiwn i, os gwelwch yn dda. Cwestiwn reit syml, a does 'na ddim tric y tu ôl iddo fo. Be wyddoch chi am y car hwnnw?'

Symudodd Lloyd yn anghyfforddus yn ei gadair. 'Car a oedd yn arfer bod yn perthyn i mi ydi o,' meddai.

'A rŵan?'

'Wn i ddim. Dwi ddim wedi gweld y car ers blynyddoedd.'

Sylweddololodd Jeff nad oedd Emyr Lloyd mor glyfar ag yr oedd o'n meddwl ei fod o. Byddai wedi bod yn well iddo fod wedi dweud cyn lleied â phosib am y car heb ymhelaethu. Felly, beth oedd ganddo i'w guddio? 'Pwy brynodd y car ganddoch chi?'

'I ddyn o'r enw Stewart werthais i o, os ydw i'n cofio'i enw fo'n iawn.'

'Sut ddigwyddodd hynny?'

'Mi oedd o'n gweithio yn yr ardal 'ma, a chlywais ei fod o'n chwilio am gar. Fel roedd hi'n digwydd bod, mi o'n innau'n chwilio am brynwr. Ond be sydd gan hyn i'w wneud â'r ymosodiad ar Daniel?'

'Gwerthu car drud oedd yn llai na dyflwydd oed?'

'Mater i mi oedd hynny,' atebodd Lloyd.

'Gweithio yn yr ardal... ar adeiladu'r grisiau eogiaid, yntê?' Penderfynodd Jeff ei bod hi'n amser iddo droi'r sgriw, a gwelodd y frawddeg yn cael effaith ar unwaith. Syllodd Lloyd ar ei gyfreithiwr er ei fod yn gwybod yn iawn y byddai'n rhaid iddo barhau â'i stori.

'Mae'n amlwg i mi eich bod chi wedi gwneud y cysylltiad, Sarjant Evans, ac yn amlwg hefyd eich bod yn dwyllodrus yn eich ffordd o ofyn eich cwestiynau i mi.'

'Dim o gwbl, Mr Lloyd. Mi ddo' i at y busnes o dwyll mewn chydig funudau. Ond mae ail reswm i mi fod isio'ch holi chi heddiw. Mae Mr Anthony Stewart wedi diflannu, ynghyd â'i gar, ac mae'n edrych yn debyg mai'r person olaf i weld ei gar o oedd Daniel Pritchard. Roedd hynny ar nos Sadwrn yr ugeinfed o Awst eleni, ychydig dros ddeufis yn ôl. Ddaru Mr Stewart ddim cyrraedd ei waith ar y dydd Llun canlynol, a does neb wedi ei weld o na'r BMW yn y cyfamser.'

Cododd Lloyd ei ysgwyddau, cystal â dweud nad oedd ganddo yntau syniad chwaith. Yna gofynnodd, 'Ymhle yn union y cafodd ei gar o ei weld, Sarjant?'

'Yn yr ardal yma yn rwla,' atebodd Jeff. Gwyddai nad oedd pwynt ceisio manylu. 'Ond mae gweld y car yn gysylltiedig â'r man lle gwelwyd y tân. A'ch tŷ chi ydi'r agosaf at y fan honno.'

Torrodd Price ar draws yr holi am y tro cyntaf. 'Dwi'n credu bod hynna'n fwy o dybiaeth nag o dystiolaeth, Sarjant,' meddai gydag awgrym o wên ar ei wyneb.

'Digon gwir, ond cofiwch mai chwilio am wybodaeth ynglŷn ag achos o ddiflaniad ydw i, nid cyhuddo neb. Felly gadewch i mi ofyn y cwestiwn yn blwmp ac yn blaen i chi, Mr Lloyd. Oedd Mr Anthony Stewart yma y penwythnos hwnnw?'

'Nag oedd,' atebodd Lloyd ar unwaith, fymryn yn rhy gyflym.

'Pryd welsoch chi o ddwytha?'

'Amser maith yn ôl, fedra i ddim cofio'n iawn ar hyn o bryd.'

'Peidiwch â thrio dyfalu os na fedrwch chi gofio, Mr Lloyd,' awgrymodd y cyfreithiwr.

'Sawl gwaith wnaethoch chi ei gyfarfod o, Mr Lloyd?' parhaodd Jeff i holi.

'Ddwywaith, dair, ella mwy, tra oedd o o gwmpas y lle 'ma.'

'Faint gawsoch chi am y car, y BMW?'

'Fedra i ddim cofio, mae cymaint o amser wedi pasio.'

'Oes ganddoch chi dderbynneb, neu unrhyw waith papur arall?'

'Mi oedd gen i ar y pryd, ond mae o wedi hen fynd erbyn

hyn, fyswn i'n meddwl. Ond be sydd gan hynny i'w wneud â'r ymosodiad ar Daniel Pritchard, neu ddiflaniad Mr Stewart?'

Atebodd Jeff y cwestiwn gyda chwestiwn arall. 'Be yn union oedd natur eich perthynas chi â Mr Stewart? Mae'r car yn newid dwylo tua'r un adeg ag y mae'r grisiau eogiaid yn cael eu hadeiladu o dan ei oruchwyliaeth o, a hynny chydig ar ôl i chi allu meddiannu hawliau pysgota'r afon o'r rhaeadr a'r grisiau newydd yr holl ffordd i fyny i darddiad yr afon.'

Edrychodd Emyr Lloyd yn fwy anghyfforddus nag erioed. Brwydrodd yn erbyn y temtasiwn i godi o'i gadair a chodi ei lais.

Camodd Richard Price i mewn am yr eilwaith. 'Rhaid i mi ofyn i chi roi stop ar y math yma o holi, Ditectif Sarjant Evans,' meddai. 'Dwi'n gweld lle mae'r cyfweliad 'ma'n mynd, ac os nad oes ganddoch chi dystiolaeth i holi fy nghleient yn ei gylch o, a hynny heb roi'r rhybudd swyddogol iddo, rhaid i mi gynghori Mr Lloyd i wrthod eich ateb chi. Mi ddaethoch chi yma i ymchwilio i ymosodiad ar Daniel Pritchard, ac yna i ddiflaniad Mr Anthony Stewart, ac mae Mr Lloyd wedi rhoi cymaint ag y medar o o help i chi. Rŵan, dwi'n awgrymu bod y cyfweliad yma'n dod i ben.'

Cododd Jeff ar ei draed i adael, yn falch ei fod wedi llwyddo cyn belled â hyn. Gwyddai o brofiad na fuasai'r holi wedi bod mor drefnus nac wedi mynd mor bell heb bresenoldeb Richard Price. Roedd Lloyd yn saff o fod wedi teimlo'n fwy diogel yn ei gwmni, ac yn fwy parod i siarad. Hebddo, byddai ochr gas Lloyd wedi dod i'r wyneb yn llawer cynt.

Ddywedodd Emyr Lloyd ddim gair wrth hebrwng Jeff at y drws, ond gallai'r ditectif weld bod ei dymer yn reit agos i ferwi drosodd. Trodd Jeff i'w wynebu ar stepen y drws, a daeth cythraul iddo o rywle.

'Wel, Mr Lloyd,' meddai, 'mi ydan ni'n dau yn gwybod rŵan lle 'dan ni'n sefyll. Mi wela i chi eto cyn hir, dwi'n siŵr o hynny.'

Trodd Jeff ei gefn ar y dyn oedd yn crynu gan dymer ar y trothwy, ac ni welodd Lloyd y wên lydan ar wyneb y ditectif.

# Pennod 16

Ar ôl y cyfweliad gydag Emyr Lloyd roedd Jeff wedi penderfynu mynd adref yn gynnar. Anaml roedd Meira yn ei weld mor fuan â phump o'r gloch, ond roedd o'n gwneud mwy o ymdrech bellach i fod adref cyn amser gwely'r plant. O ganlyniad roedd yn gweld mwy ar Twm a Mairwen wedi iddyn nhw ddod adref o'r ysgol, ac ar ôl i'r ddau fach fynd i'w gwlâu, roedd Meira ac yntau'n mwynhau cwmni ei gilydd fel yr oedden nhw ym mlynyddoedd cynnar eu priodas. Roedd y ffôn yn canu'n llai aml gyda'r nos bellach, ar ôl iddo stopio mynnu bod ditectif y shifft hwyr yn rhoi gwybod iddo'n syth am bopeth a ddigwyddai, a dysgu dibynnu mwy ar eraill. Braf oedd cael gwylio ffilm gyda'r nos â Meira yn ei freichiau, er bod yn rhaid iddo gyfaddef fod ei feddwl y crwydro tua'i waith os nad oedd y ffilm at ei ddant.

Cyrhaeddodd orsaf yr heddlu fore trannoeth ychydig funudau wedi naw. Cerddodd drwy'r ddalfa – doedd dim byd o ddiddordeb mawr yn y fan honno. I fyny yn y brif swyddfa, fodd bynnag, gwelodd adroddiad ynglŷn â throsedd a ddaliodd ei sylw ar unwaith. Roedd car, Vauxhall Astra newydd, wedi cael ei ddifrodi dros nos allan yn y wlad, ychydig dros ddeuddeng milltir o ganol Glan Morfa. Edrychai'n debyg fod rhywun wedi defnyddio hoelen neu declyn miniog i grafu ar hyd ochr y car. Doedd hon ddim y math o drosedd a fyddai'n denu diddordeb y

CID fel arfer, ond sylwodd Jeff ar enw'r sawl a wnaeth y gŵyn: Iwan Fox, Bryn Eithin – y dyn y bu'n ymweld ag ef chydig ddyddiau ynghynt. Roedd y plismon a gofnododd y gŵyn wedi holi Mr Fox dros y ffôn ond heb ddysgu llawer, dim ond bod llafnau ifanc wedi bod yn loetran gerllaw cyn iddi dywyllu'r noson gynt. Doedd dim disgrifiad ohonynt, a doedd 'run plismon wedi bod ar gyfyl y lle. Gwyddai Jeff mai dyma'r polisi bellach, ond allai o ddim peidio â theimlo fod safonau gwasanaeth yr heddlu wedi disgyn gryn dipyn yn ystod y blynyddoedd diwethaf.

Yn ei swyddfa, ar ôl cael gair byr â'r ditectif gwnstabliaid, cododd Jeff y ffôn.

'Bore da, Iwan,' meddai. 'Jeff sy 'ma. Wel, ella nad ydi hi'n fore cystal i ti – dwi wedi gweld yr adroddiad am dy gar di.'

'Ia, uffar o beth,' atebodd Iwan. 'Ddigwyddodd 'na ddim byd tebyg i mi erioed o'r blaen. Fedra i ddim dallt y peth, wir.'

'Ga' i ddod draw i dy weld di?'

Ymhen chwarter awr roedd Jeff yn gyrru i fyny i gyfeiriad Llyn Ceirw. Wrth iddo fynd heibio giât ffermdy Ceirw Uchaf daeth BMW gyriant pedair olwyn allan i'w gyfarfod. Doedd dim rhaid iddo arafu na'i osgoi, ond gwelodd mai Dwynwen Lloyd oedd yn gyrru a bod Emyr Lloyd yn sedd y teithiwr. Roedd o'n amau fod rhywun yn eistedd yn y cefn ond allai o ddim bod yn siŵr, a doedd dim amheuaeth fod y ddau wedi ei adnabod. Rhythodd Lloyd yn hy' arno wrth basio, a chododd Jeff ei law arno yntau gan wenu'n braf. Ni allai faddau i'r diafol a godai ynddo weithiau. Am ryw reswm, roedd ei amheuaeth ynglŷn ag Emyr Lloyd yn cynyddu'n ddyddiol – nid yn unig ynghylch y grisiau eogiaid a'i berthynas ag Anthony Stewart; roedd yr hen deimlad cyfarwydd hwnnw yng ngwaelod ei fol yn dweud wrtho fod mwy i'w ddysgu o dan yr wyneb, er na wyddai beth, yn union.

Pasiodd y llyn ar ei law dde a gwnaeth ei ffordd tuag at Fryn Eithin, lle gwelodd Iwan Fox tu allan i'r bwthyn wrth ochr y Vauxhall yn disgwyl amdano. Yn ôl y rhif cofrestru, car ychydig fisoedd oed oedd o, un glas a edrychai'n smart a glân, heblaw am y marciau hyll oedd ar hyd yr ochr a wynebai'r lôn. Synnodd Jeff nad oedd yr adroddiad a ddarllenodd ynghynt wedi sôn bod gair wedi cael ei ysgrifennu'n fawr a blêr yn y paent: 'snitch'.

Safodd yno heb ddweud gair am funud, ei ddwylo yn ei bocedi, yn ysgwyd ei ben yn araf o'r naill ochr i'r llall.

'Ia, dyna sut dwi'n teimlo hefyd,' meddai Iwan wrth ei ochr mewn llais crynedig. 'Methu dallt *pam* ydw i, Jeff. Dydw i ddim wedi ypsetio neb hyd y gwn i, na Siân chwaith.'

'Lle mae Siân?'

'Yn y tŷ. Dydi hi ddim wedi dod ati'i hun eto. Hi ddaru ddarganfod hyn tua wyth o'r gloch y bore 'ma, ac mae o wedi deud yn ofnadwy arni.'

'Yn fan hyn oedd y car wedi'i barcio?'

'Ia,' atebodd. 'Dwi ddim wedi'i symud o.'

'Pryd gafodd o ei symud ddwytha, Iwan?'

'Mae o yma ers tua chwech neithiwr. Ro'n i wedi bod i lawr yn y dre i'w lenwi o efo petrol gan ein bod ni'n meddwl mynd i Landudno heddiw. Ond does ganddon ni ddim awydd mynd rŵan, o dan yr amgylchiadau.'

'Deud wrtha i am yr hogia ifanc welaist ti o gwmpas y lle.'

'Tri ohonyn nhw oedd 'na. Mi welis i nhw'n cerdded i

fyny'r lôn pan oeddan ni'n dod adra, tua chwarter milltir i ffwrdd.'

'Ac i'r cyfeiriad yma roeddan nhw'n cerdded?'

'Ia. Erbyn i mi wagio'r car a'i gloi, roeddan nhw wedi dal i fyny efo fi ac yn pasio'r tŷ. Doedd 'na ddim byd neilltuol o amheus amdanyn nhw, dim ond eu bod nhw yma, mewn lle mor ddiarffordd a hithau ar fin nosi. Dydi'r lôn 'ma ddim yn arwain i nunlla, dim ond i'r mynydd, ac anaml iawn y byddan ni'n gweld neb heblaw cerddwyr yn pasio ar droed, yn enwedig ym mis Hydref.'

'Oes gen ti syniad o gwbl pwy oeddan nhw?'

'Dim clem. Welis i 'run ohonyn nhw erioed o'r blaen yn fy mywyd, ond Sgowsars oedden nhw.'

'Sut gwyddost ti hynny, Iwan?'

'Ma' hi'n acen reit hawdd i'w nabod tydi? Wel, Sgowsar oedd yr un siaradais i efo fo, beth bynnag. Gan nad o'n i'n siŵr ohonyn nhw, mi wnes i bwynt o godi sgwrs – gofyn i lle oeddan nhw'n mynd, cynnig rhoi cyfarwyddiadau iddyn nhw a ballu.'

''Sat ti'n gwneud ditectif da, Iwan,' chwarddodd Jeff. 'Gest ti ateb?'

'Ches i ddim llawer o sens ganddyn nhw, a deud y gwir. Ddeudodd un eu bod nhw'n mynd am dro.'

'Oes gen ti ddisgrifiad?' gofynnodd Jeff.

'Dim llawer, ma' gen i ofn, ond mi oedd y tri tuag ugain oed, un yn dalach na'r ddau arall a dipyn yn hŷn, ella. Roedd y tri yn gwisgo trowsusau tracsiwt a hwdis – dyna pam na welis i lawer o'u hwynebau nhw. Ond erbyn meddwl, roedd gan un o'r lleill datŵs, llythrennau ar ei arddyrnau a rwbath ar ochr ei wddw – welis i 'mo hwnnw'n iawn gan fod ei hwdi o'n ei guddio.'

‘Wel, mae hynna’n rhoi dipyn mwy o help i mi, Iwan. Ond rŵan ’ta, be am y gair “snitch” ’ma? Wyt ti’n siŵr nad wyt ti wedi tynnu’n groes nac achwyn ar neb yn ddiweddar?’

‘Fedra i ddim cofio i mi dynnu’n groes i neb yn fy mywyd, Jeff bach, heb sôn am yn ddiweddar, ond dwi’n sylweddoli mai dyna be mae’r gair ar y car yn ’i awgrymu.’

‘Be am Siân? Mae’n ddrwg gen i orfod gofyn.’

‘Na, dwi’n siŵr nad ydi hitha wedi ypsetio neb chwaith, ond plis, paid â gofyn iddi hi, Jeff. Ma’ hi wedi cael digon o sioc bore ’ma.’

Gwyrodd Jeff ar ei gwrcwd er mwyn edrych yn fanwl ar y difrod. Yn sicr, rhywbeth tebyg i hoelen neu sgriwdreifar oedd yn gyfrifol, ac nid ar hap y digwyddodd o. Roedd rhywun wedi dod yma’n bwrpasol neithiwr ar gyfer y dasg, ond pam? Yn ofalus, defnyddiodd gyllell i gymryd sampl bychan o baent oddi ar y car yn agos i’r difrod, a’i roi mewn bag bach plastig. Efallai, ymhen amser, y byddai’n dod ar draws arf ag olion paent arno ym meddiant rhywun.

‘Glywaist ti neu Siân unrhyw sŵn yn ystod y nos, neu wedi iddi dywyllu neithiwr?’ gofynnodd Jeff.

‘Naddo… ond cofia fod y gwynt wedi codi fel roedd hi’n nosi, a phan mae hynny’n digwydd mewn lle fel hyn, chydig iawn fyddan ni’n glywed o synau eraill. Ond wedi deud hynny, mi fyswn i wedi clywed sŵn car petai o’n cael ei yrru’n gyflym.’

Trodd Jeff i gerdded at ei gar ei hun, gan edrych i lawr i gyfeiriad y llyn a’r afon, a Ceirw Uchaf tu hwnt. ‘Deud i mi, Iwan,’ gofynnodd, ‘faint o bobl eraill sy’n byw i fyny yn y cyffiniau ’ma, a fysan nhw wedi medru gweld y goleuadau neu’r tân welist ti’n ddiweddar?’

'Dim llawer o neb. Mae 'na ddau dŷ arall yn uwch na fi, ond tydi'r llyn na'r coed lle welis i'r tân ddim i'w weld o'r rheiny oherwydd rhediad y tir. Pam wyt ti'n gofyn?'

'Dim rheswm neilltuol,' atebodd Jeff. Doedd dim pwynt ymhelaethu heb dystiolaeth. 'Wyt ti am symud y car i rwla arall o hyn ymlaen?'

'Mi fysa'n syniad i mi wneud. Mae 'na garej rownd y cefn sy'n llawn o nialwch – mi fydd raid i mi ei chlirio hi.'

'Call iawn, Iwan. Dyna fyswn inna'n wneud hefyd.'

Wrth deithio'n ôl i lawr y lôn gul, ceisiodd Jeff greu cysylltiad rhwng y difrod i gar Iwan Fox a gweddill ei ymchwiliad, er nad oedd tystiolaeth i awgrymu hynny. Ond ar y llaw arall, roedd o wedi crybwyll wrth Emyr Lloyd y diwrnod cynt fod y tanau yn y llannerch wedi cael eu gweld gan rywun arall yn yr ardal. Oedd Lloyd wedi dyfalu'n gywir mai Iwan oedd y person hwnnw, ac wedi gyrru'r llanciau i'w rybuddio rhag datgelu mwy? Os felly, beth oedd mor hynod o bwysig fel bod angen iddo gau ei geg? A phwy oedd y llanciau o ochrau Lerpwl, tybed? Cofiodd Jeff fod Colin Pritchard wedi cael ei weld yng nghwmni dynion ifanc dieithr... oedd cysylltiad yn y fan honno? A beth ar y ddaear oedd y cysylltiad â'r ymosodiad ar Daniel Pritchard?

# Pennod 17

Roedd Jeff wedi penderfynu ar ei gam nesaf, er na wyddai sut yn union i fynd o'i chwmpas hi. A ddylai ei ffonio hi gyntaf i wneud trefniadau, neu ddim? Efallai na fyddai'r ddynes yn awyddus i siarad â fo wedi i'r holl flynyddoedd fynd heibio. Penderfynodd, wrth droi a throsi yn ei wely, y byddai'n galw ar hap fel na fyddai ganddi amser i ystyried gwrthod siarad efo fo, na chyfle i newid ei meddwl.

Wedi cychwyn yn fuan o Lan Morfa cyrhaeddodd Ffordd Wrecsam, Rhuthun, am hanner awr wedi wyth y bore. Chwythai gwynt cryf yr hydref o'r de-orllewin gan ddod â glaw trwm o Fôr Iwerydd yn ei sgil gan greu pyllau peryglus ar y lonydd, felly bu'r daith yn un heriol.

Camodd Jeff o'i gar a chododd gwfl ei gôt ddyffl gynnes, ei hoff gôt. Edrychodd o'i gwmpas. Tŷ digon cyffredin yr olwg oedd Is y Foel, a safai ar ei ben ei hun o flaen gardd ffrynt flêr yng nghanol nifer o dai oedd â thipyn mwy o raen arnynt. Edrychai'r tŷ fel petai wedi bod yn adeilad reit smart ar un adeg. Nid dyma'r math o dŷ roedd o wedi'i ddisgwyl.

Cnociodd ar y drws a disgwyl am funud cyn cnocio eto, yn drymach, gan obeithio nad oedd ei ddwyawr o daith wedi bod yn ofer. Ymhen hir a hwyr agorwyd y drws fymryn, digon iddo weld pen ac ysgwyddau heibio iddo, yna, ar ôl i'r preswylydd gael cip arno yntau, agorodd y drws led y pen. Roedd golwg chwilfrydig ar wyneb y ddynes smart o'i flaen; roedd hi yn ei phumdegau hwyr ac yn gwisgo siwt dywyll fel petai ar gychwyn i'w gwaith.

'Ia?'

'Mrs Llinos Lloyd? Dwi'n swyddog yn yr heddlu.' Gwenodd arni. 'Mi hoffwn i gael gair efo chi os gwelwch yn dda.' Dangosodd Jeff ei gerdyn adnabod, a disgwyl iddi orffen ei ddarllen yn ofalus.

'Ditectif Sarjant? Be dach chi isio efo fi?' atebodd yn swta. 'Ac nid Llinos Lloyd ydi f'enw i. Llinos Williams ydw i rŵan, a hynny ers talwm iawn.'

'Mae'n ddrwg gen i, Mrs Williams. Doeddwn i ddim yn gwybod eich bod chi wedi ailbriodi. Ditectif Sarjant Evans, o CID Glan Morfa,' ymhelaethodd. Tybiodd y byddai enwi'r dref yn gwneud y tric, ond doedd o ddim yn disgwyl yr ymateb a gafodd.

'Ailbriodi? Dim peryg. A *Ms* Williams, os gwelwch yn dda. Dwi ddim wedi bod yng Nglan Morfa ers blynyddoedd, a does gen i ddim cysylltiad â'r lle.'

Suddodd calon Jeff – roedd wedi gobeithio am chydig mwy o groeso.

'Dwi'n dallt yn iawn, Ms Williams, coeliwch fi,' atebodd, 'ond mater hanesyddol dwi am ei drafod efo chi. Un pwysig, neu fyswn i ddim wedi dod yr holl ffordd yma yn unswydd i'ch gweld chi. Ymholiad i weithgareddau eich cyn-ŵr chi, Emyr Lloyd sydd gen i.'

Gwelodd Jeff ei llygaid yn culhau wrth iddi ystyried ei eiriau, a manteisiodd Jeff ar y cyfle.

'Ylwch, Ms Williams... Llinos,' meddai, gan dynnu ei gwfl yn dynnach am ei ben ac edrych ar y glaw a ddisgynnai arno. 'Dwi'n gwlychu at fy nghroen yn y fan hyn. Ga' i ddod i mewn, os gwelwch yn dda?'

Wedi peth ystyried, ac ar ôl edrych ar ei watsh, agorodd Llinos y drws. Camodd Jeff i'r cyntedd a thynnu ei gwfl.

'Mae'n ddrwg gen i, Sarjant Evans. Do'n i ddim yn disgwyl ymwelydd ben bore fel hyn, yn enwedig ditectif.' Gwenodd arno am y tro cyntaf. 'Pa mor hir gymrith y sgwrs 'ma? Dwi ar fy ffordd i 'ngwaith.'

Cadarnhaodd Jeff y byddai angen mwy nag ychydig funudau o'i hamser.

'Rhoswch funud 'ta, i mi gael gadael iddyn nhw wybod y bydda i'n hwyr.'

'Siŵr iawn,' atebodd Jeff, a throi ei gefn ati tra oedd hi ar y ffôn, er ei fod yn clywed pob gair o'r sgwrs.

'Sandra? Wnei di agor y siop, plis, ac edrych ar ôl petha nes i mi gyrraedd? Ma' raid i mi ddelio efo rwbath.' Oedodd. 'Na, mae bob dim yn iawn, diolch i ti. Mi fydda i yna gynted â phosib. Diolch.'

'Mae'n ddrwg gen i am beidio â ffonio ymlaen llaw,' meddai Jeff. 'Mae'n amlwg 'mod i'n tarfu ar eich diwrnod gwaith chi.'

'Popeth yn iawn,' atebodd Llinos. 'Dwi'n rhedeg busnes gwerthu blodau, ond yn ffodus, mae gen i rywun fedar agor y siop i mi.'

Edrychodd Jeff o'i gwmpas wrth iddo ei dilyn hi o'r cyntedd i gyfeiriad y lolfa. Er bod y tŷ yn daclus ac yn lân, a bod blodau chwaethus yn ganolbwynt i'r stafell, doedd dim arwydd fod llawer iawn o arian wedi'i wario ar y dodrefn na'r addurniadau.

'Dwi'n ddiolchgar iawn i chi am wneud amser i siarad efo fi, Llinos,' meddai. Dewisodd ddefnyddio'i henw cyntaf gan obeithio na fyddai hynny'n tynnu'n groes. 'Galwch fi'n Jeff, gyda llaw,' ychwanegodd.

Eisteddodd Llinos ar y soffa gan roi gwahoddiad i Jeff eistedd ar gadair gyfagos. Ceisiodd Jeff ddychmygu beth oedd yn mynd trwy ei meddwl cyn dechru ei holi – roedd yn ymwybodol ei fod ar fin troedio i gyfnod tywyll yn ei hanes.

'Ers pryd mae'r siop flodau ganddoch chi, Llinos?'

'Ddechreuais i weithio yno chydig ar ôl i mi ddod i fyw yma. Roedd yn rhaid i mi wneud rwbath i ennill cyflog ac mi ges i waith rhan amser yn y siop. Aeth gwaith rhan amser yn llawn amser cyn hir oherwydd iechyd y perchennog, a phan fu'n rhaid iddi hi ymddeol mi brynais y busnes ganddi. Mae petha wedi bod yn anodd iawn yn ariannol – dwi wedi gorfod benthyca dipyn go lew gan y banc – ond mae petha'n dechra gwella erbyn hyn, a dwi wedi ffeindio 'nhraed o'r diwedd.'

'Dwi'n falch o glywed,' atebodd Jeff.

'Reit,' meddai Llinos, gan dynnu'r sgwrs yn ôl i'r presennol. 'Mae'n rhaid bod ganddoch chi rwbath pwysig i'w ofyn i mi ynglŷn ag Emyr i ddod â chi'r holl ffordd o Lan Morfa.'

Edrychai'n awyddus i ddysgu mwy, tybiodd Jeff, ac roedd hynny'n arwydd addawol.

'Feddyliais i 'rioed y byswn i'n clywed enw'r dyn yna eto,' parhaodd, 'ond o ystyried eich swydd chi, Jeff, dwi'n cymryd eich bod chi'n ei amau o wneud rwbath anonest neu dwyllodrus.'

Dechreuodd Jeff ateb, ond torrodd Llinos ar ei draws.

'Wel, rydach chi'n chwilio yn y lle iawn, mwy na thebyg, beth bynnag rydach chi'n ei amau o o'i wneud. Dyn brwnt a chas ydi o dan yr wyneb, dyn nad ydi o wedi gwneud dim byd i neb erioed heb i hynny fod o fantais iddo fo'i hun mewn rhyw ffordd neu'i gilydd. Mae'r gair "twyll" yn rhedeg drwy ei wythiennau o erioed – biti na wyddwn i hynny cyn 'i briodi o.' Oedodd. 'Roedd o'n ymddangos yn ddyn lyfli ar y dechra, ac mi gawson ni flynyddoedd hapus iawn, nes i'r butain arall 'na droi i fyny. Cyn hynny roedd o'n fy nhrin i'n dda, er 'mod i'n cau fy llygaid i ambell beth. Wel, lot o bethau, a deud y gwir.'

Dyma roedd Jeff eisiau ei glywed.

'Arhoswch am funud bach, plis, Llinos,' torrodd Jeff ar ei thraws. Os oedd y ddynes o'i flaen am fwrw'i bol byddai'n rhaid iddo gael popeth yn ei drefn. 'Dwi isio clywed am eich profiadau chi efo Mr Lloyd, ond mi fysa'n well i ni ddechra o'r dechra.'

Ochneidiodd Llinos, a gwenu. 'Wyddoch chi mai dyma'r tro cynta i mi wenu ers blynyddoedd wrth feddwl am y diawl. Dwi ddim wedi medru siarad efo neb am fy mhriodas. Roedd hi mor anodd gorfod mynd drwy'r cwbwl efo fy nghyfreithiwr adeg yr ysgariad, pan oedd petha mor amrwd, felly mi wnes i gloi bob dim yn ddwfn yng nghefn fy meddwl ar ôl hynny.'

'Be am ffrindiau?' gofynnodd Jeff. 'Fedrwch chi ddim trafod y peth efo nhw?'

'Dwi wedi gwneud dipyn o ffrindiau yma, ond dwi ddim yn un am fwrw 'mol iddyn nhw... ac mi o'n i isio dechra eto efo llechen lân.'

'A phartner?'

Oedodd Llinos cyn ateb. 'Mi oedd 'na un... gŵr bonheddig a gollodd ei wraig rai blynyddoedd yn ôl. Ond wnes i ddim gadael i'r berthynas ddatblygu – mae un gŵr yn hen ddigon i mi, a dwi'n ddigon hapus fel ydw i.'

'Digon teg,' atebodd Jeff. 'Felly, ydi hi'n iawn i mi ddechrau'ch holi chi am Emyr Lloyd?'

'Gadewch i mi wneud paned o goffi i ni cyn dechrau.'

# Pennod 18

Daeth Llinos yn ei hôl yn cario dwy baned o goffi.

'Am faint barodd eich priodas chi?' dechreuodd Jeff holi. Dewisodd beidio ag ysgrifennu nodiadau rhag gwneud i'r holi deimlo'n rhy ffurfiol.

'Dros ugain mlynedd.'

'Ac mi wnaethoch chi gau eich llygaid i lot o betha, medda chi... fel be?'

'Wel, mae 'na dipyn go lew o amser ers hynny. Dwi'n ei chael hi'n anodd cofio esiamplau unigol heb gael cyfle i feddwl yn iawn. Oes ganddoch chi rwbath penodol dan sylw?'

'Be am y grisiau eogiaid ar y rhaeadr fawr chwarter y ffordd i fyny afon Ceirw,' awgrymodd Jeff, 'a'r hawliau pysgota ar y dŵr yn uwch i fyny na fanno?' Gwelodd Jeff wên fach drist ar ei hwyneb wrth iddi nodio'i phen. 'Pa syniad ddaeth gyntaf,' gofynnodd, 'prynu'r hawliau, 'ta'r grisiau eogiaid?'

'Does gen i ddim amheuaeth o gwbl fod y ddau beth ynghlwm yn ei feddwl,' meddai. 'Mi fedrodd Emyr gael yr hawliau pysgota gan y tirfeddianwyr cyn dechrau'r broses o adeiladu'r grisiau, ond roedd o wedi dechrau cynllunio'r datblygiad ymhell cyn hynny.'

'Efo rhywun o Cynefinoedd Cynhenid Cymru?'

'Ia, dyn o'r enw Tony, i lawr yn y de.'

'Anthony Stewart?'

'Ia. Dyn drwg arall.'

'Dach chi'n ei nabod o felly?'

'Ydw – neu mi oeddwn i bryd hynny – yn dda iawn. Roedd o'n ymwelydd cyson. Dwi'n cofio'r diwrnod cyntaf iddo ddod acw, fisoedd lawer cyn i'r gwaith ar y grisiau ddechrau. Parcio'i gar, hen racsyn o beth, yn yr iard ddaru o, i holi am y ffarm a'r tir. Mi gafodd o groeso gan Emyr, panad a sgwrs, ac yn sydyn – wel, yn sydyn iawn a deud y gwir – mi oedd o'n llawiau garw efo Emyr, ac ro'n i'n gwybod yn iawn pam hefyd.'

Cododd Jeff ei aeliau yn hytrach na gofyn y cwestiwn yn blwmp ac yn blaen.

'Mi oedd o'n un o'r rhai oedd yn allweddol i wireddu prosiect y grisiau eogiaid fel ro'n i'n dallt,' parhaodd Llinos, 'ac mi gafodd ei wobrwyo'n hael gan Emyr am wneud hynny hefyd.'

'Y car? Y BMW dach chi'n feddwl?'

'Ia. Felly mi wyddoch chi am hynny? Ond mi oedd 'na lawer mwy hefyd... ac nid dim ond arian ac eiddo.'

'O?'

'Ylwch, Jeff. Dydw i ddim yn falch o bob dim rydw i wedi'i wneud ar hyd fy mywyd, ond dwi isio i chi ddallt mai cael fy hudo gan Emyr wnes i. Fyswn i erioed wedi ystyried bod yn rhan o'r fath bethau fy hun. Mi oedd 'na bartis acw... yn aml. Doedd dim byd o'i le efo hynny, wrth gwrs, ond mi oedd Tony Stewart yn mynychu'r partis hynny'n gyson. Dim bob tro, ond pan oedd o yno, roedd o'n aros dros nos efo ni.'

Sylwodd Jeff fod y ddynes o'i flaen yn pigo'r croen o gwmpas ei hewinedd, fel petai'n ei chael yn anodd parhau â'i stori.

'Peidiwch â bod ofn deud, Llinos.'

Cododd Llinos ei phen a dechrau siarad, yn ddistawach y tro hwn.

'Ar ôl sbel, mi aeth petha chydig yn flêr acw. Roedd y partïon yn mynd yn fwy gwyllt... pobl yn yfed gormod, cymryd cyffuriau ac ymddwyn yn... yn gwneud petha.... corfforol.'

'Rhyw?' Teimlai Jeff ei bod yn garedicach iddo roi'r gair yn ei cheg na gwneud iddi ei yngan.

'Ia. Roedd bron pawb wrthi, yn cyffwrdd ei gilydd o flaen pawb, yn cusanu, ac nid jyst fesul dau. Mi oedd rhai yn mynd fyny i'r llofftydd os oeddan nhw isio rwla dipyn bach mwy preifat... a ddim o anghenrhaid efo'r person y daethon nhw i'r parti efo nhw. Roedd rhai ohonyn nhw'n bobol reit uchel yn yr ardal, ac mi oedd hynny o fantais i Emyr, wrth gwrs.'

'Sut felly?'

'Blacmel ydi'r ffordd orau o'i ddisgrifio fo, ond doedd o'n ddim i'w wneud ag arian. Roedd Emyr yn siŵr o ddefnyddio pob dim roedd o'n ei wybod i gael ei ffordd ei hun pan fyddai angen – dyna pam roedd o'n cadw llygad barcud ar bawb – er mwyn gweld pwy oedd yn gwneud be efo pwy.'

'Ac mi oedd Tony Stewart yn un o'r rheiny?'

'Roedd o wrth ei fodd yn y partis, a doedd dim llawer o ots ganddo fo efo pwy roedd o'n mynd chwaith. Roedd o'n hoff iawn o ddwy neu dair yn arbennig, weithiau efo'i gilydd, ond un o genod y dre, hogan reit goman, oedd ei ffefryn o am ryw reswm, er bod 'na ferched llawer iawn delach a mwy profiadol yn cynnig eu hunain iddo fo.'

'Dach chi'n cofio pwy oedd honno?'

'Morfudd oedd ei henw hi – blondan oedd yn ei thridegau bryd hynny.' Gwelodd Llinos fod Jeff yn gwenu. 'Be sy? Dach chi'n ei nabod hi, tydach? O, tydi hi 'rioed yn perthyn i chi!' meddai, gan roi ei llaw dros ei cheg.

'Nac'di wir,' meddai Jeff gan chwerthin, 'Ond dwi'n gwybod amdani hi.' Cofiodd am y ddwy chwaer, Morfudd a Siwan, oedd yn ffrindiau efo Nansi'r Nos.

'Pa mor aml oedd y partis 'ma'n cael eu cynnal, Llinos?'

'Bob ryw fis.'

'A faint o bobol oedd yn dod acw?'

'I fyny at ddeg ar hugain, weithia mwy. Dyna pam roeddan ni'n gofyn i genod lleol ddod i fyny i weini diodydd. Mi ddechreuodd rhai o'r dynion gyffwrdd y rheiny, ac ar ôl hynny mi ddechreuodd petha boethi. Ond doedd Morfudd ddim yn gadael i ddynion ei chyffwrdd hi... ddim ar y dechrau, beth bynnag. Yn y parti nesa y dechreuodd y gwesteion gyffwrdd ei gilydd dan y bwrdd bwyd – dwi'n cofio un ddynes yn gollwng ei chyllell ar lawr yn fwriadol, ac mi dreuliodd bum munud llawn o dan y bwrdd yn chwilio amdani. Ddaru'r dyn drws nesa iddi ddim bwyta tamaid o fwyd tra oedd hi yno.'

'Mae'n ddrwg gen i, ond rhaid i mi ofyn hyn i chi, Llinos. Be amdanoch chi ac Emyr... oeddach chi'n cymryd rhan?'

'Wnes i ddim...' Oedodd Llinos am eiliad. 'Wel do, dim ond unwaith, ac mi oedd Emyr wrth ei fodd, yn fy annog i gyffwrdd a chusanu dynion eraill, hyd yn oed. Dyna oedd fy nghamgymeriad mwyaf i. Mi roddodd hynny ganiatâd i Emyr wneud yr un peth, a dyna'n union oedd o wedi'i fwriadu o'r dechra. Y noson honno wnes i sylweddoli fod ein priodas ni ar ben. Chydig wedyn mi ddaeth y blydi Dwynwen 'na o rwla, a chyn hir mi ddes i i amau fod Emyr yn cymryd mwy a mwy o ddiddordeb ynddi hi a llai yndda i.'

'Sut gafodd hi wahoddiad i'r partïon?'

'Ga' i bwysleisio mai cylch bach cyfrinachol oedd o, a doedd pawb, o bell ffordd, ddim yn cael gwahoddiad. Clic bach, dim mwy na tua deg ar hugain o bobol, er nad oedd pawb yno bob tro. Rhyw foi nad o'n i'n ei nabod ddaeth â hi yno y tro cynta, os dwi'n cofio'n iawn – dyn o'r enw Al. Dyna oedd pawb yn ei alw fo a ches i erioed wybod ei enw llawn. Mi oedd 'na rwbath anghynnes iawn ynglŷn â fo. Albanwr oedd o, ac mi oedd rhai o'r genod yn y partis ei ofn o, ac yn gwrthod ei gwmni. Doedd o ddim yn dod aton ni'n aml, diolch i'r nefoedd. Cofiwch, ella fod petha wedi newid erbyn hyn a'i fod o yno'n amlach. Ar ôl dod yno efo Al gwpwl o weithiau, mi ddechreuodd Dwynwen ddod ar ei phen ei hun, ac o fewn rhai misoedd dechreuodd Emyr fynd allan ar ei ben ei hun, i gyfarfodydd medda fo, neu i bartis lle nad oedd merched yn cael gwahoddiad. Mi gewch chi benderfynu be oedd hynny'n ei olygu, ond mi fyddai'n cyrraedd adra yn oriau mân y bore, neu'n aros allan drwy'r nos weithiau.'

'A dach chi'n amau mai efo Dwynwen oedd o?'

'Roedd o'n debygol iawn o fod yn rwbath i'w wneud efo hi.'

'Ga' i ofyn i chi, Llinos, pa un o'r ddau ydi'r cymeriad cryfaf: Emyr 'ta Dwynwen?'

'Anodd deud. Mae'r ddau yn gryf ac yn glyfar ofnadwy yn y ffordd maen nhw'n trin pobol... a'i gilydd, synnwn i ddim. Fysach chi'n synnu be mae Emyr yn fodlon 'i wneud i gael ffordd ei hun – yn y gwely a'r tu allan iddo. Siŵr gen i fod Dwynwen wedi dysgu hynny'n reit gyflym, a'i bod hi'n ei glymu o rownd ei bys bach.'

'Swnio'n berthynas ddiddorol,' meddai Jeff.

'Hmm. Ella bod hyn ddim yn berthnasol, ond mi ddechreuodd Emyr ymddwyn yn od tua'r un amser. Fedra i ddim esbonio'n union... cyfrinachol, ond nid yn y ffordd y bysa dynes yn disgwyl i ŵr anffyddlon ymddwyn. Mi ddechreuodd o ddarllen llyfrau am yr ocwlt a'r goruwchnaturiol, a phori'r we am yr un math o bethau. Roedd o'n fy nychryn i, a bod yn berffaith onest.'

'Wnaethoch chi ei holi o am y peth?'

'Do, ac mi ddeudodd ei fod o'n eu darllen nhw i ehangu ei wybodaeth gyffredinol. Ro'n i'n medru derbyn hynny, ond allwn i byth â derbyn yr hyn wnaeth o nesa. Mi ddaliais i o'n edrych ar bornograffi ar y we un noson – dynion yn cael rhyw efo genod ifanc iawn, yn eu harddegau 'swn i'n deud. Mi aeth hi'n goblyn o ffrae rhyngddon ni'r noson honno, ac mi wnes i ei adael o yn fuan wedyn.'

'Ydi'r partis 'ma'n dal i gael eu cynnal, Llinos?'

'Does gen i ddim syniad – dwi ddim wedi bod yng Nglan Morfa na chysylltu efo Emyr ers blynyddoedd, fel ddeudis i wrthach chi gynna.'

'Glywsoch chi rwbath o hanes Tony Stewart ar ôl i chi adael Ceirw Uchaf?'

'Dim byd. Ma' siŵr ei fod o'n dal yn ffrindiau efo Emyr. Un digon od oedd hwnnw hefyd.'

Penderfynodd Jeff beidio â sôn ei fod o wedi diflannu. 'I fynd yn ôl at fusnes yr afon, a'r hawliau pysgota – pa mor gyfarwydd oeddach chi efo'r hyn oedd yn mynd ymlaen?'

'Doeddwn i ddim yno'n hir ar ôl iddo fo brynu'r

hawliau, ond mi oedd Emyr yn ysu i gael dechrau gwneud arian pan fyddai'i gynllun o wedi'i wireddu.'

'Mi oedd Daniel Pritchard, cipar y Gymdeithas Bysgota, yn dal i gadw golwg ar yr afon ar ôl i Emyr gael yr hawliau pysgota: be oedd o'n feddwl o hynny?'

'Wrth ei fodd, am wn i, fod rhywun yn cadw llygad ar y sgotwrs.'

'Oedd gan Emyr unrhyw ddylanwad dros Esmor Owen, y pen cipar, pan sefydlodd o ddeorfa ar dir Ceirw Uchaf?'

'Emyr ofynnodd iddo fo adeiladu'r ddeorfa yn yr hen gwt wrth ochr un o'r nentydd sy'n rhedeg i mewn i'r afon. Mi oedd Esmor wrth ei fodd efo'r syniad o gael rhoi miloedd o eogiaid bach yn afonydd yr ardal bob blwyddyn.'

'Oedd Esmor yn cael ei dalu gan Emyr am wneud hynny?'

'Ddim i mi fod yn gwybod. Gwneud er mwyn hybu niferoedd yr eogiaid oedd o, am wn i.'

Roedd Jeff yn falch iawn o'r cadarnhad nad oedd ei gyfaill yn llwgr.

'Ga' i ofyn cwestiwn i chi rŵan, Jeff? Mae 'na rwbath y byswn i'n lecio help efo fo,' meddai Llinos.

'Mi dria i 'ngorau.'

'Rydan ni'n dau'n gwybod yn iawn fod Emyr yn ddyn twyllodrus. Dwi'n amau'n gryf ei fod o wedi cuddio nifer fawr o'i asedau yn syth ar ôl i mi ei adael o, a chyn yr ysgariad. Mi oedd o i fod i ddatgan bob cyfrif banc i'r llys cyn i'r achos gael ei glywed o flaen barnwr, a gwneud rhestr o'i holl eiddo. Pan welis i'r rhestr ro'n i'n gwybod bod ganddo lawer mwy na'r hyn oedd arni, ond wn i ddim sut y llwyddodd o i guddio cymaint o'i asedau. Mi wnaeth fy nghyfreithiwr i ei orau i ymchwilio, ond mae Emyr yn ddyn clyfar iawn. A dyna pam mae gen i gymaint o ddyledion heddiw – mi fu'n rhaid i mi ailddechrau efo'r nesaf peth i ddim ar ôl i mi lwyddo i brynu'r tŷ 'ma.'

'Wel, wna i ddim deud celwydd wrthoch chi, Llinos. Mi fysa'n anodd dechrau ymchwiliad ar ôl cymaint o amser. Be oedd dyddiad yr ysgariad?'

'Mai 2019, ond ro'n i wedi ei adael o yn niwedd 2016. Yn fuan wedyn roedd y butain arall 'na wedi symud i mewn i'r tŷ.'

'Mae tair blynedd yn hir iawn i orfod aros am ysgariad.'

'Mi oedd o'n amser anodd, cymhleth a ffiaidd, coeliwch chi fi. Wna i byth faddau iddo fo.'

Ar y ffordd adref, meddyliodd Jeff am yr wybodaeth newydd a ddaethai i'w feddiant. Roedd ei sgwrs â Llinos wedi cadarnhau ei amheuon fod perthynas rhwng Lloyd a Stewart, a bod y ddau wedi cydweithio er mwyn gwireddu'r prosiect ar yr afon. Roedd Jeff hefyd yn sicr bellach fod Emyr wedi twyllo'i gymdogion drwy gelu bodolaeth y cynllun grisiau eogiaid oddi wrthyn nhw er mwyn sicrhau'r hawliau pysgota yn rhad. Diolchodd eto fod Esmor i'w weld yn onest drwy'r cyfan. Tybed sut oedd perthynas Emyr Loyd a Daniel Pritchard? Doedd dim awgrym o unrhyw ddrwgdeimlad rhyngddyn nhw pan oedd Llinos yn byw ym Mryn Ceirw Uchaf, ond beth am yn fwy diweddar?

Roedd Lloyd wedi dweud celwydd wrtho am ei berthynas ag Anthony Stewart, ond a bod yn onest, doedd Jeff ddim wedi disgwyl cael y gwir gan y fath ddyn. Byddai wrth ei fodd yn cael gafael ar Stewart er mwyn ei holi yntau – fel arall, doedd dim digon o dystiolaeth i arestio Lloyd na'i holi eto.

Ystyriodd Jeff gymeriad Emyr Lloyd: roedd yr hyn a ddysgodd yn cadarnhau ei farn wreiddiol. Partis rhyw yng Ngheirw Uchaf, ymddiddori yn yr ocwlt a gwylio pornograffi yn cynnwys plant dan oed… oedd gan y pethau hyn rywbeth i'w wneud â'i ddiswyddiad o'r Fainc? A beth am ddiflaniad Anthony Stewart – byddai'n syniad iddo ganolbwyntio mwy ar hynny yng ngoleuni'r hyn a ddysgodd yn ystod y bore.

Doedd o'n dal ddim callach ynglŷn â phwy ymosododd ar Dan Dŵr, ond roedd ganddo ddigon i feddwl amdano.

# Pennod 19

Roedd hi'n hwyr yn y prynhawn pan gyrhaeddodd Jeff yn ôl i Lan Morfa, ac ar fin tywyllu. Bu'n ddiwrnod stormus, a hyrddiwyd gweddillion dail yr hydref yn erbyn sgrin wynt y car drwy gydol y daith. Wrth yrru heibio'r archfarchnad gwelodd ddynes yn cerdded allan trwy ddrysau'r siop yn brwydro yn erbyn y gwynt, yn cario bag o siopa yn un llaw ac yn ceisio codi coler ei chôt law wen efo'r llall. Arafodd y car, a thynnu i mewn at y pafin.

'Dilys,' gwaeddodd ar ôl agor y ffenest. 'Ty'd i mewn neu mi fyddi di wedi boddi, ar f'enaid i. Ro' i lifft adra i ti.' Galwodd Nansi'r Nos yn ôl ei henw cywir rhag ofn i rywun arall ei glywed.

Agorodd Nansi ddrws ochr y teithiwr a neidio i mewn o'r glaw trwm, gan roi ei bag siopa plastig i lawr wrth ei thraed. Doedd hi ddim yn edrych ar ei gorau gan fod ei masgara wedi dechrau rhedeg dros ei bochau, a chlywodd Jeff sŵn poteli gwydr yn tincian yn erbyn ei gilydd wrth i'r bag daro'r llawr.

'Be ti'n neud yn fy mhigo fi i fyny o flaen pawb mewn car plisman?' meddai'n ffug-flin wrth roi winc iddo.

'Paid ti â phoeni,' atebodd Jeff. 'Wnaiff neb dy nabod di yn y tywydd mawr 'ma, a does neb ddim callach mai car y CID ydi hwn beth bynnag, gan nad oes marciau arno fo. Rŵan 'ta, wyt ti isio pàs adra ai peidio?' Gwenodd yntau, a wincio arni.

'Oes siŵr, 'ngahriad i. Ond does gen i ddim dimai goch i dalu i ti chwaith... mi fydd raid i mi feddwl am ryw ffordd arall o wneud,' meddai, gan redeg ei llaw i fyny ei glun.

'Bihafia, neu allan yn y storm 'ma fyddi di.'

'Chdi ydi'r unig ddyn dwi'n nabod, Jeff, na fysa byth yn fy ngadael i allan yn y glaw.'

Roedd rhywfaint o wirionedd yn hynny, tybiodd Jeff. Doedd Dilys Hughes ddim wedi cael y profiadau gorau efo dynion dros y blynyddoedd.

'Wel, mae 'na un ffordd y medri di dalu'n ôl i mi, os alli di. Dwi isio dipyn o wybodaeth.'

'Be sy'n newydd, Jeff bach? Ti'n gwybod y gwna i rwbath i ti...'

'Ond mae'r wybodaeth dwi isio chydig yn wahanol i'r arfer,' meddai, gan anwybyddu'r awgrym yn ei llais. 'Mae hyn yn ymwneud ag un o dy fêts di, ac mae o'n fater hynod o gyfrinachol ar hyn o bryd. Nid 'mod i'n awgrymu ei bod hi wedi gwneud dim byd o'i le.'

Arhosodd Jeff yn dawel wrth i Nansi ystyried y cais yn ofalus.

'Felly, dydi pwy bynnag ti'n sôn amdani ddim mewn peryg o gael ei lluchio i mewn i un o'r hen gelloedd 'na sgin ti yn y stesion 'cw?'

'Does 'na ddim peryg o hynny, coelia fi,' atebodd.

'Reit 'ta. Be sgin ti?'

'Mae gen i ddiddordeb yn rhai o'r digwyddiadau diweddar yn Ceirw Uchaf, i fyny yn y bryniau ger yr afon. Yn ôl y sôn roedd partïon reit wyllt yn cael eu cynnal yno rai blynyddoedd yn ôl, a dwi isio gwybod ydyn nhw'n dal i ddigwydd.'

'Ac mi wyt ti isio i mi ofyn i Morfudd.'

'Nansi bach, mi wyt ti un cam o fy mlaen i, fel arfer. Mae'n amlwg dy fod ti'n gwybod dipyn am y peth felly.'

'Mae Morfudd wedi bod yn mynd yno i weini ers blynyddoedd – bob hyn a hyn, pan mae 'na betha'n digwydd yno.'

'Sut fath o betha?' gofynnodd Jeff.

'Wn i ddim – fydd Mo byth yn siarad am y lle. Dydi hi erioed wedi gwneud, ond mi glywais i hi'n deud fwy nag unwaith nad oedd hi ar gael i ddod allan efo Siwan, ei chwaer, a finna am ei bod hi'n mynd i Ceirw Uchaf i weithio.'

'Ydi Siwan yn gwybod rwbath am y peth?'

'Ddim cyn belled ag y gwn i. Mi ofynnais i iddi ryw dro ac mi ddeudodd Siw na fydd Mo byth yn siarad am y lle. Byth.'

'Wyt ti'n gweld hynny yn beth od?'

'Ydw, wrth feddwl am y peth rŵan. Dwi'n cael yr argraff ei bod hi'n teimlo'n anghyfforddus ar gownt y peth. Ond cofia, Jeff, ella 'mod i'n rong.'

'Gwranda, Nansi. Mi all hyn fod yn bwysig ofnadwy. Dwi angen gwybod sut fath o bartis sy'n cael eu cynnal yno, a phwy sy'n cael gwadd. Fedri di gael yr wybodaeth honno i mi? Cynta'n y byd, gorau'n y byd.'

Cytunodd Nansi cyn agor drws y car a rhuthro i gyfeiriad drws ffrynt ei thŷ, y poteli'n tincian uwch sŵn y gwynt a'r glaw.

Galwodd Jeff yn ei swyddfa i gael gair â'r ditectif gwnstabliaid ynglŷn ag unrhyw ddatblygiadau. Dysgodd fod Colin Pritchard wedi cael ei weld yn y dref gan un o hysbyswyr Ditectif Gwnstabl Owain Owens yn gynharach y diwrnod hwnnw, ond doedd yr heddweision ddim wedi llwyddo i'w ddal hyd yma. Roedd hogia'r shifft nos yn mynd i gadw golwg amdano, felly cyrhaeddodd Jeff adref cyn saith, mewn pryd i gael swper efo'i deulu, mynd ag Enfys, y ci, am dro a rhoi'r plant yn eu gwlâu.

Aeth i'w wely cyn un ar ddeg, ond cafodd ei ddeffro gan sŵn y ffôn yn canu toc wedi pedwar yn y bore. Dim ond y swyddfa fyddai'n ceisio cysylltu â fo ar awr mor anghymdeithasol. Yn gysglyd ac yn gryg, atebodd yr alwad.

'Jeff, ddrwg gen i dy boeni di. Rob sy 'ma.'

Gwyddai Jeff na fuasai ei gyfaill, Sarjant Rob Taylor, yn ei ffonio heb fod rhaid. 'Rob. Be sgin ti?'

'Mi ddechreuodd y larwm dan y mat yn nhŷ Dan Pritchard ganu hanner awr yn ôl. Pan gyrhaeddodd yr hogia yno mi ddaethon nhw o hyd i Colin Pritchard yn cysgu ar y soffa.'

Eisteddodd Jeff i fyny yn ei wely. 'Ydi o gen ti yn fanna?'

'Ydi siŵr. Yn y gell ac yn gweiddi nerth ei ben am dwrna.'

'Sut stad sydd arno fo?'

'Wedi meddwi, a dan ddylanwad cyffuriau hefyd, 'swn i'n deud. Mi aeth hi dipyn yn flêr yn y tŷ – doedd o ddim isio dod yma o'i wirfodd, fel y medri di ddychmygu.'

'Ydi'r hogia'n iawn? Chafodd neb eu brifo, gobeithio.'

'Na, mae pawb yn iawn, er bod gan Colin dipyn o glais ar ôl iddo fo ddisgyn wrth geisio dianc.'

'Be wnei di efo fo?'

'Tydi o ddim mewn cyflwr i gael ei holi ar hyn o bryd, felly does 'na ddim pwynt galw cyfreithiwr allan tan y bore. Mi drosglwydda i o i sarjant shifft y bore, ac mi geith hwnnw ddelio efo fo.'

‘Call iawn, Rob. Does ’na ddim pwynt i mi ddod allan felly, ond diolch i ti am adael i mi wybod. Deud wrtho fo ’mod i’n cofio ato, ac yn edrych ymlaen i’w gyfarfod o yn y bore.’

# Pennod 20

Teimlai Jeff yn llawn egni y bore canlynol, ac edrychai ymlaen at gael cyfweld Colin Pritchard. Roedd y tywydd stormus wedi cilio a'r awyr yn las rhwng y cymylau gwyn ysgafn wrth iddo ffarwelio â Meira a'r plant a pharatoi i fynd i'w waith.

Roedd o yn y swyddfa erbyn wyth, ac yn falch o weld bod y ddalfa'n eitha distaw. Colin Pritchard oedd yr unig garcharor. Yng nghwmni Sarjant Alwyn Thomas, a oedd ar ddyletswydd y bore hwnnw, aeth drwy gofnodion y carcharor a datganiadau'r plismyn oedd yn gyfrifol am ei arestio. Roedd Colin Pritchard wedi mynd i mewn i dŷ ei daid yn union yr un ffordd â'r tro diwethaf, drwy falu'r ffenest uwchben sinc y gegin, a'i hagor er mwyn dringo trwyddi. Doedd dim arwyddion bod y dyn ifanc wedi chwilota trwy dŷ Dan – edrychai'n debyg mai cael lle i roi ei ben i lawr oedd ei flaenoriaeth y noson cynt. Bu iddo ymladd yn erbyn y tri heddwas oedd yn ceisio'i arestio, ac roedd yn dal i weiddi a strancio wrth iddo gael ei gloi yng nghell y ddalfa. Ychydig funudau'n ddiweddarach, fodd bynnag, disgynnodd i drwmgwsg meddw.

'Sut mae o erbyn y bore 'ma, Alwyn?' gofynnodd Jeff.

'Mae o wedi gwrthod molchi a gwrthod brecwast. Tydi o ddim wedi deud 'run gair.'

'Effaith y ddiod a'r cyffuriau, debyg. Pryd fydd o'n barod i gael ei gyfweld, ti'n meddwl?'

'Mi driwn ni tua'r un ar ddeg 'ma. Gawn ni weld sut fydd o'r adeg hynny.'

'Ydi o wedi gofyn am dwrna eto bore 'ma?'

'Dim eto.'

Aeth Jeff i fyny'r grisiau i drafod un neu ddau o bethau efo'r ditectif gwnstabliaid, wedyn aeth i'w swyddfa i ddechrau delio â'r mynydd o waith papur a oedd yn disgwyl amdano. Roedd hi'n tynnu am ddeg o'r gloch pan aeth i'r cantîn i nôl paned o goffi, a thra oedd o yno, cafodd alwad yn gofyn iddo fynd i lawr i'r ddalfa. Aeth â'i gwpan efo fo.

Cafodd sioc pan welodd Richard Price, y cyfreithiwr y daeth ar ei draws yng nghartref Emyr Lloyd, yno yn barod am waith.

'Bore da Richard,' meddai Jeff wrth ysgwyd ei law. 'Ein hail gyfarfyddiad o fewn chydig ddyddiau. Dyma gyd-ddigwyddiad.' Y tro hwn, doedd dim rheswm i fod yn ffurfiol gan nad oedd cleient yn bresennol, ond cyn i'r cyfreithiwr gael cyfle i ateb, torrodd Sarjant Thomas ar ei draws. 'Wedi dod yma i gynrychioli Colin Pritchard mae Mr Price, Jeff.'

'O, wyddwn i ddim ei fod o wedi galw am neb i'w gynrychioli.'

'Wnaeth o ddim,' atebodd Alwyn Thomas. 'Ar fynd i edrych os oedd o'n ffit i gael ei holi o'n i pan ymddangosodd Mr Price.'

Trodd Jeff i wynebu Richard Price. 'Pwy ofynnodd i ti ddod yma felly, Richard?' gofynnodd.

'Rhywun sy'n awyddus i Colin gael chwarae teg, Jeff,' atebodd y cyfreithiwr gyda gwên. 'Ond mi wyddost ti'n iawn na ddeuda i pwy ffoniodd fi – mae gen i ddyletswydd i fy nghleient, fel y gwyddost ti. Rŵan, be 'di'r cyhuddiad yn erbyn Colin, a lle ydan ni arni?'

Esboniwyd y sefyllfa i'r cyfreithiwr a chafodd ei hebrwng i gael gair cyfrinachol gyda'r carcharor.

Tra oedd Price efo Colin, trodd Jeff at sarjant y ddalfa. 'Deud i mi, Alwyn, sut oedd Richard Price yn gwybod bod Colin Pritchard yma?'

'Does gen i ddim syniad, Jeff. Does 'run cofnod ar y system sy'n datgelu unrhyw fath o gysylltiad rhwng y ddau.'

'Ydi Pritchard wedi defnyddio'i hawl i ffonio rhywun?'

'Nac'di.'

'A ddaru neb o'r fan hon, yn oriau mân y bore, gysylltu efo neb arall i ddeud ei fod o yma?'

'Dwi ddim yn ymwybodol o hynny, a dwi'n siŵr y bysa Rob Taylor wedi deud wrtha i petai hynny wedi digwydd.'

'Atgoffa fi pwy arestiodd o, wnei di?' gofynnodd, er ei fod wedi darllen drwy ddatganiadau'r plismyn yn fras.

Edrychodd Alwyn ar y cofnodion ar sgrin ei gyfrifiadur. 'Phil Green, Lionel Hudson a Jason Watson. Nhw oedd y tri chwnstabl ar ddyletswydd neithiwr.'

Ymhen ugain munud canodd Richard Price y gloch i ddatgan eu bod yn barod i ddechrau'r cyfweliad. Fel arfer, un o'r ditectif gwnstabliaid fyddai wedi ei holi, ond roedd gan Jeff ddiddordeb personol yn yr achos felly penderfynodd wneud y dasg ei hun.

Roedd o'n eistedd wrth y bwrdd yn yr ystafell gyfweld pan hebryngwyd y ddau i mewn gan Alwyn Thomas. Yn gyferbyniad trawiadol i Richard Price yn ei siwt dywyll, smart, roedd Colin yn edrych fel trempyn mewn tracwisg lwyd, flêr, fudr. Roedd rhyw fath o logo ar y siwmper nad oedd yn golygu dim i Jeff, ac roedd y llanc wedi codi ei gwfl dros ei ben fel ei fod yn gorchuddio hanner ei wyneb. O fewn eiliad neu ddwy llanwyd yr ystafell fechan â'r arogl diflas oedd ar nifer o garcharorion – arogl alcohol, mwg stêl a dillad budron; arogl roedd Jeff, dros y blynyddoedd, wedi dod yn gyfarwydd iawn ag o.

'Cwfl i lawr,' meddai Jeff cyn i'r dyn ifanc gael amser i eistedd.

Ni wnaeth Colin Pritchard unrhyw ymdrech i ufuddhau felly cododd Jeff ar ei draed, gafael yn y cwfl a'i dynnu i lawr gan ddefnyddio mwy o nerth nag oedd wir ei angen. Digon i wneud y pwynt, meddyliodd, twrnai ai peidio.

'Stedda i lawr,' gorchmynnodd Jeff.

Y tro hwn, ufuddhaodd Colin ar unwaith. Ar ôl rhoi tapiau yn y peiriant recordio a mynd drwy'r rhaglith a'r rhybudd, dechreuodd yr holi.

'Dwi'n cymryd dy fod ti'n gwybod pam wyt ti yma, Colin?'

Cododd ei ysgwyddau heb ddweud gair.

'Gest ti dy arestio ar ôl i ti dorri i mewn i dŷ dy daid, Daniel Pritchard, yn oriau mân y bore 'ma.'

Tawelwch.

'Dyma'r ail dro i ti wneud hyn yn ddiweddar.'

'Mae gen i berffaith hawl i fod yno,' meddai y tro hwn.

'Os felly, pam na wnest ti guro'r drws yn lle torri i mewn trwy ffenest y gegin?'

'Peidiwch â gofyn cwestiwn mor dwp. Dach chi'n gwbod cystal â finna bod Taid yn yr ysbyty.'

'Rwyt ti'n gwybod pam fod dy daid yn yr ysbyty, felly?'

'Mae pawb yn gwbod fod potsiars wedi ymosod arno fo wrth yr afon,' atebodd, gan edrych ar ei gyfreithiwr oedd yn gwneud nodiadau wrth ei ochr. 'Mae Taid yn rhy hen o lawer i fynd allan yng nghanol y nos i ddal potsiars... neu dyna mae pawb yn ddeud, beth bynnag.'

'Dydi hynny ddim yn esgus i dorri i mewn i'w dŷ o.'

'Mae gen i berffaith hawl i fynd yno. Mi o'n i'n byw efo fo am fisoedd cyn i mi fynd i'r carchar felly dwi ddim angen caniatâd gan neb.'

'Lle oedd dy oriad di felly?'

'Sgin i 'run... ers i mi gael fy rhyddhau o'r carchar.'

'Os oedd gen ti hawl i fod yno, pam wnest ti ddianc o'r tŷ drwy'r drws cefn pan alwais i yno chydig ddyddiau'n ôl?'

'Panic, am wn i.'

'Be gymeraist ti o'r tŷ y tro cynta hwnnw?'

'Dim byd ond dillad oedd yn perthyn i mi. Ro'n i wedi cysgu yno'r noson cynt.'

'A pam wnest ti ddiflannu o'r ardal 'ma ar ôl i ti ddianc o'r tŷ?'

'Wnes i ddim diflannu. Ro'n i wedi trefnu cyn hynny i fynd i ffwrdd am chydig ddyddiau.'

'I ble ac efo pwy?'

'I Lerpwl efo ffrindiau.'

'Pwy ydyn nhw?'

'Jyst mêts. Fedrwch chi ddim gwneud i mi eu henwi nhw. Does ganddyn nhw ddim byd i'w wneud efo hyn.'

'Ac yn lle wnest ti gyfarfod y mêts 'ma? Ydyn nhw'n hogia lleol?'

'Nac'dyn... o Lerpwl ma' nhw'n dod, ac yn y jêl nes i eu cyfarfod nhw.'

'Am be gest ti dy yrru i lawr... atgoffa fi, wnei di?'

'Mi wyddoch chi'n iawn. Cario drygs efo'r bwriad o'u gwerthu nhw.'

‘Cyffuriau roeddat ti wedi bod yn eu cuddio yn nhŷ dy daid.’

‘Ia, ond mae hynny i gyd drosodd rŵan, yn tydi? Dwi wedi cael fy nghosbi.’ Edrychodd Colin ar Richard Price i chwilio am gadarnhad.

‘Sut wyt ti’n meddwl ddaeth yr heddlu i ddysgu bod y cyffuriau yn dy feddiant di, Colin?’

‘Sut ddiawl fyswn i’n gwybod hynny?’ Dechreuodd Colin aflonyddu yn ei gadair, rhywbeth a dynnodd sylw Richard Price yn ogystal â Jeff.

Roedd Price hefyd yn dechrau aflonyddu – arwydd nad oedd yn hapus â chyfeiriad yr holi.

‘Y rheswm fy mod i’n gofyn, Colin, ydi am dy fod ti’n amau mai dy daid, Daniel Pritchard, roddodd yr wybodaeth honno i’r heddlu. Ydi hynny’n wir?’

‘Sgin i ddim syniad am unrhyw wybodaeth.’ Roedd Colin yn dechrau cynhyrfu, a gwyddai Jeff ei fod ar fin taro nerf.

‘Mae tystion wedi dy glywed di’n bygwth dy daid yn nhafarn y Rhwydwr chydig nosweithiau cyn i’r achos yn dy erbyn di gael ei glywed o flaen Llys y Goron. Mi ddeudist ti dy fod am ddysgu gwers iddo fo na fysa fo byth yn ei hanghofio. A rŵan, wythnosau yn unig ar ôl i ti ddod allan o’r carchar, be sy’n digwydd? Mae dy daid yn cael ei anafu wrth i rywun ymosod arno, ac mae o mewn coma yn Ysbyty Gwynedd.’

‘Arhoswch am funud,’ meddai Richard Price. ‘Mae fy nghleient i wedi cael ei arestio ar gyhuddiad o dorri i mewn i dŷ ei daid, a rŵan, heb rybudd, yn cael ei holi ynglŷn ag ymosod. Dwi’n siŵr eich bod chi’n ymwybodol, Ditectif Sarjant Evans, na chewch chi ddim gwneud y math yma o beth. Os oes ganddoch chi amheuaeth fod Colin Pritchard yn gyfrifol am ymosod ar ei daid, mi ddylech chi ei arestio fo am hynny hefyd a rhoi cyfle i mi gael gair preifat efo fo cyn ei holi o.'

Gwyddai Jeff fod hynny'n berffaith wir – roedd o wedi mentro wrth arwain yr holi i'r cyfeiriad hwnnw.

'Reit,' meddai, wrth godi ar ei draed a rhoi ei law ar ysgwydd y carcharor. 'Colin Pritchard, dwi'n dy arestio di ar amheuaeth o ymosod ar dy daid, Daniel Pritchard, ar y trydydd o Hydref eleni.' Rhoddodd y rhybudd swyddogol iddo.

Doedd gan Jeff ddim dewis ond cyflwyno'r carcharor yn ôl i Sarjant Alwyn Thomas er mwyn rhoi cyfle i'r carcharor a'i gyfreithiwr drafod yn gyfrinachol.

Ymhen ugain munud, ailddechreuodd y cyfweliad.

'Lle oeddat ti nos Lun y trydydd o Hydref?'

'Dim sylw.'

'Noson yr ymosodiad ar dy daid, Daniel Pritchard oedd honno.'

'Dim sylw.'

'Oeddat ti yng nghyffiniau'r afon y noson honno, yn agos i dir Ceirw Uchaf?'

'Dim sylw.'

'Wyt ti wedi bod yn agos i'r fan honno ar ôl iddi dywyllu ers i ti ddod allan o'r carchar?'

'Dim sylw.'

'Wnest ti fygwth ymosod ar dy daid yn nhafarn y Rhwydwr rai dyddiau cyn i ti wynebu'r Llys, oherwydd dy fod yn credu iddo roi gwybodaeth amdanat ti i'r heddlu?'

'Dim sylw.'

'Ai ti, Colin, sy'n gyfrifol am ymosod ar dy daid?'

Gwelodd Jeff fod Richard Price yn amneidio ar ei gleient, cystal â rhoi caniatâd iddo ateb.

'Na,' atebodd. 'Dim fi sy'n gyfrifol. Wnes i rioed frifo Taid. Mae o wedi bod yn ffeind iawn efo fi, a fyswn i byth yn gwneud y fath beth.'

'Os mai felly wyt ti'n teimlo am dy daid, wyt ti wedi bod yn ymweld â fo yn yr ysbyty, neu wedi bod yn gweld dy dad ynglŷn â'r digwyddiad?'

Chafodd Colin Pritchard ddim amser i ateb.

'Ga' i nodi,' meddai Price, 'mai fi sydd wedi cynghori Mr Pritchard i beidio ateb eich cwestiynau chi, Ditectif Sarjant, ac mae'n amlwg i mi nad oes ganddoch chi dystiolaeth i'w gyhuddo o wneud unrhyw niwed i Mr Daniel Pritchard. Tydi mân siarad meddw mewn tafarn yn golygu dim. A chyn belled ag y mae torri i mewn i dŷ ei daid yn y cwestiwn, does ganddoch chi ddim tystiolaeth i'w gyhuddo o fyrgleriaeth chwaith. Mynd yno i adennill ei eiddo'i hun neu i gysgu oedd o. Dwi'n siŵr y gwnaiff o drwsio ffenest y gegin gan fod ganddo gymaint o feddwl o'i daid. Ydi hynny'n wir, Colin?'

Nodiodd Colin Pritchard ei ben gan wenu, yn amlwg yn teimlo fel petai ar dir mwy diogel.

'Mae gen i un cwestiwn arall, ynglŷn â mater gwahanol,' meddai Jeff, gan hanner disgwyl i'r cyfreithiwr ymyrryd unwaith eto. 'Lle oeddat ti gyda'r nos, nos Fercher dwytha?'

'Dim clem,' atebodd Colin.

'Pam?' gofynnodd Price.

'Difrodwyd car i fyny yn y mynyddoedd uwchben Llyn Ceirw. Gwelwyd tri dyn ifanc ger lleoliad y car chydig ynghynt. Roedd un yn debyg i ti, Colin. Oeddat ti'n agos i'r fan honno?'

Edrychodd Colin i gyfeiriad ei gyfreithiwr, ac yna yn ôl at Jeff. 'Dim sylw,' atebodd.

Ystyriodd Jeff alw Iwan Fox i lawr a threfnu rhes adnabod, ond dewisodd beidio. Doedd Iwan ddim wedi gweld digon i fedru adnabod y tri a welodd y noson honno – roedd yn fwy sicr o acen Glannau Mersi na wynebau'r dynion ifanc ac, wrth gwrs, doedd acen Colin yn ddim byd tebyg i hynny.

'Dim ond gofyn o'n i,' meddai Jeff. 'Mi adawn ni hynny am rŵan.'

Doedd y cyfweliad ddim wedi dadlennu llawer, a doedd Jeff ddim wedi disgwyl iddo wneud. Ac yn anffodus, gwyddai fod y cyfreithiwr yn llygad ei le – doedd ganddo ddim digon o dystiolaeth i gysylltu'r carcharor â'r ymosodiad ar ei daid chwaith.

Gwnaethpwyd y trefniadau i ryddhau Colin Pritchard ar fechnïaeth, ond nid cyn i bob dilledyn drewllyd gael eu cymryd oddi arno a'u rhoi mewn bagiau plastig di-haint. Dim ond y mymryn lleiaf o waed Daniel Pritchard oedd ei angen arnynt i droi'r fantais i ochr yr heddlu.

Roedd Colin yn ddigon hapus i fynd adref heb gael ei gyhuddo, er bod hynny mewn dillad a roddwyd iddo gan yr heddlu. Gwyddai Jeff y byddai wedi cael mwy o hwyl ar y cyfweliad petai wedi holi Colin heb gyfreithiwr, ond ta waeth am hynny. Y cwestiwn a'i poenai oedd pwy, tybed, a ffoniodd Richard Price yn y lle cyntaf?

# Pennod 21

Cyd-ddigwyddiad llwyr oedd hi bod Jeff wedi ateb ei ffôn symudol wrth ei ddesg y prynhawn hwnnw ar yr un pryd ag y cnociodd yr Uwch-arolygydd Talfryn Edwards ar ddrws ei swyddfa a'i agor. Cododd y ffôn i'w glust ac amneidio ar i'r Uwch-arolygydd ddod i mewn, er gwaetha'r sgwrs roedd o ar fin ei chael.

'Jeff, ty'd i 'ngweld i cyn gynted ag y medri di,' oedd geiriau cyntaf Nansi'r Nos cyn iddo gael cyfle i ddweud gair.

Rhoddodd ei law dros y ffôn a throi i wynebu'r Uwch-arolygydd a oedd bellach wedi cerdded i mewn i'w swyddfa. Pwyntiodd Jeff at y gadair wag yr ochr arall i'w ddesg – ni fyddai wedi ystyried ateb galwad oddi wrth ei hysbysydd yng nghwmni rhywun arall fel arfer, yn enwedig uwch-swyddog, ond penderfynodd wneud eithriad y tro hwn.

'Rhowch funud i mi, os gwelwch yn dda,' meddai wrtho cyn troi ei sylw yn ôl at y ffôn.'

'Be sy, 'nghariad i?' gofynnodd, gan wincio i gyfeiriad yr Uwch-arolygydd.

'Mae gen i wybodaeth i ti am y partis 'na yn Ceirw Uchaf,' meddai Nansi'n wyllt. Roedd ei llais yn aneglur a swniai fel petai'n fyr ei gwynt.

'Mi ddo' i acw cyn gynted ag y medra i. Rho ryw hanner awr i mi, a phaid ag yfed cyn i mi gyrraedd.' Chwarddodd, ac ysgwyd ei ben wrth ddiffodd y ffôn. 'Ddrwg gen i am hynna,' meddai wrth yr Uwch-arolygydd.

‘Wnes i dorri ar draws sgwrs bersonol?’ gofynnodd Edwards.

‘Na. Hysbysydd,’ atebodd Jeff. ‘Choeliech chi ddim be dwi’n gorfod rhoi i fyny efo fo weithiau i gael ei chymorth hi.’

Gwenodd Edwards o glust i glust ac eistedd i lawr. Roedd Edwards wedi bod yn dditectif ei hun am ddigon o flynyddoedd i wybod y sgôr.

‘Wel, pob lwc! Glywaist ti fod Tywysog a Thywysoges Cymru yn ymweld â’r ardal ’ma ddiwedd yr wsnos nesa?’

‘Naddo,’ atebodd Jeff. ‘Pa ddiwrnod?’

‘Wythnos i fory, dydd Sadwrn.’

‘Ma’ raid gen i fod y digwyddiad yn cael ei gadw’n ddistaw.’

‘Ydi, ar hyn o bryd, ond mi fydd ’na dipyn o gyhoeddusrwydd yn nes at yr amser. Rhoi rhybudd i ti o flaen llaw ydw i – mi fydd dy angen di a dy ddynion i helpu efo’r paratoadau ac ar y diwrnod ei hun. Mi fydd y cynllun gweithredol allan chydig ddyddiau ynghynt, ac mi fydd hynny’n ddigon o amser i ti baratoi. Does dim cymaint â hynny o gyfrifoldeb yn disgyn ar dy ysgwyddau di dy hun ond mae’n bosib y bydd rhai o dy ddynion di’n gorfod gweithio shifft nos y noson gynt.’

‘I wneud be?’

‘Mae cuddwybodaeth yn awgrymu bod un neu ddau yn yr ardal ’ma sy’n wrthwynebwyr mawr i’r teulu brenhinol, a bydd angen sicrhau na fyddan nhw o gwmpas ar adeg yr ymweliad.’

‘Pobl fel Siencyn ap Siencyn, y clown gwirion ’na sy’n honni mai fo ydi gwir dywysog Cymru?’

‘Ia, mae o’n un ohonyn nhw.’

'Be dach chi am i ni wneud?'

'O, dwi'n hapus i adael i dy ddynion di wneud eu penderfyniadau eu hunain. Mynd â nhw am dro yn ddigon pell o'ma am ddiwrnod neu ddau... eu cloi nhw i fyny os oes rhaid. Rwbath i sicrhau na fyddan nhw'n creu trafferth.'

Tro Jeff oedd hi i wenu. Deddf y weiren bigog oedd yr enw a roddwyd i'r math yma o blismona.

Roedd Nansi'r Nos yn aros amdano pan gerddodd Jeff at ddrws cefn ei thŷ, ac roedd yn ddigon hawdd gweld ei bod hi'n llawn diod. Safodd Jeff yn stond y tu allan i'r drws.

'Dwi ddim yn dod gam yn nes os wyt ti'n mynd i ruthro amdana i, Nansi,' meddai.

'O, paid â bod yn sboilsbort. Un sws fach?'

'Dim peryg,' atebodd yn bendant. Gallai arogli ei gwynt sur er bod dwy droedfedd rhyngddyn nhw. 'Lle ti 'di bod, i yfed cymaint cyn amser te?'

'Yn gwneud be wnest ti ofyn i mi wneud, 'de? Dwi 'di bod ar y lysh ers amser cinio efo Mo. Mi wnes i'n siŵr ei bod hi'n yfed digon... mae'n syndod sut mae 'i thafod hi'n llacio ar ôl pedwar neu bump o fodcas. Ty'd i mewn i mi gael deud yr hanes wrthat ti. Mi fyddi di wrth dy fodd, Jeff bach. Ond sws gynta.'

Cerddodd Jeff heibio iddi gan wasgu ei hysgwydd yn ysgafn i'w chadw'n hapus. 'Dyna'r cwbwl ti'n ei gael am rŵan,' meddai.

Roedd y lolfa yn ffrynt y tŷ yr un mor flêr ag arfer. Roedd nifer o gylchgronau amrywiol ar hyd y soffa a photel o fodca a oedd bron yn wag a dau wydr ar y bwrdd coffi. Ar ôl troi sain y teledu i lawr, eisteddodd Jeff ar un o'r ddwy gadair freichiau er mwyn sicrhau na ddeuai Nansi i eistedd wrth ei ochr. Gwyddai o brofiad pa mor chwareus oedd hi ar ôl sesiwn.

'Iawn, Nansi bach, be sgin ti i mi? A thria roi bob dim mewn rhyw fath o drefn, plis.'

Tywalltodd Nansi fymryn o'r fodca i un o'r gwydrau. 'Ti isio un?' gofynnodd.

'Dim diolch – dwi'n gweithio,' atebodd. Gwyddai nad oedd diben ceisio'i pherswadio hi i ymwrthod. Gwybodaeth roedd o eisiau, nid ffrae.

'Gei di un gen i ryw dro ti isio...' atebodd Nansi gan lyfu ei gwefusau, heb sylwi bod effaith yr alcohol wedi chwalu unrhyw gynildeb oedd ganddi cynt.

Sut ar y ddaear roedd hi'n gallu siarad, hyd yn oed, ar ôl cymaint o fodca, myfyriodd Jeff, ond wedyn cofiodd nad oedd Nansi erioed wedi'i adael i lawr pan oedd wedi gofyn iddi am wybodaeth, meddw neu sobor.

'Reit, Nansi, dechreua ddeud yr hanes, wnei di?' Gwelodd Jeff ei llygaid yn culhau wrth iddi geisio canolbwyntio. Roedd y pryfocio rhywiol ar ben... am y tro, beth bynnag.

'Wel,' dechreuodd, gan gymryd llymaid bach o'r gwydr yn ei llaw. 'Ches i 'mo'r holl wybodaeth allan o Morfudd, o bell ffordd, ond ma' be ges i'n ddiddorol iawn. Ma' hi'n fodlon deud hyn-a-hyn, ond wedyn ma' hi fel tasa hi ofn mynd i ryw gornel dywyll o'i chof, a dwn i ddim pam. Ofn ydi'r gair hefyd – ma' hi'n dechra crynu drosti, a does dim posib cael gair arall allan ohoni pan ma' hynny'n digwydd.'

'Wnei di ddechrau o'r dechrau?' gofynnodd Jeff.

'Digon diniwed oedd y peth i gychwyn, fel dwi'n dallt, a hynny rai blynyddoedd yn ôl, yn nyddiau gwraig gynta'r dyn Lloyd 'na. Dwi'n meddwl mai Llinos oedd ei henw hi.

Mi glywodd Mo bod gwaith rhan amser i'w gael yno ambell gyda'r nos... dim ond pan oedd Mr a Mrs Lloyd yn cael ffrindiau draw am swpar. Roeddan nhw angen rhywun i weini bwyd a diod i tua ugain neu ddeg ar hugain o bobol. Mae Mo bob amser yn brin o bres, ac roedd hi'n meddwl y bysa'r cyflog – cash-in-hand – yn handi. Roedd o'n dŷ parchus a Mr Lloyd yn ddyn pwysig, yn ynad a bob dim. Roedd hi'n meddwl ei bod hi wedi landio ar ei thraed.'

'Pryd oedd hyn?'

'Saith, wyth mlynedd yn ôl, blwyddyn neu ddwy cyn i Llinos adael ei gŵr. Mi oedd bob dim i'w weld yn ddigon del ar y pryd, ond o dipyn i beth mi ddaeth yn amlwg i Mo be oedd yn mynd ymlaen yno, ac mi ddychrynodd am 'i bywyd.'

'Be, felly?'

'Secs 'de, Jeff bach. Be arall? Mi oedd Mo yn gwybod bod y rhan fwya yno'n gyplau, ond mi ddalltodd hi ymhen sbel mai ffeirio partneriaid oeddan nhw... pawb yn mynd efo gwŷr a gwragedd ei gilydd heb feddwl ddwywaith. Tynnu enwau allan o hetiau. Mi oedd 'na drefn i betha yn y dechra, ond mi aeth bob dim i'r diawl wedyn.'

'I ddechra?'

'Ia, yn nyddiau Llinos, ond wedi iddi hi adael mi newidiodd petha, ac mi aeth y lle'n rhemp ar ôl i ail wraig Lloyd gael ei thraed o dan y bwrdd.'

'Sut oedd y berthynas rhwng Emyr a Llinos Lloyd ar y dechrau? Soniodd Morfudd am hynny?'

'Ffraeo bob munud medda hi. Roedd yn ddigon hawdd i bawb, yn cynnwys Morfudd a gweddill y genod oedd yn gweini yno, weld bod Mr Lloyd yn talu gormod o sylw i'r ddynas arall.'

'Dwynwen?'

'Ia, dyna chdi, Jeff. Dwynwen. Ia, a hi sy'n rhedeg petha erbyn hyn. Ma' hi'n fistar ar Emyr Lloyd hefyd, yn ôl Mo.'

'A sut newidiodd petha ar ôl i Llinos adael?'

'Newid, gwaethygu, dibynnu sut ti'n sbio arni. Mi oedd y secs yn llawer mwy agored. Mi gafodd Mo sioc trwy'i thin wrth gerdded i mewn i'r stafell fwyta efo'r coffis un noson a gweld pobol yn cusanu, a'u dwylo dan ddillad ei gilydd. Rownd y bwrdd bwyd, ar f'enaid i, o flaen pawb arall, a neb yn malio dim. Cyn hir mi ddaeth hi i arfer efo'r peth, ond cyn gynted ag y gwnaeth hi hynny, mi newidiodd petha eto.' Cymerodd Nansi lowc helaeth o'r fodca. 'Mae Mo yn hogan ddel, 'sti. Dipyn yn fengach na fi, ac wedi edrych ar ôl ei hun yn well hefyd, rhaid i mi gyfadda. Wel, wrth iddi weini un noson, gafaelodd un o'r dynion yn ei thin hi a dechrau'i mwytho hi. Yn ôl Mo, doedd ganddi ddim syniad be i neud. Doedd hi ddim isio creu stŵr rhag ofn iddi gael ei hel o'na a cholli'r pres da roedd hi'n neud. Yn hwyrach y noson honno, pan oedd hi yn y gegin, daeth Dwynwen ati a gofyn be oedd hi'n feddwl o'r digwyddiad. Doedd Mo ddim yn gwybod sut i ateb, ond mi ddeudodd Dwynwen wrthi, os nad oedd ots ganddi, am adael i'r dynion ei chyffwrdd hi, ac y bysa hi'n cael mwy o bres. Mi gytunodd Mo, er nad oedd hi'n cîn i ddechra, a'r peth nesa, mi ofynnon nhw iddi wisgo sgert ddu gwta, dynn, a blows wen yn agored i ddangos ei bronnau – a sodlau uchel, jyst i orffen y job yn iawn.'

'Ac mi wnaeth hynny annog y dynion, dwi'n siŵr,' meddai Jeff.

'Mi ddechreuodd Mo fwynhau'r sylw roedd hi'n gael, er nad oedd hi mor hapus pan oedd y merched yn ei chyffwrdd hi hefyd. Ond ta waeth, y mwya o gyffwrdd oedd

’na, y mwya o gyflog roedd hi’n ’i ennill. Fel yr aeth yr wsnosa’ yn ’u blaena’, roedd un boi yn rhoi mwy o sylw iddi na neb arall – rhyw foi o’r de, medda hi.’

‘Dyn o’r enw Tony?’

‘Ia, Tony, dyna chdi. Mi oedd o’n fêts mawr efo Emyr Lloyd, ac mi oedd Lloyd a’i ail wraig yn awyddus i wneud yn siŵr ei fod o’n cael ei blesio bob amser. Mo oedd ei ffefryn o, ac mi oedd hi’n cael mwy byth o bres os oedd hi’n ei blesio fo go iawn.’

‘Cael rhyw efo fo, ti’n feddwl?’

‘Wel ia, siŵr.’

‘Sut oedd Morfudd yn teimlo am hynny, Nansi?’

‘Wel, doedd o ddim fel tasa hi’n cerdded y strydoedd, nagoedd? Gweini oedd hi, a chael chydig mwy o bres am wneud dipyn mwy na hynny.’

‘Ydi Tony yn dal i fynd yno?’

‘Dydi hi ddim wedi’i weld o ers mis neu ddau, medda hi. Ma’ hi’n meddwl ’i fod o wedi ffraeo efo Lloyd ynglŷn â rwbath.’

‘Be sy’n gwneud iddi feddwl hynny?’

‘Mi glywodd hi Tony ac Emyr Lloyd yn ffraeo un noson, a tydi hi ddim wedi ei weld o ers hynny.’

‘Am be oedd y ffrae?’

‘Wyddai hi ddim. Doedd hi ddim yn ddigon agos i glywed. Ond mi oedd ’na ryw foi arall yn rhan o’r ffrae hefyd – y tri yn codi’u lleisiau – ond doeddan nhw ddim callach fod Mo wedi’u clywed nhw.’

‘Pwy oedd y llall?’

‘Rhyw ddyn o’r enw Al, medda hi. Dyn o’r Alban, yn ôl ei acen. Dwynwen Lloyd ddaeth â fo yno am y tro cynta pan ddechreuodd hi ddod i’r partis, jyst cyn i Llinos adael. Ond dydi o ddim wedi bod yn dod yno'n gyson, tan yn ddiweddar. Does neb yn licio'r Al 'ma am ryw reswm, heblaw Lloyd a Dwynwen. Tydi o ddim yn foi neis iawn yn ôl Mo.'

'Ydi hi'n gwybod enwau'r gwesteion eraill?'

'Mae lot ohonyn nhw'n bobl leol, ond ma' hi'n gwrthod eu henwi nhw.'

'Dyna pryd ma' hi'n mynd yn ofnus?'

'Na, mae hynny'n digwydd pan dwi'n gofyn iddi pwy arall sy'n helpu yn y gegin ac yn gweini. Dwi'n meddwl bod 'na fwy o genod lleol yn gweithio yno, rhai fengach. Pa mor ifanc, wn i ddim, ond Dwynwen sy'n rhedeg y sioe a hi sy'n trefnu'r genod gweini. Mi ofynnodd hi i Mo unwaith a wyddai hi am genod ysgol fysa'n barod i wneud dipyn o arian poced, ond wneith Mo ddim deud mwy na hynny.'

'Mae hynna'n fy mhoeni i.'

'Ydi dwi'n siŵr, a finna. Gas gen i feddwl bod y fath beth yn digwydd yn y cyffiniau 'ma, ond mae 'na fwy na hynny – rwbath mwy difrifol o lawer fyswn i'n meddwl – yn gyfrifol am ddychryn Mo. Wneith hi ddim deud be – tasa hi'n agor ei cheg mi fysa'n ddigon amdani, medda hi. Mae'r peth ymhell allan o'i rheolaeth hi, a phawb arall yn y byd 'ma, dyna ddeudodd hi.'

'Rargian, be goblyn mae hynny'n ei olygu?'

'Dim syniad, Jeff. Ond wneith hi ddim deud, mae hynny'n bendant.'

'Tybed fysa Morfudd yn fodlon siarad efo fi?'

'Iesu, naf'sa wir. A phaid ti â meddwl mynd ati, Jeff. Tasa Mo yn meddwl am funud 'mod i'n siarad efo chdi am hyn, mi fyswn i'n colli un o fy ffrindia gorau.'

Paid di â phoeni, Nansi bach. Mi gadwa i'r peth yn

gyfrinach... ond mi fyswn i wir wrth fy modd yn cael gwybod be arall sy'n digwydd yn Ceirw Uchaf.'

'Ddeuda i wrthat ti be wna i, Jeff. Mi ofynna i i Mo fedar hi gael dipyn o waith i mi yno... helpu yn y gegin a ballu. Os fedra i gael fy nhrwyn i mewn, mae gen i jans o ddysgu mwy. Ac ella y ca' i dipyn o hwyl yn y fargen!'

'Fyswn i byth yn gofyn i ti wneud dim byd mor beryg â hynny, Nansi.'

'O, paid â bod yn wirion, Jeff. Does 'na ddim yn mynd i fy nychryn i, a dwi'n hen law ar edrych ar ôl fy hun.'

'Wel, chdi biau'r dewis, Nansi, ond paid â rhoi dy hun mewn unrhyw beryg.'

Eisteddodd Jeff yn ei gar am sbel, a dechreuodd ei feddwl grwydro. Y posibilrwydd fod merched ifanc, dan oed am hynny a wyddai, yn mynychu'r partïon yn Ceirw Uchaf oedd yn ei boeni fwyaf, ond ni wyddai faint o wir oedd yn hynny. Doedd ganddo ddim enwau a dim syniad lle i ddechrau gwneud ymholiadau. Y peth olaf roedd o am ei wneud oedd arestio Emyr a Dwynwen Lloyd – wal frics fyddai'n ei wynebu petai'n gwneud hynny. Byddai Richard Price yn siŵr o gynghori'r ddau i beidio ag ateb unrhyw gwestiynau, a'r unig ganlyniad fyddai eu rhybuddio nhw ei fod o'n ymwybodol o'r partïon – a ddeuai dim da o hynny.

Dechreuodd ystyried y posibilrwydd efallai fod cysylltiad rhwng y digwyddiadau yn Ceirw Uchaf a'r ymosodiad ar Dan Pritchard wedi'r cwbwl. Oedd Dan Dŵr wedi dod ar draws rhyw weithgareddau neu sefyllfaoedd amheus wrth droedio glannau'r afon liw nos? Doedd ganddo fo ddim rheswm i fynd yn agos at ffermdy Ceirw Uchaf, ond roedd y llwybr o'r ffermdy i'r llannerch yn reit agos i'r afon ac yn agos iawn i ble fyddai Dan wedi bod yn debygol o gerdded. Yno, wrth ochr y maen, roedd olion y tanau a welwyd gan Iwan Fox o'r bryniau.

Trodd ei feddwl at yr hyn ddywedodd Llinos, cyn-wraig Emyr Lloyd, am ei ddiddordeb yn y goruwchnaturiol. Rhedodd ias oer i lawr ei war, a chofiodd am yr ofn a deimlai Morfudd, ffrind Nansi, wrth siarad am yr hyn ddigwyddai yn Ceirw Uchaf. Doedd o ddim eisiau troedio i lawr y llwybr hwnnw – dim heb fod rhaid, beth bynnag.

Wyddai Jeff ddim ble i fynd â'r ymchwiliad nesaf. Wyddai o ddim chwaith pam y cafodd Emyr Lloyd ei ddiswyddo fel ynad – oedd o'n rhywbeth i'w wneud â'i bartïon, tybed? Hefyd, roedd Anthony Stewart wedi diflannu, a doedd Heddlu Gwent ddim wedi gwneud llawer ynghylch y peth – tybed a ddylai rannu'r hyn a ddysgodd am Stewart gyda'r CID yno? Penderfynodd beidio. Wedi'r cyfan, yr unig dystiolaeth newydd bendant oedd mai yn Ceirw Uchaf y cafodd car Stewart ei weld am y tro olaf, a doedd rhif y car ddim yn gywir yn llyfr nodiadau Dan i gadarnhau hynny, hyd yn oed. Yn ôl Morfudd cafodd Stewart ffrae efo Emyr Lloyd ac un dyn arall o'r enw Al... ond allai o ddim gofyn iddi wneud datganiad i gadarnhau hynny gan nad oedd hi'n gwybod bod Nansi wedi rhannu'r wybodaeth â fo. Doedd pethau ddim yn edrych yn addawol.

Er yr anawsterau, penderfynodd Jeff mai ar Anthony Stewart y dylai ganolbwyntio. Cofiodd fod ganddo chwaer yn swydd Efrog. Tybed a fyddai hi'n fodlon dweud chydig wrtho am fywyd a diddordebau ei brawd?

Ar ôl dychwelyd i'w swyddfa, gwnaeth alwad ffôn fer a siarad â Ditectif Gwnstabl Chris Budd yng ngorsaf heddlu

Cwmbrân. Ysgrifennodd gyfeiriad chwaer Anthony Stewart, Claire Murray, a'i rhif ffôn ar ddarn o bapur a'i stwffio i'w boced.

# Pennod 22

Roedd hi'n chwarter i chwech pan edrychodd Jeff ar ei watsh. Wyddai o ddim byd am Claire Murray heblaw ei bod hi'n yn byw yn Harrogate yng ngogledd swydd Efrog, ond roedd wedi cael yr argraff o siarad â Chris Budd nad oedd hi'n hapus ag ymdrechion yr heddlu hyd yma i ddod o hyd i'w brawd. A phwy welai fai arni? Roedd o wedi aros tan rŵan cyn ffonio gan y gwyddai o brofiad fod amser te fel hyn yn adeg eitha da i gael gafael ar bobl yn y tŷ. Canodd y ffôn yn ei law sawl gwaith cyn iddo gael ei ateb.

'Mrs Claire Murray?' gofynnodd Jeff.

'Na, ei chwaer yng nghyfraith,' meddai llais mewn acen Albanaidd. 'Mi a' i i'w nôl hi rŵan. Pwy sy'n siarad?'

'Ditectif Sarjant Evans o Heddlu Gogledd Cymru.'

Aeth y ffôn yn ddistaw, a chlywai Jeff sŵn teledu, neu blant yn chwarae, efallai, yn y cefndir. Ymhen hir a hwyr clywodd lais arall.

'Ie?' meddai llais benywaidd ansicr.

'Claire Murray?' gofynnodd Jeff eto, 'Ditectif Sarjant Evans, CID Glan Morfa. 'Swn i'n lecio cael sgwrs efo chi, os gwelwch yn dda, ynglŷn â'ch brawd. Ydi hwn yn amser cyfleus?'

'Y'ch chi wedi dod o hyd iddo fe? Yw Tony'n fyw?' Rhuthrodd dros ei geiriau, ei llais yn llawn cyffro.

'Ddrwg gen i, Mrs Murray,' atebodd Jeff, 'ond does gen i ddim newyddion, yn dda na drwg, ynghylch Tony; ond mi fyswn i'n lecio dod i'ch gweld chi, cyn gynted â phosib, i gael sgwrs amdano fo.'

'Cyn gynted â phosib? Pam ddylwn i neidio i'ch helpu chi nawr? 'Wy wedi bod yn ceisio'ch cael chi i gymryd diddordeb yn niflaniad Tony ers wythnose, a cha'l dim synnwyr gan neb. Does neb isie codi bys bach i ffeindio be sydd wedi digwydd iddo fe. Mae pawb yn tybio 'i fod e wedi rhedeg bant neu ladd 'i hunan, a nawr ry'ch chi moyn gair ar hast. Ma' rhwbeth wedi digwydd, yn do's e?'

'Gadewch i mi esbonio, Mrs Murray, os gwelwch yn dda. Dwi'n aelod o Heddlu Gogledd Cymru, a does gen i ddim byd i'w wneud â'r heddlu yng Nghwmbrân, na Heddlu Gwent chwaith. Dwi'n gweithio ar achos i fyny yng Ngwynedd ar hyn o bryd, ac mae enw Tony wedi codi yn gysylltiedig â hwnnw. Mae'n bosib iawn mai yng nghyffiniau tref Glan Morfa, lle dwi'n gweithio, y cafodd o ei weld am y tro olaf cyn iddo ddiflannu... neu yno y cafodd ei gar o'i weld olaf, beth bynnag.' Gobeithiai Jeff y byddai hynny'n ysgogi ei chydweithrediad.

'Sut fath o achos?'

'Achos o geisio llofruddio dyn oedrannus,' meddai cyn oedi, ac ychwanegu'n frysiog, 'ond peidiwch â phoeni, Mrs Murray, does dim i awgrymu mai Tony oedd yn gyfrifol am hynny. Mae'r ymchwiliad wedi ehangu'n sylweddol ers y dechrau, ac erbyn hyn mae gen i reswm i edrych ar weithgareddau pobl roedd Tony'n ymwneud â nhw. Wrth ddilyn yr ymholiadau rheiny y dois i ar draws enw Tony a darganfod bod ei gar o, BMW, wedi cael ei weld yn agos i dŷ lleol yn ystod y penwythnos y bu iddo ddiflannu yng nghanol Awst.'

Clywodd Jeff ochenaid drom yr ochr arall i'r ffôn.

‘Wel, hwn yw’r tro cyntaf i unrhyw aelod o’r heddlu gymryd ddiddordeb ynddo fe. Maddeuwch i mi am fod yn flin. Beth y’ch chi moyn i fi wneud?’

‘Mi fyswn i’n lecio’ch cyfarfod chi, er mwyn trafod achos Tony wyneb yn wyneb.’

‘Siŵr iawn. Ble a phryd?’ roedd cyffro yn llais Claire Murray erbyn hyn.

‘Oes ganddoch chi allwedd i’w dŷ o yng Nghwmbrân, Mrs Murray?’

‘Mae un ’da fi fan hyn. Fflat sydd ganddo fe ar Ffordd Bryn-glas. Ro’dd ganddo fe dŷ deche ar un adeg cyn i’r banc ’i feddiannu fe... do’dd e ddim wedi cadw lan ’da’i daliade morgais.’

‘Faint sydd ers hynny?’

‘Dwy neu dair blynedd.’

‘Mae’r ymchwiliad dwi’n gweithio arno’n mynd yn ôl rai blynyddoedd, ac efallai fod ’na gliwiau fydd yn ein helpu ni efo hwnnw yn fflat Tony. Fysach chi’n fodlon i mi fynd i gael golwg ar y lle? Ydi’r heddlu lleol wedi bod yno, wyddoch chi?’

‘Na, fel ro’n i’n dweud, does neb wedi cymryd diddordeb. ’Wy wedi bod yno, dim ond rhag ofn ’i fod e’n gorwedd yn farw yno. Weles i ddim o’i le yno, ond wnes i ddim chwilio’r lle chwaith. Os y’ch chi’n meddwl bod rhwbeth yno wnaiff helpu, grêt.’

‘Dwi’n sylweddoli ei bod hi’n daith hir i chi, ond mi fyswn i’n gwerthfawrogi’r cyfle i’ch cyfarfod chi yno i gael golwg ar y lle, a chael sgwrs yr un pryd.’

‘Pryd?’

‘Fory,’ atebodd Jeff. ‘Dwi’n sylweddoli ei bod hi’n ddydd Sadwrn...’

‘Dim problem. Mae fy chwaer yng nghyfraith ’ma i

garco'r plant – ma' fy ngŵr yn gweithio dramor ar hyn o bryd.'

Am hanner dydd y diwrnod canlynol, camodd Jeff allan o'i gar y tu allan i'r cyfeiriad roddodd Claire Murray iddo. Roedd y stryd yn un reit gyffredin, a bu'n lwcus i gael lle i barcio ymysg y rhesi o geir oedd â dwy olwyn ar y pafin ar bob ochr i'r ffordd. Ar un ochr roedd y tai lathenni'n uwch na'r palmant, yn gorfodi'r preswylwyr i ddringo llwybrau neu stepiau serth i fyny at eu drysau ffrynt, a gyferbyn iddynt roedd llwybrau yr un mor serth i lawr i'r tai. Doedd dim un o'r gerddi yn edrych fel petaent wedi cael llawer o sylw yn ddiweddar.

Gwelodd ddynes yn dod allan o gar arall ychydig o lathenni oddi wrtho, a cherddodd tuag ati.

'Claire?'

'Ie, ac 'wy'n cymryd mai Ditectif Sarjant Evans y'ch chi?'

'Galwch fi'n Jeff, plis.' Roedd yr oriau nesaf yn mynd i fod yn anodd iddi, y naill ffordd neu'r llall, felly roedd o am iddi deimlo'n gyfforddus yn ei gwmni.

Gwenodd Claire arno wrth ysgwyd ei law. Merch dal, denau, ddigon cyffredin yr olwg yng nghanol ei thridegau oedd hi, a gwisgai jîns du a chôt gerdded goch. Disgynnai ei gwallt cyrliog melyn dros ei chlustiau heb gyrraedd ei hysgwyddau.

'Gobeithio nad ydach chi ar frys, Claire,' meddai Jeff. 'Mi hoffwn wneud yn fawr o'r cyfle 'ma i chwilio'r fflat yn fanwl.'

'Gen i ddigon o amser,' atebodd Claire, gan amneidio at un o'r tai. 'Dyma fflat Tony – yr un isaf.'

Edrychodd Jeff i fyny ar dŷ pâr a oedd wedi ei rannu'n ddau fflat.

‘Fo bia’r fflat?’ gofynnodd Jeff.

‘Rhentu,’ atebodd Claire. ‘Wedi i’r banc ’i orfodi e i werthu’i dŷ ddwy flynedd yn ôl er mwyn ad-dalu’r ddyled iddyn nhw, dim ond chydig filoedd o’dd ganddo fe ar ôl. Dim digon i hyd yn oed ystyried prynu rhywle arall.’

Tynnodd Claire allwedd o’i phoced, ac wrth iddi agor y drws a chamu i’r cyntedd edrychodd Jeff o’i gwmpas. Doedd dim arwydd fod Tony wedi edrych ar ôl y lle, er bod ganddo swydd dda.

‘Be oedd gwraidd ei broblem ariannol o, Claire?’

‘Gamblo. Ddwedodd Dad wrtho flynyddoedd yn ôl ’i fod e’n gwastraffu ’i arian ar y ceffyle ac na fydde unrhyw ddaioni’n dod o’r peth, ond ro’dd Tony’n gwybod yn well, wrth gwrs, ac yn disgwyl y byddai un bet, un ras fawr, yn ei wneud e’n gyfoethog.’

‘Oes ganddo wraig neu gymar?’

‘Ro’dd ganddo bartner – merch ffein – ond rhwng y gamblo a’r yfed, do’dd ganddi ddim dewis ond gadael.’

Cyn mynd ymhellach, cododd Claire y pentwr mawr o lythyrau oddi ar y mat a’u rhoi ar y bwrdd bach yn y cyntedd. Roedd hi’n amlwg o’r print coch, bras ar rai ohonynt mai llythyrau yn hawlio taliadau hwyr oedden nhw. Dilynodd Jeff hi i mewn i’r fflat, a daeth arogl tamprwydd i’w ffroenau.

‘Well i fi agor y ffenestri,’ meddai Claire, ond cyn iddi eu cyrraedd, galwodd Jeff ar ei hôl.

‘Arhoswch am funud. Mi fysa’n well i chi beidio â chyffwrdd dim. Rhowch eich dwylo yn eich pocedi fel fi, rhag ofn i ni amharu ar ryw dystiolaeth yn ddamweiniol.’

Os nad oedd Claire wedi sylweddoli cynt pa mor

ddifrifol roedd Jeff yn ystyried diflaniad ei brawd, roedd hi'n gwybod erbyn hyn.

Ystafell wely oedd yn ffrynt y fflat, yn wynebu'r ffordd fawr, ac roedd yr ystafell fyw a'r gegin yn y cefn. Ger y drws cefn roedd stafell olchi dillad a stafell ymolchi. Yno, roedd tywelion wedi'u lluchio'n flêr ar ochr y bath a thaclau molchi yma ac acw – roedd popeth i'w weld yn union fel petai rhywun yn bwriadu dod yn ôl i'w defnyddio... oedd Anthony Stewart wedi mynd i Lan Morfa am benwythnos gan ddisgwyl y byddai'n dychwelyd ymhen diwrnod neu ddau? Agorodd Jeff y cabinet wrth ochr y drych a darganfod llu o boteli a thiwbiau, a'r rheiny'n rhai drud. Roedd ganddo bres i'w wario ar rai pethau, yn ôl pob golwg.

Aeth y ddau yn ôl i'r gegin, ac aeth Jeff yn syth at y rhewgell.

'Ddaru chi chwilio yn fan hyn pan oeddach chi yma efo'ch gŵr, Claire?'

'Do, rhag ofn fod corff Tony wedi'i roi ynddo,' meddai. 'Ma'r pethe rhyfedda'n mynd drwy feddwl rhywun, yn enwedig ar ôl gwylio cyment o ddramâu ditectif ar y teledu. 'Sen i wedi medru derbyn y peth petai e wedi marw o salwch neu ddamwain, ond mae'r diffyg gwybodaeth yn brifo cyment.'

Agorodd Jeff ddrws y rhewgell a'i chael yn hanner gwag. Yna, symudodd i agor drws yr oergell. 'Fuoch chi yn y fan hyn, Claire?' gofynnodd.

'Naddo,' cyfaddefodd y ferch. 'Rhy fach i guddio corff, yn dyw e?'

Dewisodd Jeff beidio â dweud bod digon o le i guddio tameidiau o gorff ynddi... ond pan agorodd y drws daeth yr arogl mwyaf anghynnes i ffroenau'r ddau.

# Pennod 23

Roedd y cyw iâr wedi bod yn yr oergell ers dros saith wythnos, a'r rhwyg bychan yn y plastig amdano wedi bod yn ddigon i ryddhau arogl y cig pydredig trwy weddill yr oergell. Roedd nifer o eitemau eraill o fwyd ynddi, oll yn yr un cyflwr. Tynnodd Jeff ei ben yn ôl a chau'r drws yn glep.

'Geisia i ddod o hyd i fag plastig i roi'r cwbl ynddo,' meddai Claire a daeth yn ei hôl ychydig eiliadau'n ddiweddarach.

Edrychodd Jeff ar label y paced cyw iâr cyn ei roi yn y bag, a gweld bod dyddiad yr ail ar hugain o Awst arno – y diwrnod y methodd Anthony Stewart â mynd i'w waith. Oedd o wedi bwriadu ei fwyta i swper ar nos Sul yr unfed ar hugain, ar ôl iddo ddychwelyd o Lan Morfa, tybed? Tynnodd Jeff lun o'r label gyda'i ffôn cyn i Claire gael gwared ohono ynghyd â gweddill y bwyd. Rhoddodd y ffôn yn ôl yn ei boced a throi at Claire, oedd yn amlwg dan deimlad.

'Dyw rhywun sy'n bwriadu lladd 'i hunan ddim yn llenwi'r ffrij 'da bwyd cyn gwneud hynny, nagyw e?'

'Dyna'n union oedd yn mynd trwy fy meddwl innau,' atebodd Jeff.

Roedd y stafell wely drws nesa i'r gegin yn eitha twt a glân, a'r gwely wedi'i wneud. Ar y bwrdd bach wrth ei ochr roedd pentwr o lyfrau gwyddonol eu naws, yn ymdrin â phynciau megis purdeb dŵr a llygredd amgylcheddol.

Cododd Jeff yr un ar ben y pentwr – roedd hen dderbynneb wedi cael ei ddefnyddio fel llyfrnod, ac agorodd ef i'r dudalen honno. Roedd y testun ymhell y tu hwnt i'w ddealltwriaeth, ond roedd yn ymwneud â gwenwyno dŵr a thir o ganlyniad i slyri a gwastraff amaethyddol. Doedd y pwnc ddim yn syndod – dyma beth roedd Anthony Stewart yn ymwneud ag ef yn ei waith bob dydd, yn ôl Malcolm Foley.

Rhoddodd y llyfr i lawr pan glywodd sŵn siffrwd y tu ôl iddo. Roedd Claire wedi agor drws y wardrob, ac yn edrych trwy bocedi dillad ei brawd. Y peth cyntaf a darodd Jeff oedd ansawdd cynnwys y wardrob – roedd pob dilledyn yn rhai wedi'u gwneud gan labeli adnabyddus, drud, a phob eitem wedi'i drefnu'n dwt yn ôl ei liw a'i fath. Dechreuodd feddwl am natur Tony Stewart. Dyma ddyn trefnus oedd yn meddwl yn ofalus am ei ddelwedd, yn wahanol iawn i'r un roedd o wedi'i ddychmygu ar ôl clywed amdano gan eraill. Roedd pedwar pâr o esgidiau gan gwmni R. M. Williams o Awstralia wedi'u gosod yn dwt ar lawr y wardrob, wedi'u gwneud o ledr cangarŵ, a gwyddai Jeff fod esgidiau tebyg yn costio'n agos i bedwar can punt y pâr. Roedd gwerth miloedd o bunnau o ddillad o'i flaen.

'Mae gan eich brawd chwaeth arbennig mewn dillad, Claire,' meddai.

'Mae e wastad wedi bod yn grwtyn smart, yn gwybod sut i wisgo er mwyn creu argraff.'

Sylwodd Jeff ei bod hi'n dal i sôn am ei brawd yn y presennol, a dewisodd yntau wneud yr un fath er ei mwyn hi, er gwaetha'i farn nad oedd hynny'n debygol o fod yn wir.

Aeth y ddau allan i'r cyntedd er mwyn mynd i chwilio'r

lolfa, a tharodd llygaid Jeff ar y pentwr amlenni ar y bwrdd ger y drws ffrynt.

'Ydach chi'n meddwl y dylen ni agor rhai o'r rhain, Claire?' gofynnodd iddi. 'Maen nhw'n edrych fel biliau.'

'Sai'n siŵr, Jeff. Pethe personol Tony y'n nhw.'

'Yn amlwg,' atebodd, 'ond os ydan ni'n chwilio am reswm dros ddiflaniad Tony, mae'n bosib y cawn ni ateb – neu ran o'r ateb, beth bynnag –yn y llythyrau 'ma.'

'Chi yw'r ditectif... a falle, dan yr amgylchiade, eich bod chi'n iawn.'

Yn ôl y disgwyl, mynnu taliadau roedd y mwyafrif o'r dau neu dri dwsin o lythyrau. Yn eu mysg roedd biliau, archebion terfynol ac un gwŷs i'r llys sirol oedd yn ymwneud â dyled o chydig dros ddwy fil o bunnau. Roedd sawl llythyr gan gwmnïau cardiau credyd amrywiol, a chyfrifodd Jeff yn sydyn fod y ddyled ar y cardiau hynny yn unig yn ddeng mil ar hugain o bunnau. Roedd cyfanswm y dyledion ymhell dros hanner can mil, a hynny yn ôl cynnwys y llythyrau yn unig. Faint mwy o ddyledion oedd gan Stewart, tybed? Oedd o wedi bod yn delio â chwmnïau benthyg arian answyddogol hefyd?

'Ydi hyn yn syndod i chi, Claire?' gofynnodd.

'Y dyledion? Na. Ond y swm? Feddylies i erioed y bydde 'na gyment. Ma'n edrych yn debyg mai'r banc oedd yn talu am ei ddillad, nid fe.'

'Dwi angen mynd â'r llythyrau 'ma i gyd efo fi... mi fydd raid mynd drwyddyn nhw'n fanwl ryw dro.'

Nodiodd Claire ei phen heb ddweud dim. Roedd y tristwch yn ei llygaid yn dweud y cyfan.

'Reit, y lolfa ydi'r unig stafell ar ôl rŵan,' meddai Jeff, i ysgafnhau'r awyrgylch.

Roedd yr ystafell yn dywyll gan fod y cyrtens wedi'u cau, a phan agorodd Jeff hwy gwelodd fod y stafell hon eto'n daclus, heblaw am nifer o focsys oedd blith draphlith ar lawr mewn un cornel, yn amlwg wedi cael eu tynnu allan o gwpwrdd oedd â'i ddrws yn gilagored. Roedd hyn yn hollol groes i natur yr Anthony Stewart roedd Jeff wedi dod i'w adnabod ers iddo gyrraedd y fflat. Rhywun blêr, brysiog oedd wedi gadael y llanast, nid dyn oedd yn trefnu'i grysau yn ôl eu lliwiau.

'Ydach chi'n cofio gweld y rhain fel hyn pan ddaethoch chi yma ddwytha, Claire?'

'Alla i ddim bod yn bendant, ond na, 'wy ddim yn meddwl.'

Meddyliodd Jeff am yr amlenni oedd wedi cael eu gwthio at y wal gan y drws ffrynt. Doedd dim modd gwybod ai Claire a'u symudodd, neu a oedden nhw wedi cael eu symud cyn hynny.

Edrychodd o amgylch yr ystafell. Roedd un soffa fawr a dwy gadair, i gyd mewn lledr du, ond dim llawer o gelfi eraill, heblaw cwpwrdd neu ddau, teledu anferth a bocs Sky. Agorodd y cwpwrdd o dan y teledu – roedd ynddo gannoedd o DVDs, a chyfran helaeth ohonynt yn ffilmiau pornograffi. Roedd hyn yn cyd-fynd â'r hyn a glywodd gan Nansi am ymddygiad Stewart yng nghwmni ei ffrind, Morfudd, ym mhartïon Ceirw Uchaf.

Trodd i edrych dros ei ysgwydd a gweld bod Claire y tu ôl iddo, yn syllu ar gynnwys y cwpwrdd.

'Oedd ganddoch chi syniad bod gan Tony ddiddordebau fel hyn?'

'Na. Dyw gwylio porn ddim yn beth ma' rhywun yn 'i drafod 'da'i chwaer, yw e?'

Edrychodd Jeff drwy'r DVDs. Pornograffi caled oedd y rhan fwyaf, ond doedd dim byd anghyfreithlon yn eu cynnwys. Tynnodd ddau DVD arall allan – ffilmiau ar themâu'r ocwlt a dewiniaeth... yn union fel y llyfrau roedd Emyr Lloyd wedi bod yn eu darllen, cofiodd.

Erbyn hyn roedd Claire yn edrych drwy'r cwpwrdd diodydd, oedd yn llawn o wirodydd a photeli gwin a Champagne drud yr olwg.

'Mi oedd eich brawd yn gwybod sut i fyw yn dda, Claire.'

Yna, trodd ei sylw at y tri bocs oedd ar eu hochrau ar lawr, a'r cynnwys oedd wedi disgyn ohonynt: hen lythyrau a datganiadau banc. Dechreuodd y ddau fynd drwy'r cyfan yn fanwl a rhoi'r papurau mewn rhyw fath o drefn. Daeth yn amlwg fod gan Anthony Stewart bedwar cyfrif banc a phob un mewn gorddrafft o filoedd o bunnau. Roedd dau gyfrif arall wedi cael eu cau flwyddyn a mwy ynghynt – yr un pryd ag y gwnaeth ei fanc flaen-gau ar ei ddyled a'i orfodi i werthu'i gartref. Edrychai'n debyg fod Stewart wedi medru agor cyfrifon eraill ar ôl hynny, a chreu mwy o ddyledion. Wrth roi trefn ar y papurau ni allai Jeff beidio â meddwl bod rhywun wedi bod yn y tŷ yn chwilio am rywbeth arbennig. Rhywbeth i'w wneud â'r cyfrifon banc, tybed? Ond eto, doedd 'run tudalen o'r datganiadau i weld ar goll, a doedd dim arwyddion fod neb wedi torri i mewn i'r fflat.

'Oes gan rywun arall allwedd i'r fflat heblaw chi, Claire?' gofynnodd.

'Na. Ddwedodd e wrtha i mai tair allwedd oedd ganddo – ro'dd e'n defnyddio un, roddodd e'r ail i mi, ac ro'dd e'n cuddio'r drydedd yn ei gar, jest rhag ofn. Y'ch chi'n meddwl bod rhywun wedi bod yma'n chwilio am rwbeth?'

'Mae hynny wedi croesi fy meddwl i, ac mae'r ffaith nad oes arwydd o dorri i mewn yn awgrymu bod rhywun wedi dod drwy'r drws gydag allwedd. Lle fysa Tony'n cuddio rwbath cyfrinachol?'

Heb ddisgwyl am ateb, agorodd Jeff ddau ddrws y cwpwrdd cornel led y pen. Gan ddefnyddio tortsh ei ffôn i weld yn well, rhedodd ei law dros bob darn o du mewn y cwpwrdd. Wrth gyrraedd y top, teimlodd rywbeth reit yn y gongl bellaf: allwedd fechan, wedi'i sticio yno â darn o dâp gludiog. Tynnodd hi allan a'i dangos i Claire.

'Am hon roeddan nhw'n chwilio, tybed?'

'Mae'n edrych fel allwedd i flwch arian.'

Defnyddiodd Jeff dortsh ei ffôn i chwilio eto, a sylwi mai estyll pren y llawr oedd gwaelod y cwpwrdd. Roedd un ohonynt yn anwastad, a phan sylwodd Claire ar hynny rhuthrodd i'r gegin a dychwelyd gyda chyllell finiog. Gan ddefnyddio honno, gwaith hawdd oedd codi'r astell.

Rhoddodd Jeff ei law yn y twll, i ganol y llwch a'r gwe pry cop, a thynnu ohono focs pres metel du. Pan roddodd yr allwedd fach yn nhwll y clo agorodd yn syth gyda chlic. Cododd ei ben i edrych i wyneb Claire.

'Be dach chi'n meddwl sydd ynddo fo?' gofynnodd.

'Arian parod,' atebodd hithau'n bendant. 'Miloedd o bunnau.'

Agorodd Jeff y blwch yn araf. Doedd dim arian ynddo, ond doedd Claire ddim ymhell o'i lle. Edrychodd y ddau ar lyfr cyfrif yr Yorkshire Building Society yn enw Cwmni Ceunant Cyf.: roedd degau o filoedd o bunnau wedi bod yn y cyfrif, a hynny pan oedd Tony mewn dyled dros ei ben a'i glustiau. Roedd yr arian i gyd wedi ei dynnu allan a'r cyfrif wedi ei gau yn 2019, felly pam cuddio'r llyfr? Edrychodd

Jeff ar y llyfr yn gegrwth. Beth oedd busnes y cwmni, a phwy oedd yn berchen arno?

Eisteddodd y ddau i lawr ar y soffa ac edrych ar y llyfr yn ofalus. Agorwyd y cyfrif yn nechrau 2015, a dim ond pum taliad wnaethpwyd i mewn iddo, a hynny yn ystod yr un flwyddyn. Gadawyd yr arian i ddodwy yn y cyfrif tan 2019, ac erbyn hynny roedd wedi gwneud swm eithaf mewn llog. Roedd dros ddau gan mil yn y cyfrif pan gaewyd o, ond allai Jeff ddim peidio â meddwl fod ffyrdd llawer gwell o fuddsoddi arian dros gyfnod mor hir. Ystyriodd ddyddiadau agor a chau y cyfrif – roedd wedi'i agor chydig cyn i Llinos Lloyd adael ei gŵr, a'i gau ar ôl i'r ysgariad gael ei wneud yn derfynol. Roedd hyn yn fwy na chyd-ddigwyddiad.

'Beth y'ch chi'n feddwl, Jeff?' gofynnodd Claire.

'Fedra i ddim bod yn sicr o bell ffordd, ond mae'n edrych yn debyg fod Tony wedi bod yn helpu rhywun dwi'n ei nabod yng Nglan Morfa i guddio'i asedau.'

Dechreuodd meddwl Jeff droi. Byddai agor cyfrif newydd efo'r fath swm o arian wedi gorfodi'r banc i wneud adroddiad i'r heddlu yn lle bynnag roedd Ceunant Cyf. wedi'i gofrestru, yn unol â'u cyfrifoldebau i atal cuddio a glanhau arian budr. Gafaelodd yn ei ffôn.

'Sgwâr, Jeff sy 'ma. Gwna ffafr fach sydyn i mi wnei di? Wn i ddim gei di ateb yn syth, ond gwna dy orau.' Rhoddodd yr holl wybodaeth iddo cyn gorffen yr alwad.

'Sut mae'r hyn ry'n ni wedi'i ganfod yn newid pethe ynglŷn â Tony?' gofynnodd Claire iddo.

Roedd rhaid i Jeff feddwl yn ddwys cyn ateb. Byddai'n rhaid iddo fod yn ddidwyll, ond doedd o ddim eisiau rhoi achos iddi boeni chwaith.

‘Ro’n i wedi synnu pa mor dwt a threfnus ydi o, a bod ganddo chwaeth mor dda mewn dillad, ond mae’n edrych yn debyg ei fod o wedi bod yn byw ymhell y tu hwnt i’w fodd, ac mi ydan ni’n dau yn gwybod bellach mai arian y banciau, yn hytrach na’i gyflog, oedd yn galluogi iddo wneud hynny.’

‘Ond beth y’ch chi’n feddwl sy wedi digwydd iddo fe?’

‘Fedra i na neb arall ateb y cwestiwn hwnnw i chi ar hyn o bryd, Claire, ond dydi petha ddim yn edrych yn dda, mae hynny’n sicr. Be amdanoch chi – ydach chi wedi dysgu mwy am eich brawd?’

‘Mae heddiw wedi bod yn agoriad llygad, yn sicr. Ro’n i’n gwybod am ei ddyled i’r cwmnïau betio, ond mae’r llythyrau eraill wedi bod yn sioc. ’Wy wedi cael fy siomi’n arw ynddo fe, Jeff, ond ’wy’n dal i’w garu e, ac isie iddo fe ddod adre’n saff. Fe alla i ei helpu e nawr ’mod i wedi ca’l y pictiwr cyflawn.’

Wrth yrru tuag adref sylweddolodd Jeff ei fod ar lwgu, felly stopiodd mewn caffi bach ar ochr y ffordd nid nepell o’r Fenni. Disgwyl am ei fwyd oedd o pan ganodd y ffôn yn ei boced.

‘Sgwâr, sut wyt ti,’ atebodd.

‘Iawn diolch, Sarj. Ges i ateb i’ch cwestiwn chi’n reit handi. Yn ôl Tŷ’r Cwmnïau yng Nghaerdydd, cwmni wedi’i gofrestru yn Birmingham ydi Ceunant Cyf., ac mae’r cyfeiriad yn cael ei ddefnyddio gan nifer o gwmnïau eraill hefyd. Mae dau gyfranddaliwr: Dwynwen Elizabeth Mansel ac Anthony Stewart.’

‘Diddorol iawn,’ meddai Jeff. ‘Mae’n rhaid mai Mansel oedd cyfenw Dwynwen Lloyd cyn iddi briodi, a’i bod hi’n adnabod Tony Stewart cyn iddi ddod i fyw i Lan Morfa.'

'Wedyn, fel yr awgrymoch chi, mi ges i air efo hogia swyddfa'r Adran Dwyll yn y pencadlys. Yn ôl y rheiny, mi gyslltodd yr Yorkshire Building Society efo heddlu Birmingham yng nghanol 2015 i dynnu sylw at y trosglwyddiad arian yma. Pasiwyd yr adroddiad i'n pencadlys ni gan Adran Ymholiadau Ariannol y llu hwnnw pan sylweddolwyd mai cwmni wedi'i sefydlu yng ngogledd Cymru oedd o. O'r ymholiadau wnaed yr adeg honno, cadarnhawyd mai ffarmwr oedd yn rhedeg Ceunant Cyf., a bod yr arian wedi ei ennill drwy werthu tir, gwerthu anifeiliaid a derbyn arian am hawliau pysgota. Agorwyd y cyfrif yn y gymdeithas adeiladu gan y ddau gyfranddalwr, sef Mansel a Stewart, mewn cangen yng Nghwmbrân. Dywedwyd ar y pryd mai cwmni yn ymwneud â'r diwydiant amaethyddol oedd o.'

'Diddorol iawn. Roedd Dwynwen Mansel wedi treulio amser yng nghwmni Stewart i lawr yng nghyffiniau ei gartref felly. A does dim rhaid gofyn pwy ydi'r ffarmwr.'

'Nagoes: Mr Emyr Lloyd JP, MBE yn ôl yr adroddiad. Aeth yr ymholiad ddim pellach gan nad oedd unrhyw dystiolaeth, amheuaeth nac awgrym bod yr arian yn enillion troseddol.'

'Ydi Emyr Lloyd wedi bod yn gyfranddaliwr yn y cwmni ar unrhyw adeg?'

'Naddo.'

'Aeth yr heddlu i Ceirw Uchaf i gyfweld Lloyd?'

'Na. Doedd dim rhaid, ar ôl iddyn nhw wneud y cysylltiad rhwng y cwmni a Cheirw Uchaf, a dyn mor barchus â Lloyd.'

'Dan yr amgylchiadau, mi fedra i weld eu rhesymeg

nhw. Dwi'n siŵr fod pob dim i'w weld yn berffaith gyfreithlon. Diolch i ti, Sgwâr. Mi fydda i'n ôl o fewn rhyw bedair awr.'

Wrth fwyta, ystyriodd Jeff yr holl wybodaeth newydd yng ngoleuni'r hyn a wyddai eisoes. Edrychai'n debyg iawn fod Anthony Stewart a Lloyd yn adnabod ei gilydd ymhell cyn i'r syniad am y grisiau eogiaid gael ei ddatblygu. Roedden nhw'n ddigon agos i Lloyd ymddiried ynddo i fod yn rhan o ymgyrch lygredig i'w hadeiladu ac yna, mewn blwyddyn neu ddwy, i guddio arian a ddylai fod wedi cael ei ddatgan i'r llys yn ystod ei ysgariad. Roedd hwn yn gynllun pendant i dwyllo, a byddai Llinos Williams, yn sicr, yn falch iawn o glywed am y peth. Er hynny, penderfynodd nad nawr oedd yr amser i ddweud wrthi, nac ychwaith i arestio Emyr a Dwynwen Lloyd ar gyhuddiad o dwyll. Ei flaenoriaeth oedd darganfod pwy ymosododd ar Daniel Pritchard.

Ond y cwestiwn mawr oedd lleoliad Anthony Stewart, a phwy oedd wedi bod yn ei dŷ yn chwilota... ac am beth.

# Pennod 24

Ar ôl diwrnod o seibiant, cododd Jeff yn gynnar fore Llun ar ôl noson ddi-gwsg. Bu'n troi a throsi gydol y nos, yn methu cael manylion yr ymchwiliad o'i feddwl. Datblygodd ei ymholiadau i'r ymosodiad ar Dan Pritchard i gyfeiriadau cwbl annisgwyl, ac er bod sawl darn mawr yn dal i fod ar goll, ac ambell beth yn aneglur, roedd yn eitha sicr y deuai'r cyfan at ei gilydd fel rhyw fath o jig-so mawr.

Ystyriodd nid yn unig y ffeithiau yn ei feddiant ond y posibiliadau eraill hefyd. Roedd gweithredoedd twyllodrus Emyr Lloyd i adeiladu'r grisiau eogiaid, i dwyllo'r ffermwyr o'u hawliau pysgota ac i dwyllo'i wraig gyntaf, Llinos, o ran helaeth o'r arian oedd yn deilwng iddi, wedi digwydd flynyddoedd ynghynt. Ar yr un pryd, roedd Dwynwen yn amlwg yn adnabod Tony Stewart yng nghyffiniau Cwmbrân. Oedd Dwynwen wedi targedu Stewart a'i hudo i'w helpu hi a'i chariad newydd i guddio arian? Neu a oedd Dwynwen a Tony Stewart yn bartneriaid ac yn gobeithio twyllo'r ffermwr cefnog? Gwyddai Jeff erbyn hyn fod Stewart, yn ogystal â bod mewn dyled enbyd, hefyd yn gaeth i ryw, ac roedd yn rhesymol i gymryd bod Dwynwen hithau'n ymwybodol o hynny. O ystyried ei ffordd o fyw, y gamblo, y dyledion, yr yfed, y gwario, y dillad moethus a'r pwysau ariannol ar ei ysgwyddau, ystyriodd Jeff y byddai denu Tony i fod yn rhan o gynllun anonest yn dasg hawdd i ddynes fel hi.

Ond ar y llaw arall roedd y berthynas rhwng Anthony Stewart ac Emyr a Dwynwen Lloyd wedi parhau ymhell ar ôl i'r grisiau eogiaid gael eu hadeiladu ac ar ôl twyllo Llinos Lloyd – pan nad oedd Stewart yn ddefnyddiol iddynt bellach. Oedd rheswm arall i'w gadw'n hapus? Oedd Stewart yn dal i gyflawni rhyw wasanaeth i Emyr Lloyd, ynteu oedd y gŵr o Gwmbrân yn gwybod gormod i adael iddo bellhau oddi wrthynt? Penderfynodd Jeff y byddai'n rhaid iddo wneud ymholiadau pellach efo Malcolm Foley, Cynefinoedd Cynhenid Cymru, cyn hir, ond yn gyntaf roedd un neu ddau o faterion eraill ar ei feddwl.

Wrth ymolchi yn y gawod y bore Llun hwnnw, sylweddolodd Jeff fod diflaniad Anthony Stewart yn tyfu'n rhan bwysig o'r ymchwiliad i'r ymosodiad ar Dan Pritchard. Cyn hir byddai'n rhaid iddo wneud adroddiad i'r perwyl hwnnw ar gyfer yr uwch-swyddogion, a byddai hynny'n ysgogi ymchwiliad llawer mwy a fyddai'n debygol o lithro o'i afael. Ond dim eto, penderfynodd. Wedi'r cwbwl, doedd dim i awgrymu bod Stewart wedi cael ei niweidio – roedd yn fwy tebygol fod y methdalwr yn cuddio ymhell o Gymru a'i gredydwyr.

Ar ôl cyrraedd y swyddfa a chael yr wybodaeth ddiweddaraf am helyntion yr ardal, cododd Jeff y ffôn a deialu rhif Daf Pritchard i holi am gyflwr ei dad. Roedd Dan yn dal mewn coma, dysgodd, ond roedd ei gyflwr wedi sefydlogi a'r tebygolrwydd o wella wedi cynyddu. Yn dawelach ei feddwl, dechreuodd ar ei waith papur gyda chwpaned o goffi o'i flaen. Doedd dim llawer i gymryd ei sylw, diolch byth, gan fod y tri ditectif gwnstabl dan ei oruchwyliaeth wedi gorfod dechrau ar y paratoadau ar gyfer ymweliad Tywysog a Thywysoges Cymru yn ystod y dyddiau nesaf. Doedd o ddim yn edrych ymlaen at orfod gwastraffu'i amser ei hun yn yr un modd.

Roedd hi wedi troi hanner awr wedi deg erbyn iddo gael cyfle i ffonio Adran Ymchwiliadau Ariannol y llu yn y pencadlys ym Mae Colwyn.

'Cled, sut wyt ti? Jeff Evans sy 'ma, o Lan Morfa. Dwi'n dallt mai chdi siaradodd efo Sgwâr ddoe ynglŷn â'r ymchwiliad ariannol i gwmni Ceunant Cyf. Isio chydig mwy o wybodaeth ydw i, os gweli di'n dda.'

'Â chroeso, Sarj. Mae'r ffeil yn dal ar fy nesg i. Alan oedd yn gyfrifol am yr achos, ac fel y gwyddoch chi, mae o wedi ymddeol ers dros flwyddyn. Gadewch i mi edrych trwyddi.' Dros y ffôn clywodd Jeff y tudalennau yn cael eu troi. 'Reit, Sarj, be dach chi isio'i wybod?'

'Deud y cwbwl o'r dechrau plis, Cled.'

Rhoddodd Cledwyn yr un wybodaeth fras i Jeff ag a roddodd i Sgwâr y prynhawn cynt, yna dechreuodd Jeff ei holi.

'Y taliad mwyaf, yr un cyntaf i ymddangos yn y cyfrif yn yr Yorkshire, am gant a hanner o filoedd o bunnau. Gwerthu tir wnaeth y cwmni, fel dwi'n dallt?'

'Ia, tir amaethyddol – dwy acer ar bymtheg o dir pori mynyddig – ond yr ail daliad oedd hwnnw. Agorwyd y cyfrif efo taliad bychan o ganpunt, dim ond jyst digon i'w agor. Y trydydd o Fawrth 2015 oedd hynny, ac ymhen yr wythnos ymddangosodd y cant a hanner o filoedd. Mi wnaeth Alan ymholiad efo'r Swyddfa Cofrestru Tir er mwyn cadarnhau'r gwerthiant, ac mi oedd popeth i'w weld yn ei le. Roedd dau neu dri trosglwyddiad arall i mewn i'r cyfrif yn ystod yr wythnosau canlynol, ond rhai llai o lawer. Roedd y rheiny'n ymwneud ag incwm o hawliau pysgota a gwerthu anifeiliaid. Y cwbwl mewn arian parod, er bod hynny dipyn yn od, y dyddiau yma.'

'Od iawn 'swn i'n meddwl,' cytunodd Jeff.

'Dyna pam, yn ôl y ffeil 'ma, y cafodd yr ymholiad ei godi efo Dwynwen Mansel, ac mi gadarnhawyd y ffeithiau hynny ganddi. Doedd dim pwynt holi ymhellach. Yr unig beth oedd yn bwysig i ni oedd bod yr arian wedi dod o le cyfreithlon.'

'Ddaru Alan ddilyn manylion y gwerthiant mwyaf drwodd?'

'Do. David Anson oedd enw prynwr y tir, ond yn rhyfedd, cafodd Alan wybod bedair blynedd yn ddiweddarach fod y cwmni wedi ailbrynu'r un tir yn ôl gan Anson.'

'Am yr un pris?'

'Na, am ddwy fil o bunnau'n fwy.'

'Be oedd dyddiad y gwerthiant hwnnw?' gofynnodd Jeff, er bod ganddo syniad eitha da.

'Arhoswch am funud... y pymthegfed o Orffennaf 2019,' atebodd ar ôl saib byr i chwilio. 'Dwy fil o elw i Anson mewn pedair blynedd,' ychwanegodd. 'Dim llawer, o ystyried y swm a dalwyd.'

'Na, dwy fil o bunnau fel tâl i Anson am helpu i guddio asedau Emyr Lloyd oedd hwnna,' esboniodd Jeff, a dywedodd yr hanes wrth Cled.

'Wel, fel y gwyddoch chi, Sarj, ein dyletswydd ni oedd sicrhau nad oedd yr arian wedi dod o le anghyfreithlon. Nid ymchwilio i fater o dwyll rhwng gŵr a gwraig mewn ysgariad oedd ein cyfrifoldeb ni, a doedd dim tystiolaeth na hyd yn oed awgrym o hynny ar y pryd.'

Wedi derbyn yr holl wybodaeth, eisteddodd Jeff yn ôl

yn ei gadair. Wel, roedd David Anson yn rhan o'r twyll erbyn hyn hefyd, euog neu beidio. Ystyriodd fynd i chwilio amdano, ond penderfynodd beidio rhag i hynny gyrraedd clustiau Emyr Lloyd.

Cododd y ffôn, a rhoddwyd ei alwad drwodd ar unwaith i Elwyn Bowen, cyfreithiwr yng nghwmni Ellis a Bowen yn y dref. Anaml roedd Jeff yn dod ar ei draws gan nad oedd Mr Bowen yn cymryd gwaith troseddol, ond unwaith y clywodd Bowen pam fod Jeff angen sgwrs, rhoddodd wahoddiad iddo ddod i'w swyddfa.

Twrnai hen ffasiwn oedd Bowen, dyn yn ei chwedegau a eisteddai y tu ôl i'w ddesg yn edrych ar ei gleientiaid dros ei sbectol ddarllen a mynydd o waith papur blêr. Doedd yr ystafell ddim wedi newid ers canol y ganrif ddiwethaf, ystyriodd Jeff – roedd llyfrau lledr llychlyd mewn rhesi ar y silffoedd tu ôl iddo, a'r unig arwydd o dechnoleg fodern oedd y cyfrifiadur mawr oedd ar fwrdd yn y gongl... a byddai Jeff wedi taeru bod y peiriant hwnnw, hyd yn oed, yn dyddio o'r 1990au.

'Ia, Sarjant Evans, fi oedd yn cynrychioli Mrs Llinos Lloyd yn ei hysgariad, ond mi wyddoch, mae'n siŵr gen i, na fedra i drafod dim efo chi heb ei chaniatâd ysgrifenedig hi. Ond pam mae ganddoch chi ddiddordeb yn hynny?'

'Rhaid i minnau ofyn am eich cyfrinachedd chithau hefyd, Mr Bowen. Dwi ddim am i'r hyn rydw i am ei drafod efo chi heddiw gyrraedd clustiau neb arall am y tro.'

'Wrth gwrs,' atebodd y cyfreithiwr gydag awgrym o wên. Y gwir oedd ei fod ar binnau eisiau mwy o wybodaeth.

'Pan wnes i gyfarfod Llinos Williams, Lloyd gynt, yn ddiweddar, dysgais ganddi am ei hamheuaeth fod ei gŵr wedi cuddio nifer o'i asedau rhag cael eu hystyried pan oeddan nhw'n mynd drwy'r ysgariad. Mae fy ymholiadau diweddar i fater arall wedi datgelu y gallai'r honiadau hynny fod yn wir. Mi fyswn i'n lecio gwybod, os gwelwch yn dda, a oeddech chi'n ymwybodol o un cyfrif neilltuol ar y pryd.'

Dechreuodd Bowen symud yn ei gadair, a rhwbio'i wyneb main â chledr ei law. 'Ddylwn i ddim dweud gair, wrth gwrs, ond mae'n dibynnu be yn union ydi'ch cwestiwn chi.'

'Mater reit syml, Mr Bowen. Mae o wedi dod i fy sylw i fod arian yn perthyn i Emyr Lloyd wedi bod mewn cyfrif yn enw cwmni o'r enw Ceunant Cyf. yng Nghymdeithas Adeiladu Yorkshire ar adeg yr ysgariad… yn agos i ddau gan mil o bunnau.'

Gallai Jeff weld y sioc ar wyneb y cyfreithiwr.

'Pwy ydi Ceunant Cyf.?' gofynnodd.

'Emyr Lloyd. Pwy arall?' atebodd Jeff. 'Er nad oes sôn am ei enw yn agos i ddogfennau'r cwmni.'

'Mi chwiliais i bob twll a chornel am asedau wedi'u cuddio, Ditectif Sarjant, hyd yn oed cyflogi cyfrifyddion fforensig i chwilio ar ein rhan ni.'

'Dwi'n cymryd felly na ddaethoch chi o hyd i'r arian?'

'Naddo.'

'Rŵan 'ta, Mr Bowen, mae hyn yn rhan o ymchwiliad sy'n cynnwys materion eraill llawer mwy difrifol, ac mi fydda i'n dod yn ôl i'ch holi chi eto pan fydd hi'n briodol i mi wneud hynny. Ond yn y cyfamser, fel y deudis i, peidiwch â sôn wrth neb am y peth, dim hyd yn oed Llinos Williams, os gwelwch yn dda.'

'Cymerwch fy ngair i, Ditectif Sarjant Evans,' atebodd Bowen.

Yn ôl yn ei swyddfa, eisteddodd Jeff y tu ôl i'w ddesg, yn hapus ei fod wedi cael cadarnhad o'r twyll. Hoelen fach arall yn arch Mr Emyr Lloyd JP, MBE, meddyliodd. Ond beth fyddai ei gam nesaf? Yn ôl at Malcolm Foley yn swyddfeydd Cynefinoedd Cynhenid Cymru, penderfynodd. Roedd yn rhaid iddo gael gwybod mwy am waith Tony Stewart, ac nid yn ystod y misoedd cyn ei ddiflaniad yn unig.

# Pennod 25

Cafodd Jeff apwyntiad i weld Malcolm Foley yn swyddfa Cynefinoedd Cynhenid Cymru ganol y bore canlynol.

'Diolch i chi am fy ngweld i eto, Mr Foley. Ers i ni gyfarfod, dwi wedi gwneud mwy o ymholiadau ynglŷn ag Anthony Stewart ac wedi cysylltu â'i chwaer o, Claire Murray, hefyd. Rhaid i mi ddweud bod gen i achos i bryderu am ei ddiogelwch o erbyn hyn, yn bennaf oherwydd bod Mr Stewart i'w weld fel petai ynghlwm â sawl gweithgaredd anonest yn ystod y blynyddoedd diwetha. Dwi'n amau fod rwbath – neu rywun – wedi dal i fyny efo fo, a dyna pam dwi'n awyddus i ddysgu mwy amdano fo a'i waith.'

'Gweithgareddau anonest? Ers pryd, felly?'

'Ers cyfnod adeiladu'r grisiau eogiaid ar afon Ceirw, yn sicr, ond efallai cyn hynny, hyd yn oed.'

'Ydi'r amheuon yma'n ymwneud â'i waith o efo ni?'

'Ddim yn uniongyrchol, Mr Foley, heblaw'r amheuaeth o lygredd pan adeiladwyd y grisiau. Mae'r gweddill yn ei fywyd personol, ond fedra i ddim ymhelaethu, mae gen i ofn.'

'Dwi'n falch o glywed, ond ers ein sgwrs rydw innau wedi bod yn ystyried gwaith ac ymddygiad Tony Stewart. Er nad o'n i'n gweithio yma yr adeg honno, mae un mater neilltuol wedi dod i fy sylw i, ac mi ddigwyddodd hynny o gwmpas cyfnod y datblygiad ar afon Ceirw.' Dechreuodd Foley aflonyddu yn ei gadair a chwarae efo'i sbectol wrth geisio dewis ei eiriau. 'Mae'r sefyllfa wedi bod yn fy mhoeni ers i ni siarad, felly mi wnes i dipyn o ymholiadau fy hun. Mi o'n i'n bwriadu cysylltu, deud y gwir, ond mi gawsoch chi'r blaen arna i.' Tynnodd ffeil drwchus o ddrôr a'i rhoi ar y ddesg o'i flaen. 'Pan oedd Tony Stewart yn ymwneud â'r prosiect grisiau eogiaid, roedd o'n gweithio ar achos arall hefyd – un difrifol iawn.'

'Ar yr un pryd?' gofynnodd Jeff.

'Mwy neu lai. Mi oedd yr hyn dwi isio sôn wrthach chi amdano wedi dechrau wythnosau lawer cyn busnes y grisiau, ac mi barhaodd am fisoedd wedyn, nes i'r achos gyrraedd y llys.'

'Swnio'n fater cymhleth.'

'Fel y soniais i pan siaradon ni gyntaf, prif waith Anthony Stewart oedd ymateb i gwynion gan y cyhoedd i lygredd amaethyddol yn afonydd a llynnoedd Cymru. Roedd o'n gofalu am yr achosion mwyaf difrifol, ac yn achlysurol mae unigolion a chwmnïau'n cael eu herlyn yn y llysoedd. Pur anaml roeddan ni'n gweld achosion mor ddifrifol â'r un roedd Tony'n ymchwilio iddo yn ystod y cyfnod hwnnw.'

'Ym mha ran o Gymru oedd hyn?' gofynnodd Jeff.

'Yn afon Dyfrdwy roedd y rhan fwyaf o'r llygredd, ond yn ôl yr ymholiadau a'r profion wnaeth Tony, yng ngheg afon Alwen y cafodd y gwenwyn ei roi yn y dŵr. Roedd olion teiars ar lan yr afon, ond dim digon i fod o ddefnydd i ni ddarganfod y cerbyd, ac roedd digon o wenwyn wedi'i roi yn y dŵr i wenwyno'r ddwy afon.'

'Be oedd effaith y llygredd?'

'Mi fu pysgod a chyfran helaeth o fywyd naturiol yr afonydd farw.'

'Ddaru Tony Stewart ddarganfod pwy oedd yn gyfrifol?'

'Do, cwmni o'r enw Gwaredu Gwastraff Cyf. ar stad ddiwydiannol ger Wrecsam. Yn ôl yr hyn dwi wedi'i ddarllen yn y ffeil yma, mi wnaeth Tony waith da iawn yn ystod ei ymchwiliad. Ond cwmni Gwaredu Gwastraff Cyf. oedd yr unig un yn yr ardal yn ddigon mawr i fod yn gyfrifol am y fath ddifrod, felly wnaeth o ddim edrych yn fanwl ar 'run cwmni nac unigolyn arall.'

'Gafodd y cwmni ei erlyn yn y llysoedd?'

'Naddo, a dyna sy'n fy mhoeni. Cyhuddwyd y cwmni ac roedd yr achos o fewn mis i gael ei glywed o flaen Llys y Goron Caer. Roeddan ni i gyd yn disgwyl gwrandawiad hir ar ôl i ble dieuog gael ei gyflwyno, ond yn anffodus, wedi i ni gael cyngor gan Wasanaeth Erlyn y Goron, gorfodwyd ni i ollwng yr achos.'

'Pam?'

'Roedd dau reswm, ond diffyg tystiolaeth oedd y tu ôl i'r ddau.'

'Os oedd diffyg tystiolaeth, sut aeth y mater cyn belled ag y gwnaeth o? Rhaid bod yr achos wedi mynd trwy Lys yr Ynadon i ddechrau.'

'Peidiwch â 'nghamddeall i, Sarjant Evans. Roedd yr holl dystiolaeth yn ei le bryd hynny. Tystiolaeth gadarn hefyd. Wedi i'r mater gael ei glywed o flaen yr ynadon, diflannodd y dystiolaeth.'

'Diflannu?'

'Ia. Rywsut neu'i gilydd, diflannodd y samplau roedd Tony Stewart wedi eu cymryd o'r afonydd, y casgenni oedd wedi cael eu defnyddio i gario'r gwenwyn at yr afon, a'r lorri y cariwyd nhw ynddi. Ond yn waeth na hynny, diflannodd un o'r tystion hefyd – yr un mwyaf allweddol.'

'Pwy oedd hwnnw?' Roedd Jeff ar binnau.

'Thomas Goodwin, dyn oedd yn cael ei gyflogi gan Gwaredu Gwastraff Cyf.'

'Be oedd ei swydd o yn y cwmni, a be oedd ei dystiolaeth?'

'Dreifio'r lorris oedd o. Un diwrnod mi gafodd o gais annisgwyl gan un o'i benaethiaid – roedd o'n gwrthod dweud pwy – i yrru lorri llawn casgenni i lecyn diarffordd yn ddiweddarach y noson honno, gan ddweud wrtho y byddai rhywun yno'n disgwyl amdano. Roedd hyn yn anghyffredin a doedd Goodwin ddim yn gyfforddus iawn efo'r peth. Gwnaeth ymholiadau efo'i gyd-weithiwyr cyn cychwyn, a dysgu mai rhyw fath o wastraff gwenwynig oedd yn y casgenni ac mai'r bwriad oedd eu gwagio i ryw afon. Hen, hen wastraff oedd o, a oedd wedi bod yn pydru am hir. Yn ôl pob golwg roedd gan y cwmni beth wmbredd o'r gwastraff, a doedd dim posib delio efo fo yn y ffordd arferol. Ar ôl dysgu hynny, smaliodd Goodwin ei fod yn sâl er mwyn cael esgus i beidio mynd.

'Pan nesaodd ein hymholiadau ni at y cwmni, holwyd gweithwyr y cwmni gan Tony Stewart. Roedd Goodwin yn nerfus ofnadwy ac yn amlwg yn erbyn cael gwared â gwastraff mewn modd anghyfreithlon. Mi wyddai y byddai'n cael ei ddiswyddo petai rheolwyr y cwmni yn dod i wybod ei fod yn fodlon siarad efo ni, ond siarad ddaru o. Dywedodd Goodwin nad oedd ganddo fwriad bod yn rhan o'r fath beth, a gwnaeth ddatganiad yn dweud y cwbwl roedd o'n ei wybod. Gwyddai y byddai ei ddatganiad yn cael ei ddatgelu i'r cwmni petai'r achos yn mynd i'r llys, ac ymhen amser daeth yn amlwg iddo mai dyna fysa'n digwydd. Yn ystod y misoedd cyn i ddatganiadau a thystiolaeth yr erlyniad gael eu datgelu i gyfreithwyr yr amddiffyniad, mi adawodd Goodwin y cwmni a mynd i weithio yn rhywle arall. Roedd y pwysau wedi'i godi oddi ar ei ysgwyddau wedyn, ac roedd o'n teimlo'n well ynglŷn â rhoi tystiolaeth.'

'Dwi'n cymryd bod y datganiad wnaeth Goodwin i Tony Stewart yn rhan o'r dystiolaeth gafodd ei datgelu?' gofynnodd Jeff.

'Oedd, fo oedd y prif dyst. Fo ddeudodd wrth Tony pa lorri a chasgenni gafodd eu defnyddio'r noson honno er mwyn iddo wybod o ble i gymryd y samplau. Roedd o'n barod i dystio hefyd fod yr arferiad o ddympio gwastraff, gwenwynig neu beidio, yn cael ei ddefnyddio o dro i dro pan nad oedd dewis arall. Dilynodd Tony yr wybodaeth honno i gael samplau o'r casgenni cywir a'r lorri – ar ôl eu profi, mi ffeindion ni fod y samplau yn cyd-fynd yn union â'r samplau gymerwyd o lannau'r afon ac o'r dŵr pan ddarganfuwyd y llygredd. Wrth gwrs, roedd perchnogion Gwaredu Gwastraff Cyf. yn amau'n syth fod rhywun yn y cwmni wedi achwyn. Yna, ymhen amser, wedi i bapurau'r erlyniad gael eu rhannu â'r amddiffyniad, roedd pawb yn gwybod mai Goodwin oedd yn gyfrifol.'

'Pwy wnaeth y penderfyniad i ollwng yr achos?' gofynnodd Jeff.

'Gwasanaeth Erlyn y Goron,' atebodd Foley. 'Roeddan ni'n gwrthwynebu hynny, wrth gwrs, ond doedd cofnodion canlyniadau'r profion labordy ddim yn ddigon da fel tystiolaeth heb fod y samplau gwreiddiol ar gael hefyd. Roedd gan yr amddiffyniad hawl i ofyn i'w gwyddonwyr eu hunain archwilio'r samplau, ond gan nad oedden nhw ar gael, roedd hynny'n amhosib, ac yn rhoi'r amddiffyniad dan anfantais. Ar ben hynny roedd Goodwin, y prif dyst, wedi diflannu, a phenderfynwyd bod yr achos yn rhy wan i barhau.'

'Be ddigwyddodd i Goodwin, tybed?'

'Ar ôl i ddatganiad llawn Goodwin gael ei roi i'r tîm oedd yn amddiffyn Gwaredu Gwastraff Cyf., fu dim sôn amdano wedi hynny. Dim o gwbl.'

'A be am y samplau a ddiflannodd?'

'Eto, dim syniad. Wrth gwrs, mi fu ymchwiliad trwyadl, fel y gallwch chi fentro. Meddyliwch am yr embaras o golli'r fath dystiolaeth.'

'Yn lle oedd y samplau'n cael eu cadw, Mr Foley?'

'Dan glo mewn oergell yn ein labordai ni, a honno mewn ystafell oedd wedi'i chloi. Mi fyddai angen i rywun fod wedi defnyddio'r ddwy allwedd i'w dwyn nhw.'

'A gan bwy oedd yr allweddi?'

'Roedd yr allweddi ar gael i bwy bynnag o'r staff oedd angen mynediad i'r ystafell, neu i'r oergell. Doedden nhw ddim wedi cael eu cuddio na'u cloi o afael neb. Mae'r ystafell yn cael ei defnyddio gan nifer o aelodau o staff am sawl rheswm, ac roedd lot fawr o fynd a dod.'

'Mi fysa wedi bod yn ddigon hawdd i Tony Stewart gael gafael arnyn nhw felly?'

'Mi oedd ganddo fo fwy o hawl na neb arall i wneud hynny, gan mai tystiolaeth yn ei achos o, y prif ymchwilydd, oedd y samplau. Erbyn hyn mae'r drefn wedi cael ei newid, ac mae ganddon ni system lawer iawn tynnach. Ond mater o godi pais ar ôl piso oedd hynny, mae gen i ofn. Dwi'n diolch i'r nefoedd nad o'n i yn y swydd 'ma ar y pryd, neu mi fysa croen fy nhin i ar fy nhalcen.'

## Pennod 26

Eisteddodd Jeff yn ôl yn ei gadair.

'Dwedwch fwy wrtha i am y cwmni Gwaredu Gwastraff Cyf. 'ma, Mr Foley. Sut fath o wastraff mae'r cwmni'n delio efo fo? Wn i ddim llawer am y diwydiant.'

'Mae o'n faes cymhleth, Sarjant Evans. Yn ogystal â chasglu gwastraff arall, mae'r cwmni'n rendro gwastraff anifeiliaid o bob math, a'i ailgylchu er mwyn ei ailddefnyddio. Bwyd anifeiliaid, gwrtaith, gwneud sebon, paratoi meddyginiaethau, a llawer mwy.'

'Doedd gen i ddim syniad fod y fath beth yn bosib.'

'Does 'na ddim llawer o bobl yn gwybod am y diwydiant, heb sôn am ei drosiant ariannol. Dwi'n sôn am biliynau o bunnau bob blwyddyn ym Mhrydain yn unig. Mae ailgylchu o'r math yma'n un o'r diwydiannau mwyaf gwerthfawr ar wyneb y ddaear – meddyliwch faint ohono sydd ei angen dim ond yn y wlad hon. Dwi ddim jyst yn sôn am wastraff o'r anifeiliaid rydan ni'n eu bwyta chwaith, er mai dim ond cyfran fach o bob anifail sy'n cael ei ddefnyddio ganddon ni yn fwyd. Be am y gwaed, yr esgyrn, y llygaid, y croen, y dannedd, yr ymennydd, yr ysgyfaint? Be sy'n digwydd i'r rheiny? Dwi'n sôn am anifeiliaid wedi'u difa mewn lladd-dai, wast o archfarchnadoedd, tai bwyta, ond beth am y gweddill? Ceffylau, cŵn a chathod sy'n cael eu rhoi i lawr gan filfeddygon, neu anifeiliaid o lochesau anifeiliaid. Does gan y wlad 'ma 'mo'r modd o ddelio efo'r fath wast heb ei rendro.'

'Mae hyn yn syndod i mi,' meddai Jeff. 'Pa gyfran o'r wast sy'n mynd yn ôl i fwydo anifeiliaid?'

'Y rhan fwyaf. Bwyd cŵn, cathod, pysgod mewn ffermydd, moch, defaid, gwartheg eidion a llaeth. Y cwbl yn cael ei droi a'i gymysgu efo bwyd grawn naturiol ar eu cyfer. Heb y math hwn o ailgylchu mi fyddai miloedd o sgerbydau anifeiliaid yn pydru'n afiach ar hyd a lled y wlad. Dyna pam mae'r broses o rendro mor angenrheidiol.'

'Lle mae cwmni fel Gwaredu Gwastraff Cyf. yn dod i mewn i'r broses?' gofynnodd Jeff.

'Drwy gasglu a chludo pob math o wastraff o wahanol rannau o'r wlad. Tydi o ddim yn anghyffredin i gwmni deithio'n bell iawn os ydi'r cytundeb yn un proffidiol. Yn y ffatri wedyn, mae'r gwastraff yn cael ei wahanu yn ôl ei ddefnydd terfynol, a'r cig yn cael ei dorri'n fân gan beiriannau arbennig a'i gynhesu i dymheredd uchel. Mae 'na dri chanlyniad i'r broses: mae'r saim sy'n codi i'r wyneb yn cael ei ddefnyddio i ychwanegu protein i fwyd anifeiliaid, a'r cig yn cael ei wasgu a'i sychu er mwyn creu powdwr. Mae'r esgyrn hefyd yn cael eu trin. Ar ddiwedd y broses mae'r cwbl yn mynd i gwmnïau sy'n ei droi yn fwyd, lledr, gwrtaith neu beth bynnag arall.'

'Y ffaith fod gwartheg yn bwyta cig anifeiliaid eraill sy'n fy synnu i'n fwy na dim byd arall, a deud y gwir, Mr Foley,' meddai Jeff. 'Nid peth felly oedd yn gyfrifol am Glwy'r Gwartheg Gwallgof rai blynyddoedd yn ôl?'

'Yn hollol. Mi wnaeth y drafodaeth a'r cyhoeddusrwydd yr adeg honno lawer iawn o niwed i'r diwydiant cig eidion, os cofiwch chi.'

'I fynd yn ôl i'r achos gafodd ei ollwng pan aeth y dystiolaeth ar goll. O ba ran o'r broses y daeth y gwastraff gwenwynig gafodd ei waredu yn afonydd Alwen a Dyfrdwy? Oes ffordd o ddarganfod hynny?'

'Dim i sicrwydd, ond mi fyswn i'n meddwl fod cyrff yr anifeiliaid wedi cael eu gadael i bydru a magu haint cyn i'r deunydd gael ei gynhesu. Mae'r rhan honno'r broses yn diheintio a chael gwared o unrhyw ddrwg sydd yn y cig. Ond mi all fod wedi cael ei ailheintio wedyn. Amhosib dweud.'

'Ond fedra i ddim dallt – pam oedd rhaid cael gwared ohono'n anghyfreithlon mewn afonydd?'

'Mae canllawiau pendant ynglŷn â phob math o wastraff, ond doedd dim rhaid i Tony brofi hynny yn yr achos hwn – dim ond profi bod y gwenwyn wedi dod o gwmni Gwaredu Gwastraff Cyf. oedd ei angen er mwyn cyflwyno'r dystiolaeth i'r llys. Ond mi fyswn i'n dyfalu bod y gwastraff roddwyd yn yr afonydd yn stwff nad oedd y cwmni'n medru ei drin ar y pryd. Boed hynny oherwydd bod gormod o waith ganddyn nhw i ddelio efo bob dim, neu bod rhai o'r peiriannau wedi torri i lawr. Mae 'na nifer o resymau, am wn i.'

'Pam gafodd y cwmni i gyd ei erlyn, yn hytrach nag unigolyn yn y cwmni?'

'Am nad oedd ganddon ni syniad pwy yn union o'r cwmni oedd yn gyfrifol. Wedi dweud hynny, roedd tystiolaeth i awgrymu bod y gorchymyn wedi dod o'r top.'

'Ddaru Tony Stewart gyfweld rhywun o'r cwmni?'

'Do, y Rheolwr Gyfarwyddwr. Fo oedd y perchennog hefyd.' Edrychodd Foley trwy'r ffeil cyn parhau. 'Dyn o'r enw Campbell Albert Hutchinson. Fe'i holwyd o ym mhresenoldeb ei gyfreithiwr ac un o'n cyfreithwyr ni. Ddwedodd o ddim llawer. Gwadu pob dim. Hyd yn oed os oedd y gwenwyn wedi dod o'i gwmni o, doedd ganddo ddim syniad pwy oedd yn gyfrifol, medda fo, na phwy roddodd y fath orchymyn a oedd yn erbyn polisi'r cwmni. Dyna pam roedd tystiolaeth Goodwin mor bwysig. Hutchinson, mae'n debyg, ddeudodd wrtho fo am yrru'r lorri y noson honno. Gwadu hynny wnaeth Hutchinson, wrth gwrs, ond doedd Goodwin ddim ar gael i roi'r dystiolaeth yn ei erbyn gerbron y llys, nagoedd?'

Wrth yrru adref dechreuodd Jeff feddwl. Sut ddiflannodd y dystiolaeth o swyddfeydd Cynefinoedd Cynhenid Cymru, a beth oedd wedi digwydd i Thomas Goodwin? A'r trydydd cwestiwn: beth oedd gan hyn i gyd i'w wneud â'r ymosodiad ar Daniel Pritchard a'i achos o? Cysylltodd ei ffôn â system ei gar er mwyn ceisio cael gafael ar hen gyfaill iddo yn Heddlu Swydd Caer.

'Ditectif Arolygydd Woodall,' atebwyd y ffôn.

'Gordon, sut wyt ti? Jeff Evans sy 'ma o Lan Morfa.'

'Wel ar f'enaid i, Jeff. Sut wyt ti ers blynyddoedd? Mae rhaid dy fod ti isio rwbath – dwyt ti byth yn ffonio fel arall.'

Chwarddodd Jeff, gan gyfaddef fod Gordon yn llygad ei le. Roedd y ddau wedi mynychu cwrs gyda'i gilydd bymtheng mlynedd ynghynt, ac ar ôl dod yn gyfeillion bryd hynny byddai'r naill yn ffonio'r llall am gymorth o dro i dro.

'Mae gen i ddiddordeb mewn dyn aeth ar goll ryw chwe neu saith mlynedd yn ôl. Thomas Goodwin oedd ei enw, yn byw yn ochrau Blacon tu allan i Gaer.' Dywedodd Jeff rywfaint o'r hanes wrtho.

'Swnio'n amheus iawn i mi, Jeff,' atebodd Gordon. 'Mae gen i frith gof o'r peth er nad o'n i'n gysylltiedig â'r achos fy hun. Mi a' i i chwilio drwy'r system a dod yn ôl atat ti cyn gynted ag y medra i.'

Ffoniodd Gordon yn ôl cyn i Jeff gyrraedd cyffiniau Glan Morfa. Tynnodd Jeff i mewn i encilfa hwylus cyn dechrau gwrando a thrafod.

'Thomas Michael Goodwin,' dechreuodd Gordon. 'Deg ar hugain oed ar y pryd, dyn sengl yn byw ar ei ben ei hun yn Talbot Rise, Blacon, un o nifer o fflatiau mewn tŵr uchel. Gyrrwr lorri i gwmni gwerthu llysiau a ffrwythau o'r enw Gadleys oedd o, a diflannodd ar yr wythfed o Fai 2017. Dechreuwyd ymchwiliad mawr – roedd o wedi trefnu i fynd ar wyliau efo'i gariad ymhen yr wythnos a doedd dim rheswm o gwbl iddo ddiflannu. Parhaodd yr ymchwiliad am dri mis, a does gan neb syniad i ble aeth y creadur hyd heddiw.'

'Oeddach chi'n ymwybodol ei fod o wedi gwneud datganiad ynglŷn ag achos yn erbyn ei gyn-gyflogwr?'

'Oeddan. Mi yrrwyd timau o dditectifs i'r fan honno i holi nifer o'i gyn-gydweithwyr, ond chawson ni ddim gwybodaeth. Mi holwyd perchennog y cwmni, hyd yn oed, dyn o'r enw Campbell Albert Hutchinson. Cafodd ei arestio a'i holi am oriau, yn ôl y ffeil, ond doedd dim digon o dystiolaeth i'w gysylltu o â'r diflaniad. A beth bynnag, roedd ganddo alibi ar y noson y diflannodd Goodwin. Nid bod hynny'n golygu llawer – mae Hutchinson wedi bod o ddiddordeb i'r heddlu yn yr Alban yn y gorffennol, ond dydi'r manylion ddim wrth law gen i ar hyn o bryd.'

'Gafodd dyn o'r enw Anthony Stewart o Gynefinoedd Cynhenid Cymru ei holi, Gordon? Fo oedd yn ymchwilio i'r achos lle'r oedd Goodwin yn dyst.'

'Do, mae 'na ddatganiad llawn gan Stewart yn y system, ond does 'na ddim o ddefnydd ynddo.'

'Oes 'na sôn yn natganiad Stewart am dystiolaeth a

ddiflannodd chydig cyn i'r achos yn erbyn cwmni Hutchinson gael ei glywed yn Llys y Goron?'

Clywodd Jeff sŵn Gordon Woodall yn taro'i fysedd ar fysellfwrdd y cyfrifiadur o'i flaen, ac ymhen munud neu ddau, atebodd.

'Na, does dim sôn am hynny.'

'Peth rhyfedd. Dyna, yn ogystal â diflaniad Goodwin, achosodd i'r achos yn erbyn y cwmni gwastraff ddymchwel.'

'Daethpwyd o hyd i gar Goodwin wedi'i barcio yn ei le parcio arferol ger ei gartref,' parhaodd Woodall, 'ac mi glywson ni ei fod o wedi treulio'r gyda'r nos cyn iddo ddiflannu yn ei dafarn leol efo'i fêts yn y tîm darts. Gadawodd y dafarn ar ei ben ei hun chydig cyn amser cau, a dyna'r tro olaf iddo fo gael ei weld.'

'Achos rhyfedd iawn,' meddai Jeff. 'Cymaint o amheuaeth, a chyn lleied o wybodaeth.'

'Ia, Jeff, ti'n deud y gwir,' cytunodd Gordon. 'Ac mae'r achos wedi cael ei ailagor ddwywaith neu dair ers hynny, er mwyn adolygu ac ailedrych ar y dystiolaeth, ond does 'na ddim mwy o wybodaeth wedi dod i'r fei. Dim byd o gwbl.'

'Wel, diolch i ti beth bynnag, Gordon. Ti wedi bod o help mawr.'

Taniodd Jeff y car a pharhau ar ei siwrnai. Erbyn hyn roedd ganddo ddau ddyn wedi diflannu; dau ddyn oedd yn gysylltiedig â'i gilydd, un wedi diflannu chwe blynedd yn ôl ac un yn llawer iawn mwy diweddar. Oedd 'na gysylltiad? Doedd Jeff ddim yn credu yn y fath gyd-ddigwyddiadau. Ond roedd un cysylltiad arall erbyn hyn, sef cwmni Gwaredu Gwastraff Cyf. Roedd yn ysu i dyrchu i mewn i hanes y cwmni, a Hutchinson, ei berchennog.

# Pennod 27

Wrth iddo droi'r car rownd ac anelu i gyfeiriad Wrecsam, gwnaeth alwad arall drwy'r system sain.

'Sgwâr, oes 'na rwbath yn fy nisgwyl i yn y swyddfa sydd angen delio efo fo heddiw?'

'Dim byd o gwbl, Sarj. Ma' hi'n ddigon distaw. Dwi a'r hogia wedi bod yn dechrau paratoi ar gyfer yr ymweliad brenhinol 'ma.'

'Oes 'na rywun wedi holi amdana i?'

'Dim ond yr Uwch-arolygydd Edwards, ond mi ddeudodd o nad oedd o'n fater brys.'

'Iawn felly, Sgwâr. Gwranda, dwi wedi dod ar draws rhywfaint mwy o wybodaeth ynglŷn â'r ymosodiad ar Daniel Pritchard, ac mae 'na drywydd y mae'n rhaid i mi ei ddilyn. Fydda i ddim yn ôl yn y swyddfa am rai oriau, ond yn y cyfamser, wnei di ymholiad i mi, plis?'

'Wrth gwrs, Sarj.'

'Mae 'na gwmni o ochrau Wrecsam o'r enw Gwaredu Gwastraff Cyf. sy'n cael ei redeg gan foi o'r enw Campbell Albert Hutchinson.' Rhoddodd Jeff hynny o wybodaeth ag a gafodd iddo. 'Mae'n bosib bod yr heddlu i fyny yn yr Alban yn gyfarwydd â fo. I ddechra, ffonia Dŷ'r Cwmnïau yng Nghaerdydd i holi am y cwmni a Hutchinson ei hun, ac yna cysyllta efo'r heddlu yn yr Alban. Os gei di afael ar rwbath diddorol, gyrra decst ac mi ro' i ganiad yn ôl i ti gynted ag y galla i.'

'Iawn, Sarj. Dim problem. Lle fyddwch chi?'

'Dwi'n mynd i gael sgowt o gwmpas adeiladau'r cwmni, i gael mwy o syniad be sy'n digwydd yno.'

Ar ôl iddo roi'r ffôn i lawr, twtiodd Sgwâr y nodiadau a wnaeth yn ystod y sgwrs, a gwenu. Roedd o wrth ei fodd yn cael gweithio efo Jeff pan oedd ar drywydd oedd yn ei gyffroi – doedd dim posib dal yr Afanc, fel roedd yr hogia'n galw eu ditectif sarjant, yn ôl pan oedd wedi arogli gwaed. Dyma pam y cafodd ei lysenw flynyddoedd ynghynt: roedd yn dal i gnoi a chnewian nes iddo ddatrys pob achos. Aeth ati i ddechau ar yr ymholiadau.

Ymhen dwyawr roedd Jeff wedi parcio'i gar ar ymyl stad ddiwydiannol ryw hanner canllath oddi wrth safle Gwaredu Gwastraff Cyf. Roedd nifer o unedau eraill o'i gwmpas ond roedd y gwaith ailgylchu ar ben eithaf y stad, wedi'i amgylchynu â ffens uchel a weiren bigog droellog ar ei phen, gan wneud i'r lle edrych yn debycach i wersyll-garchar oeraidd nag uned ddiwydiannol. Roedd un giât ddwbl lydan yn cynnig mynediad i'r safle a honno ynghau, a gwarchodwr mewn iwnifform filwrol yr olwg yn sefyll ger cwt bach gerllaw iddi.

Yn codi o'r adeilad mwyaf roedd simdde uchel â mwg brown golau yn dod ohoni. Wrth wylio'r mwg afiach yn cael ei gario ar y gwynt i gyfeiriad y gogledd-ddwyrain, sylweddolodd Jeff pam fod y safle mor bell oddi wrth weddill unedau'r stad. Ar un ochr i'r adeilad roedd tua dwsin neu fwy o loriau mawr – rhain fyddai'n cael eu defnyddio i gludo cyrff anifeiliaid o bob math yno i'w trin, dyfalodd. Cludfelt o gyrff, bedair awr ar hugain y dydd, saith diwrnod yr wythnos.

Roedd nifer o ddynion yn cerdded o gwmpas y safle, pob un mewn oferôls oren a hetiau caled gwynion, a phawb yn brysur wrth eu gwaith. Ger adeilad isel mwy graenus na'r gweddill – y swyddfeydd, mwy na thebyg – roedd ceir wedi'u parcio'n dwt mewn rhes.

Rhoddodd Jeff lens fawr ar y camera a gariai yn y car bob amser, er mwyn cael gwell golwg ar y ceir. Nid oedd am fentro allan o'i gar rhag ofn i rywun ei weld, felly chwyddodd y ddelwedd gymaint ag y gallai. Roedd yn debygol iawn fod diogelwch yn flaenoriaeth mewn safleoedd fel hwn, ystyriodd, gan fod y diwydiant yn un a fyddai'n gallu denu diddordeb ymgyrchwyr amgylcheddol a phrotestwyr dros hawliau anifeiliaid. Cymerodd nifer o luniau, ond tynnwyd ei sylw gan un o'r ceir yn arbennig, Mercedes mawr du a oedd wedi'i barcio reit tu allan i'r drws ffrynt. Tynnodd lun ohono a gwneud cofnod o'r rhif cofrestru. Dechreuodd ei galon gyflymu wrth iddo sylweddoli ei fod wedi darllen rhif tebyg iawn yn un o lyfrau bach Dan Dŵr, ymysg y nodiadau a wnaeth yr hen fachgen ar lannau afon Ceirw rai wythnosau'n ôl. Os cofiai'n iawn, dim ond un rhif ac un llythyren oedd yn wahanol, ac roedd yr hen Dan wedi gwneud camgymeriad tebyg wrth gofnodi o leiaf un rhif car arall.

Ffoniodd y pencadlys er mwyn dysgu pwy oedd ceidwad y cerbyd a chafodd ateb yn syth: Campbell Albert Hutchinson, perchennog Gwaredu Gwastraff Cyf., oedd y ceidwad, ac roedd y Merc wedi'i gofrestru i gyfeiriad y cwmni. Edrychodd eto ar y rhif: AL99 HUT. Cafodd eiliad o ysbrydoliaeth. Wrth gwrs, meddyliodd, Campbell Albert Hutchinson oedd yr 'Al' oedd yn mynychu partïon Emyr Lloyd yng Ngheirw Uchaf. Sut na wnaeth o'r cysylltiad ynghynt? Cofiodd yr hyn a ddywedodd Esmor, y cipar afon, wrtho ynglŷn â'r pysgod marw yn yr afon yn ddiweddar. O'r diwedd, roedd pethau'n dechrau gwneud synnwyr. Os oedd Dan yn mynd at yr afon yn hwyr yn y nos er mwyn ceisio dal pwy bynnag oedd yn llygru'r afon, a oedd gan Hutchinson a'i gwmni gwastraff rywbeth i'w wneud â'r peth? Roedd mwy o ddarnau'r jig-so yn dod ynghyd, ond beth fyddai'r cam nesaf? Edrychodd Jeff ar ei watsh. Chwarter i bump. Penderfynodd dynnu cymaint o luniau â phosib cyn i staff y swyddfa adael eu gwaith.

Clywodd sŵn neges destun yn cyrraedd ei ffôn – roedd Sgwâr angen cael sgwrs.

'Be sy gen ti?' gofynnodd yn gyffrous.

'Rwbath diddorol iawn, Sarj. Mi ffoniais Dŷ'r Cwmnïau yng Nghaerdydd a chael digon o fanylion am Hutchinson. Fo ydi cyfarwyddwr y cwmni a'r prif gyfranddaliwr. Mae dau ddyn arall o'r Alban yn gyfranddalwyr hefyd, a gan nad oedd yr enwau'n golygu llawer i mi, mi gysylltais i â'r heddlu yn yr Alban. Wal frics ges i yn fanno, ond mae 'na reswm da am hynny. Mi fydd raid i chi ddilyn y trywydd hwnnw eich hun pan gewch chi gyfle.'

'Pam? Dwi ddim yn dallt.'

'Mi fyddwch chi mewn dau funud, Sarj. Ar ôl i mi ddechrau gwneud ymholiadau mi ges i fy nghyfeirio at Adran Droseddau Difrifol Glasgow. Siaradais i ddechra efo Ditectif Sarjant McNiven, ond unwaith i mi sôn 'mod i'n gwneud ymholiadau am Hutchinson, rhoddodd fi drwadd i'w fòs, y Ditectif Brif Uwch-arolygydd McFearson, pennaeth yr adran.'

'Rhaid bod rheswm da am hynny.'

'Ma' siŵr, ond doedd o ddim yn fodlon siarad efo fi. Y

cwbwl ddeudodd o oedd eu bod nhw'n gweithio ar ymchwiliad mawr sy'n ymestyn i grombil is-fyd Glasgow, a'u bod nhw'n weddol agos i fedru cau pen y mwdwl arno ac arestio'r pen bandits. Wrthododd o ddeud mwy, dim ond fy rhybuddio i beidio â gwneud dim fysa'n rhoi rhybudd i Hutchinson fod gan yr heddlu ddiddordeb ynddo. Os ydach chi angen mwy o wybodaeth, mi fydd raid i chi fynd i fyny i Glasgow i drafod y mater yn bersonol fel nad oes trywydd digidol o fath yn y byd.'

'Oedd y Ditectif Brif Uwch-arolygydd McFearson 'ma'n swnio'n ddyn gweddol hawdd i ddelio efo fo?'

'Oedd, tad. Gŵr bonheddig, ond yn benderfynol o wneud petha'n iawn, fel y bysach chi'n disgwyl. Mi ddeudis i mai holi ar eich rhan chi o'n i, ac y byswn i'n dod yn ôl ato fo cyn gynted â phosib. Mi ddeudodd ei fod o yn y swyddfa am ddwyawr arall, o leia, ac y bysa fo'n aros am alwad gan rywun o'n huwch-swyddogion ni.'

'Diolch i ti, Sgwâr. Ga' i rif ffôn McFearson gen ti, plis?'

Roedd hi'n tynnu at bump o'r gloch pan roddodd Jeff y ffôn i lawr, ac roedd un neu ddau o staff Gwaredu Gwastraff Cyf. yn gadael y swyddfeydd. Tynnodd un neu ddau o luniau, ond roedd ganddo faterion pwysicach ar ei feddwl bellach. Ffoniodd rif pencadlys y llu unwaith eto.

'Rhowch fi drwadd i swyddfa'r Dirprwy Brif Gwnstabl, os gwelwch yn dda,' gofynnodd.

'Ydi Mr Owen yn disgwyl galwad ganddoch chi?' gofynnodd yr ysgrifenyddes ar ôl ateb.

'Nac'di, ond dwi angen trafod mater pwysig efo fo ar frys.'

Disgwyliodd Jeff am funud, yna clywodd y llais cyfarwydd.

'Ditectif Sarjant Jeff Evans, mae hyn yn syrpréis... be fedra i wneud i ti?'

Oedd, roedd hi'n anarferol i'r Dirprwy dderbyn galwad ddigymell gan dditectif sarjant, ond roedd y ddau hyn wedi cydweithio dan amgylchiadau anarferol sawl gwaith yn y gorffennol, ac erbyn hyn roedd dealltwriaeth a pharch rhwng y ddau.

'Pnawn da, syr,' dechreuodd Jeff, cyn rhoi crynodeb manwl o'r hanes, a rhif ffôn y Ditectif Brif Uwch-arolygydd McFearson, iddo.

'Gad o efo fi, Jeff. Mi ddo' i'n ôl atat ti cyn gynted ag y medra i.' Gwyddai Jeff y gallai ddibynnu ar y Dirprwy, felly eisteddodd yn ôl yn sedd gyrrwr y car gan ddal y camera yn ei ddwylo chwyslyd. Daeth sŵn rhuo o'i fol i'w atgoffa nad oedd wedi bwyta dim ers amser brecwast, ond anghofiodd am fwyd pan ddaeth dyn smart mewn siwt dywyll, yn ei bedwardegau hwyr neu ei bumdegau cynnar, allan o'r adeilad gweinyddol a cherdded tuag at y Mercedes du. Rhaid mai Campbell Albert Hutchinson – neu Al i'w ffrindiau – oedd hwn. Cododd Jeff y camera a dechrau tynnu lluniau, ond rhewodd ei fys ar y botwm pan welodd ddynes hardd yn ei phedwardegau, yn cario rhyw fath o fag dogfennau, yn dilyn Hutchinson ar draws y maes parcio. Craffodd Jeff drwy'r lens bwerus er mwyn gweld yn well... Dwynwen Lloyd oedd hi! Doedd dim amheuaeth. Tynnodd fwy o luniau wrth iddi gerdded at y Mercedes du a dringo i'r sedd flaen wrth ochr Hutchinson.

Pan yrrodd yr Albanwr y car drwy'r giatiau ystyriodd Jeff ei ddilyn, ond penderfynodd beidio. Efallai y byddai wedi gwneud hynny pe na bai'r Dirprwy wrthi'n holi heddlu Glasgow ynglŷn â Hutchinson – y peth diwethaf roedd o am ei wneud oedd ymyrryd â'r ymholiadau hynny.

Eisteddodd yn llonydd y tu ôl i lyw ei gar i brosesu'r hyn a welodd. Nid yn unig roedd Al Hutchinson yn dal i fod yn ymwelydd cyson â Cheirw Uchaf, ond roedd rhyw fath o berthynas rhyngddo fo a Dwynwen Lloyd. Sut fath o berthynas, tybed? Oedd Emyr Lloyd yn gwybod ei bod hi yma? Cofiodd fod Llinos Lloyd, cyn-wraig Emyr, wedi dweud mai Al Hutchinson ddaeth â Dwynwen i Geirw Uchaf yn y lle cyntaf, flynyddoedd yn ôl. Roedd y ddau yn adnabod ei gilydd, felly, pan adeiladwyd y grisiau eogiaid... a phan ddymchwelodd yr achos cyfreithiol yn erbyn Gwaredu Gwastraff Cyf., a phan ddiflannodd Thomas Goodwin.

Wrth yrru yn ôl i gyfeiriad Glan Morfa, canodd ffôn symudol Jeff. Atebodd drwy system y car.

'Jeff, y Dirprwy sy 'ma. Fedri di siarad?'

'Medraf, syr.'

'Dwi wedi siarad efo'r Ditectif Brif Uwch-arolygydd McFearson yn Glasgow. Mae o'n barod i roi cymorth i ni, ar ei delerau ei hun, ac o'r disgrifiad cryno ges i ganddo o'u hymchwiliad nhw, mi fedra i ddeall pam. Dwi wedi gwneud trefniadau i ti fynd i'w swyddfa fo fory, erbyn amser cinio. Fedri di wneud hynny?'

'Medraf siŵr, os oes angen.'

'Noson gynnar heno felly, Jeff. A bydda'n ofalus ar y ffyrdd 'na.'

'Be am fy nghyfrifoldebau i ynglŷn ag ymweliad Tywysog a Thywysoges Cymru yn ystod y dyddiau nesa?'

'Paid di â phoeni am hynny – mi fedrwn ni wneud hebddat ti, rywsut. Mi fydd yr Arolygydd Edwards yn siŵr o ddallt.'

Wrth i Jeff ffonio'i wraig, llifodd gwefr drydanol drwyddo. Roedd taith i'r Alban, a'r addewid am fwy o wybodaeth ynglŷn â Hutchinson, yn ei gyffroi yn llawer mwy nag ymweliad brenhinol diflas.

'Meira, dwi ar y ffordd adra, ond dwi'n gorfod mynd i'r Alban yn gynnar iawn bore fory. Fedri di fynd â'r plant i'r ysgol?'

'Medraf, siŵr. Ond pam goblyn wyt ti'n mynd i'r Alban? Dwyt ti ddim yn mynd i roi dy hun mewn peryg eto, gobeithio?'

'Paid â phoeni, Meira bach. Mynd i gyfarfod ym mhencadlys yr heddlu yn Glasgow ydw i, nid rhuthro ar ôl rhyw ddihirod.'

'Hmm. Wel, mi fydd bwyd ar y bwrdd i ti ymhen yr awr.'

'Diolch, cariad.'

# Pennod 28

Stopiodd Jeff yng ngwasanaethau Tebay yn Westmorland am wyth o'r gloch fore trannoeth. Edrychai ymlaen yn eiddgar at y diwrnod o'i flaen, a bu'n ceisio dyfalu yn ystod ei daith beth fyddai'n ei ddarganfod am weithgareddau Al Hutchinson.

Cododd gwfl ei gôt ddyffl dros ei ben rhag y glaw trwm oedd yn cael ei chwythu i'w wyneb. Gwyddai am un neu ddau o'i uwch swyddogion a fyddai'n gwaredu petaent yn gwybod ei fod yn mynd i bencadlys llu arall i gynrychioli Heddlu Gogledd Cymru wedi'i wisgo mor flêr. Oedd, roedd yr hen gôt wedi gweld dyddiau gwell, ond roedd hi wedi ei gadw'n gynnes bob gaeaf ers blynyddoedd... ac wedi bod yn dyst i lu o anturiaethau.

Roedd y maes parcio'n rhyfeddol o lawn, ac ymunodd â'r bobl oedd yn rhuthro drwy'r storm tua'r fynedfa. Ymhen hanner awr roedd wedi gorffen bwyta brecwast llawn, ac ailgychwynnodd ar ei daith i fyny'r M6 i gyfeiliant gwich y weipars oedd yn hedfan yn ôl ac ymlaen ar hyd y sgrin wynt. Awr a chwarter yn ddiweddarach roedd wedi croesi'r ffin rhwng Lloegr a'r Alban.

Ymhen dwyawr arall, rhoddodd Jeff ganiad i Ditectif Sarjant John McNiven i ddweud wrtho ei fod ar gyrion dinas Glasgow. Doedd o ddim wedi cael gwybod lle i fynd ymlaen llaw, am ryw reswm, a dim ond ar y funud olaf roedd o i gael cyfeiriad y man cyfarfod. Mae'n rhaid bod yr achos roedd llu'r Alban yn gweithio arno yn un difrifol iawn, o ystyried y fath drefniadau diogelwch. Rhoddodd y cod post yng nghof y llywiwr lloeren a dilyn y cyfarwyddiadau mewn traffig trwm am awr arall. Yn ôl gorchymyn John McNiven, ffoniodd Jeff eto ar ôl iddo gyrraedd diwedd y daith.

Edrychodd Jeff o'i gwmpas. Roedd llu o adeiladau mawr, uchel o'i flaen, ond doedd 'run ohonynt yn edrych yn debyg i orsaf heddlu. Yn sydyn, gwelodd ddyn yn cerdded ar draws y stryd tuag ato – roedd yn ei dridegau cynnar, yn gwisgo jîns glas, siwmper dywyll a gwasgod gerdded ddu, ac edrychai ei ben moel fel petai wedi cael ei eillio y bore hwnnw. Wrth iddo hanner gwenu, gwelodd Jeff yr angerdd yn ei lygaid siarp.

'DS Evans?' gofynnodd.

'Ia, Jeff Evans,' atebodd Jeff, gan estyn ei law allan iddo i'w hysgwyd.

'Ga' i weld eich cerdyn adnabod chi, Sarjant Evans?' gofynnodd y dyn mewn llais a oedd yn swnio braidd yn rhy swyddogol.

'Siŵr iawn.' Estynnodd Jeff y cerdyn o'i waled, damed yn siomedig o orfod mynd drwy'r fath seremoni ar ôl y trefniadau teithio llym.

Edrychodd McNiven ar y cerdyn a'r llun arno yn fanwl, ac yna ar wyneb Jeff.

'Ro'n i dipyn 'fengach pan dynnwyd y llun 'na,' meddai'n ysgafn, a gwelodd awgrym – a dim ond awgrym – o wên ar wyneb McNiven.

'Reit, Jeff,' meddai. 'Yn ôl i'r car, plis, ac mi a' i â chdi i'r maes parcio.'

Cafodd gyfarwyddyd i yrru rownd y bloc ac i gyfeiriad

giatiau metel uchel yng nghefn yr adeilad. Agorodd y giatiau ar ôl i McNiven bwyso botwm ar declyn bach a dynnodd o'i boced, a pharciodd Jeff ei gar. Wrth i'r ddau gerdded at y drws cefn, rhoddodd McNiven gortyn gwddf iddo gyda cherdyn 'Ymwelydd Swyddogol' yn crogi oddi arno, gan bwysleisio y byddai'n rhaid iddo'i wisgo tra byddai ar y safle. Tynnodd un tebyg o'i boced a'i wisgo.

'Ddrwg gen i am hyn i gyd, Jeff,' meddai. 'Mi ddaw'r rheswm am yr holl drefniadau diogelwch yn amlwg i ti cyn hir.' Roedd ei wên yn dipyn cynhesach erbyn hyn, a gallai Jeff weld ei fod yn dechrau ymlacio.

Hebryngwyd Jeff drwy'r drws cefn ac i fyny mewn lifft i'r wythfed llawr.

'Dydi fan hyn ddim yn edrych yn debyg i unrhyw orsaf heddlu i mi ei gweld o'r blaen,' cyfaddefodd.

'Achos nad gorsaf yr heddlu ydi'r fan hyn... rydan ni angen rhywle cyfrinachol i'w ddefnyddio dros dro. Mi ddaw'r rheswm am hynny hefyd yn amlwg i ti cyn hir, Jeff.'

'O ba ran o'r Alban wyt ti'n dod, John?' gofynnodd Jeff wrth sylwi nad acen leol i'r ardal oedd un John McNiven.

'Sutherland,' atebodd. 'Lle o'r enw Dornoch. Pan ymunodd holl luoedd yr Alban rai blynyddoedd yn ôl, roedd yn rhaid i aelodau o staff oedd eisiau mynd am ddyrchafiad fod yn barod i weithio yn unrhyw ran o'r wlad.'

Agorodd drws y lifft, ac ar ôl i John fewnbynnu'r cod i agor drws arall, hebryngwyd Jeff ar hyd coridor hir gyda charped trwchus arno. Pasiodd nifer o swyddfeydd ar ddwy ochr y coridor, ac wrth edrych i mewn trwy'r waliau gwydr, gwelodd Jeff fod nifer o ddynion a merched yn gweithio wrth amrywiol ddesgiau. Er bod rhai yn gwisgo iwnifform, roedd y mwyafrif yn gwisgo'u dillad anffurfiol eu hunain, fel John McNiven. Ni chymerodd yr un ohonynt sylw o Jeff wrth iddo'u pasio.

Cnociodd John yn ysgafn ar ddrws ym mhen draw'r coridor, ac ar ôl cael caniatâd i'w agor, rhoddodd ei ben i mewn.

'Ditectif Sarjant Jeff Evans o Heddlu Gogledd Cymru, syr,' meddai. 'Ydi hi'n gyfleus?'

'Ydi. Dewch â fo i mewn,' oedd yr ateb.

Cerddodd y ddau i mewn i'r ystafell gynhadledd fawr, foethus, a chododd dyn yn ei bedwardegau hwyr ar ei draed. Roedd ymhell dros chwe throedfedd o daldra, a'i wallt cringoch trwchus, a oedd wedi dechrau britho, wedi'i steilio'n dwt. Gwisgai siwt dywyll, crys a thei, yn wahanol i bawb arall a welodd ers iddo gyrraedd yr adeilad.

'Jeff, dyma bennaeth yr Adran Droseddau Difrifol a Threfnedig, Ditectif Brif Uwch-arolygydd McFearson.'

Camodd McFearson o'r tu ôl i'w ddesg ac estyn ei law tuag at Jeff.

'Dewch,' meddai, gan arwain y ddau ddyn arall tuag at y bwrdd mawr a chynnig cadair yr un iddynt. Yn ôl ei acen, dyn lleol wedi'i fagu yn Glasgow oedd hwn. Eisteddodd y tri i lawr.

'Diolch i chi am deithio i fyny yma ar fyr rybudd, Sarjant Evans. Dwi'n gwerthfawrogi'n fawr.' Roedd ei ymddygiad yn groesawgar a boneddigaidd, ond roedd yn ddigon hawdd gweld ei fod yn rheolwr cadarn a phenderfynol. 'Dwi'n ymddiheuro 'mod i wedi gorfod gosod telerau mor bendant ar gyfer y cyfarfod 'ma,' parhaodd McFearson. 'Fel rheol mi fuaswn i wedi mynnu delio, gyda phob parch, efo swyddog ychydig uwch ei reng na chi, Sarjant Evans, ond yn amlwg, mae gan eich Dirprwy Brif

Gwnstabl chi, Mr Owen, barch mawr atoch chi, a dwi'n fodlon cymryd ei air o. Y peth cyntaf dwi am i chi ei gofio, Sarjant Evans, ydi pa mor gyfrinachol a sensitif ydi ein hymchwiliad ni yn y fan hyn.'

Nodiodd Jeff ei ben yn barchus i ddangos ei ddealltwriaeth.

'Yn dilyn misoedd o waith caled,' parhaodd heb oedi, 'rydan ni ar fin taro'n erbyn rhai o'r troseddwyr mwyaf ciaidd a brwnt mae'r ddinas yma wedi'u gweld erioed. Y drwg ydi nad ydan ni'n hollol barod i arestio pawb sydd yn y rhwyd eto. Oherwydd y sefyllfa hon, fedra i ddim gadael i neb, mewn unrhyw gornel, wneud dim all amharu ar ein cynllun ni. Mae 'na ormod o lawer yn y fantol. Mae'r bobol rydan ni ar fin symud yn eu herbyn nhw'n beryglus dros ben, ac efallai mai un cyfle gawn ni. Dyna pam rydan ni'n gweithio allan o'r adeilad cyfrinachol hwn. Mae bywyd pob swyddog sy'n gweithio i mi o dan fygythiad cyson – a bywydau eu teuluoedd hefyd. Ffrwydrodd bom yn agos i'n swyddfa ni dro yn ôl, oedd yn golygu y bu'n rhaid i ni symud oddi yno'n syth. Dyna'r math o bobol rydan ni'n delio efo nhw, a dyna pam nad ydi cyfeiriad yr adeilad hwn yn cael ei roi i neb tan y funud olaf. Ydach chi'n deall difrifoldeb y sefyllfa, Sarjant Evans?'

'Ydw, heb os,' atebodd Jeff heb dynnu ei lygaid oddi ar McFearson. 'Ond hoffwn i chi wybod bod ganddon ninnau gyfrifoldebau yng ngogledd Cymru hefyd, a bod y troseddau rydan ni'n ymchwilio iddyn nhw, o bosib, yr un mor ddifrifol.'

Gwelodd Jeff y syndod ar wyneb John McNiven ei fod wedi ateb y Ditectif Brif Uwch-arolygydd mor uniongyrchol, ond wnaeth agwedd foneddigaidd McFearson ddim newid.

'Wrth gwrs, Sarjant Evans, dwi'n deall yn iawn,' parhaodd. 'Wel, rŵan 'ta, y manylion. Mae ganddoch chi ddiddordeb mewn dyn o'r enw Campbell Albert Hutchinson, sydd ynghlwm â'n hymchwiliadau ni. Ar y cyrion mae o, ond yn ddigon agos fel bod yn rhaid i ni fynnu eich bod chi'n parchu'n dymuniadau ni.'

'Ia, Hutchinson ei hun sydd o ddiddordeb i ni, a does neb arall o'r Alban, hyd yma, wedi dod i'n sylw ni. Mae ei enw wedi codi fel rhan o ymchwiliad i ddiflaniad dau ddyn, y cyntaf saith mlynedd yn ôl a'r ail ychydig wythnosau'n ôl.'

'Mi gewch weld, Sarjant Evans, bod tebygrwydd rhwng ein hymchwiliadau ni,' atebodd McFearson gan edrych i gyfeiriad John McNiven. 'A dwi'n credu bod rhaid, dan yr amgylchiadau, i ni gydweithio'n ddidwyll. Rydw i'n fodlon rhoi holl gefndir ein hachos ni i chi, er mwyn i chi ddod i ddeall ein sefyllfa ni... ac wrth gwrs, dwi'n ffyddiog y gwnewch chi'r un peth efo ni.'

'Yn sicr, Ditectif Brif Uwch-arolygydd,' atebodd Jeff yn benderfynol a boneddigaidd.

'Felly mi wna i eich gadael chi yn nwylo John. Mae o wedi cael fy nghaniatâd i rannu pob gwybodaeth â chi, ond mae croeso i chi ddod yn ôl ataf os oes angen. Iawn, John?'

'Iawn, syr,' atebodd John McNiven.

'Ewch â Ditectif Sarjant Evans am damaid i'w fwyta, John. Gwnewch eich hun yn gartrefol, Sarjant Evans: mae'r prynhawn cyfan ganddoch chi i drafod. Os ydach chi angen mwy o amser, mi wnawn ni drefniadau i chi aros dros nos.'

## Pennod 29

'Mi fydd coffi du yn ddigon i mi, diolch John,' meddai Jeff ar ôl iddynt gyrraedd y cantîn. 'Mi ges i frecwast mawr ar y ffordd i fyny.'

Eisteddodd y ddau i lawr wrth fwrdd gwag mewn cornel, a dechreuodd yr Albanwr adrodd hanes yr ymchwiliad.

'Fel yn y rhan fwyaf o ddinasoedd eraill Prydain, Jeff, mae cyffuriau yn bla yn Glasgow 'ma, a hynny ers cyn i mi gael fy ngeni. Dyna ydi cefndir hyn i gyd – cyffuriau yn arwain at lofruddiaethau.' Cymerodd John lymaid o'i goffi. 'Mae Glasgow wedi bod yn lle eithriadol o frwnt erioed, a'r is-fyd yma'n nodedig am ei ffyrnigrwydd. Mae'r gangiau wastad yn cwffio am yr hawl i ddelio yng ngwahanol ardaloedd y ddinas, a nifer helaeth o fusnesau lleol – clybiau, tafarnau, gwestai, campfeydd, clybiau pêl-droed a hyd yn oed ysgolion a cholegau – wedi cael eu gorfodi i fod yn rhan o'r fasnach. Does dim dianc rhag y peth. Mae'r troseddwyr sy'n rhedeg y sioe yn werth eu miliynau ac yn fodlon amddiffyn eu busnesau i'r eithaf – mae rhai yn llwyddo i reoli eu menter o'r carchar, hyd yn oed.'

'Ac yn rhedeg a rheoli'r carchardai hefyd, dwi'n siŵr.'

'Yn sicr. Mae porthladd y ddinas yn bwysig iddyn nhw, wrth gwrs, gan ei fod yn creu cysylltiadau uniongyrchol efo De America a'r Dwyrain Canol, lle mae'r cyffuriau'n cael eu cynhyrchu. Mae 'na gyswllt cryf efo'r Maffia yn yr Eidal a gangiau mawr yr Unol Daleithiau, ac yn nes adref hefyd, yn Amsterdam a Dulyn.'

'Dwi'n ei chael yn anodd dychmygu sut all neb atal y mewnforio a thorri'r gadwyn gyflenwi.'

'Yn hollol. Does dim dianc rhag y peth, ac mae prif reolwyr yr is-fyd yn defnyddio lefel o drais na fysa pobol gyffredin y wlad 'ma byth yn gallu ei ddychmygu, er mwyn amddiffyn ac ennill pob tamaid o fusnes. Ac wrth gwrs, mae'r trais yn ymwneud ag arfau: pob math o ynnau a chyllyll, y rhan fwya'n cael eu smyglo o ganol Ewrop. Rydan ni wedi gweld achosion yn ddiweddar o gangiau yn rhoi tai eu gelynion ar dân, gan losgi teuluoedd cyfan, ac ymosodiadau asid – mae hynny er mwyn dysgu gwers, yn hytrach na lladd. I ddychryn ac arteithio, maen nhw'n hoffi defnyddio llif gadwyn.'

'A dwi'n siŵr fod hynny'n effeithiol iawn.'

'Wrth gwrs, ac mae'n bwysig bod y dioddefwr a'i gang yn gwybod pwy sy'n gyfrifol hefyd, fel bod neb yn meiddio mynd at yr heddlu na rhoi tystiolaeth mewn achos llys. Rŵan 'ta, gad i ni droi at y mater sydd o ddiddordeb i ti. Mi awn ni i le distawach i drafod hynny, Jeff, ond gynta, wnei di ddeud wrtha i am dy ymchwiliad di, a sut gest ti dy arwain yma?'

'Wrth gwrs,' atebodd Jeff gan gofio'i addewid i'r Ditectif Brif Uwch-arolygydd McFearson.

Cododd y ddau, ac ailddechreuodd y sgwrs mewn ystafell gynhadledd ddistaw. Rhoddodd John McNiven ddictaffon bach ar y bwrdd rhyngddo fo a Jeff.

'Oes gen ti unrhyw wrthwynebiad i mi ddefnyddio hwn, Jeff?' gofynnodd, 'i mi gael cofnod o bob manylyn?'

'Dim o gwbl,' atebodd Jeff, 'os ga' i gopi o'r recordiad

gen ti cyn i mi fynd. Dydi fy nghof innau ddim yn berffaith, ac mi ga' i sbario gwneud nodiadau wedyn.'

'Â chroeso.'

Treuliodd Jeff hanner awr yn disgrifio ei ymholiadau yng Nghymru, o'r noson y darganfuwyd Daniel Pritchard wrth ochr yr afon ymlaen. Gwrandawodd John yn astud a gwelodd Jeff awgrym o ddealltwriaeth ar ei wyneb bob hyn a hyn, yn enwedig pan enwodd Campbell Albert Hutchinson a'i gysylltiad â diflaniad Thomas Goodwin a Tony Stewart.

'Felly,' gorffennodd Jeff ei stori, 'wrth wneud ymholiadau i gefndir Hutchinson ddoe mi ddois i'n ymwybodol o'ch diddordeb chi ynddo fo. Fy mwriad i ydi parhau â'r ymchwiliad yng ngogledd Cymru, ond dwi angen manylion dy ymchwiliad di cyn mynd gam ymhellach.'

'Wrth gwrs. Yn ystod y degawd diwethaf, y gang sydd wedi cael y mwyaf o lwyddiant yn Glasgow ydi'r teulu Farrell. Mi wnaethon nhw eu harian drwy fewnforio a gwerthu cyffuriau, ond yn fwy diweddar mi ddechreuon nhw redeg busnesau cyfreithlon hefyd – nifer o westai a thai bwyta ar draws canol yr Alban, a'r prif ffocws ydi tai bwyta Indiaidd, sy'n hynod o boblogaidd yn y rhan yma o'r wlad. Roedd y brodyr Farrell yn falch iawn o'r ffaith fod eu tai bwyta wedi ennill gwobrau am eu cyrris, ac mae ganddyn nhw enw da am fwyd o safon. Mae 'na bum brawd... neu mi oedd 'na, beth bynnag.'

'Oedd?'

'Mi ddo' i at hynny,' meddai John efo hanner gwên. 'Nhw oedd ar ben cadwyn droseddol Glasgow, yn ymhyfrydu mewn bygwth gangiau eraill y ddinas. Doedd neb yn ddigon hy' i fentro'u herio nhw. Mi geisiodd un neu ddau dros y blynyddoedd, ond darganfuwyd eu cyrff yn fuan wedyn ar hyd a lled y ddinas... y pen mewn un lle, llaw yn rhywle arall, a'r gweddill ar wasgar ar hyd a lled Glasgow. Ym mhob achos roedd pawb yn gwybod pwy oedd yn gyfrifol ond doedd dim owns o dystiolaeth. Mi oedd y teulu Farrell yn byw ar y drwgenwogrwydd.'

'Oes rhywun yn gwybod be ddigwyddodd iddyn nhw?'

'Mae'r rhan fwya o'r stori ganddon ni ond rydan ni angen mwy o gadarnhad – a dyna ydi ffocws ein hymchwiliad ni ar hyn o bryd. Rai misoedd yn ôl roedd si ar y strydoedd fod gang arall yn cynllwynio i ddod â llwyth enfawr o gyffuriau i'r ddinas – cocên fwyaf – o Dde America, a'u bod yn defnyddio cysylltiadau yn yr Eidal i'w fewnforio. Wrth gwrs, dydi hyn yn ddim byd newydd, ac ar y dechrau doedd gan neb syniad pwy oedd y tu ôl i'r fenter. Rai wythnosau ar ôl i ni glywed am y peth gyntaf, daeth rhai yn yr is-fyd i wybod mai gang arall, yn cael ei harwain gan ddyn o'r enw McAlister, oedd yn cynllunio'r mewnforio, ond doedd McAlister ddim yn cael ei ystyried gan y Farrells yn ddigon o foi i ddelio â masnach mor fawr. Rydan ni'n meddwl mai dyna pam y gwnaethon nhw adael llonydd iddo fo gario 'mlaen efo'r fenter, a chadw golwg ar y cwbwl o bell. Roedd angen miliynau o bunnau wrth gefn ar gyfer y ddêl, ond gan fod gwerth y stwff ar y strydoedd ddegau o weithiau'n fwy na hynny, roedd yn gyfle da i wneud clamp o elw. Mi wyddai'r Farrells yn iawn fod y buddsoddiad cychwynnol ymhell y tu allan i gyrraedd McAlister, ac roeddan nhw'n barod i eistedd yn ôl er mwyn cymryd ei le yn y ddêl pan fyddai popeth yn disgyn drwodd. McAlister yn gwneud y gwaith caled a chymryd y risgs i gyd a nhwythau'n hwylio i mewn ar y funud ola i brynu'r cyffuriau.'

'Sut un ydi McAlister felly?'

'Roeddan ni'n gyfarwydd iawn â fo cyn i hyn i gyd godi'i ben. Dyn brwnt arall, yn ei bedwardegau erbyn hyn, sydd wedi treulio blynyddoedd yn y carchar am geisio lladd, clwyfo gyda'r bwriad o niweidio, cario gwn... y math yna o beth. Daeth allan o'r carchar bum mlynedd yn ôl gan ddychwelyd yn syth i ganol yr is-fyd i weithio'i ffordd i fyny. Mae ganddon ni faint fynnir o guddwybodaeth amdano. Chydig ar ôl iddo ddod allan o'r carchar y tro dwytha, mi ddaeth o i ryw fath o ddealltwriaeth efo'r Farrells, er mai cytundeb yn llawn o ddrwgdybiaeth oedd o. Cytunodd McAlister i brynu cyffuriau oddi wrth y Farrells ar yr amod ei fod o'n cael rhyddid i'w gwerthu mewn llefydd nad oedd dan reolaeth y Farrells, ac ar diroedd gangiau eraill. Canolbwyntiodd McAlister ar eu gwerthu mewn gwyliau, clybiau a gigs, gan fygwth a brifo'r gangiau llai oedd yn gwerthu yno eisoes. Roedd o'n gwneud elw reit ddel a'r Farrells yn ddigon bodlon hefyd gan fod eu cyffuriau nhw'n cyrraedd rhannau newydd o'r ddinas, ond doeddan nhw ddim yn trystio'i gilydd, o bell ffordd, fel 'dan ni'n dallt.'

'Gad i mi ddyfalu be ddigwyddodd nesa, John,' cynigiodd Jeff, yn mwynhau'r hanes. 'Ar ôl i'r trefniant bach yma fod yn rhedeg am sbel, daeth y Farrells i wybod mai McAlister oedd yn cynllwynio i fewnforio'r llwyth mawr 'na o gyffuriau i'r ddinas.'

Gwenodd John yn ôl arno. 'Cywir,' atebodd, 'ond wnaethon nhw ddim byd ynglŷn â'r peth am wythnosau. Pan gawson nhw fwy o wybodaeth am amserlen y cynllun, mi ddysgon nhw hefyd fod McAlister yn chwilio am help i ariannu'r fenter. Roedd stori'n mynd ar led ar y pryd hefyd fod cysylltiad McAlister yn yr Eidal yn un o'r Maffia, a bod gan deulu hwnnw nifer o dai bwyta safonol ar hyd a lled yr Eidal: Palermo, Rhufain, Napoli a dinasoedd eraill. Bryd hynny y gwnaeth y Farrells gysylltu â McAlister, ac ar ôl iddo wadu'r cwbwl i ddechrau, mi wnaeth o gyfaddef ymhen sbel mai fo oedd y tu ôl i'r peth, ond nad oedd o angen cymorth ariannol ganddyn nhw. Rhoddwyd pwysau arno gan y Farrells, oedd am gael darn o'r gacen, ond doedd McAlister ddim am rannu ei elw. Roedd y brodyr yn gwybod nad oedd ganddyn nhw obaith o fod yn rhan o'r cynllun heb fod McAlister yn rhan o'r fenter, felly doeddan nhw ddim mewn sefyllfa i gael gwared arno fo. Ganddo fo yn unig oedd y cysylltiadau tramor.'

'A doedd neb yn trystio'i gilydd.'

'Yn hollol, Jeff. Ond yn ôl yr wybodaeth gawson ni, dechreuodd McAlister edrych fel petai'n ildio. Gwnaeth drefniadau i gyfarfod y Farrells er mwyn trafod y ffordd ymlaen, a dewisodd y Farrells un o'u gwestai eu hunain – y William Wallace yn Falkirk – ar gyfer y cyfarfod, gan gadarnhau y byddai'r pum brawd yno. Fel y soniais, bwytai Indiaidd ydi arbenigedd y Farrells, ac er gwaetha'r enw Albanaidd traddodiadol, mae bwyty'r William Wallace yn paratoi cyrris penigamp. Roedd y pump yn teimlo'n hollol ddiogel yno gan mai nhw oedd berchen y gwesty, ac oherwydd hynny aeth McAlister â thri o'i ddynion ei hun efo fo. Mynnodd y Farrells fod McAlister yn dod â'i gyswllt Eidalaidd yno hefyd, er mwyn iddyn nhw allu siarad efo fo wyneb yn wyneb a gwneud argraff ffafriol arno. Digwyddodd y cyfarfod yn hwyr ar noson y seithfed ar hugain o Fehefin, a chafodd y bwyty ei gau yn gynnar er mwyn iddyn nhw gael llonydd.'

'Swnio i mi fel bod y cwbwl wedi'i drefnu'n dda,'

meddai Jeff, 'ond dwi'n amau nad aeth y noson fel roedd y Farrells yn dymuno, o gofio dechrau dy stori di.'

'Ti'n iawn. Chwiliwyd dillad McAlister a'i griw am arfau wrth iddyn nhw gyrraedd, ac er mwyn gwneud sioe o fod yn deg, dangosodd y Farrells nad oedden nhwythau'n arfog chwaith. Y drefn oedd bwyta cyn trafod busnes, ac mi wnaeth pawb fwynhau'r cwrs cyntaf. Cyrri oedd yr ail gwrs: tri gwahanol fath, un mwyn, un poeth a'r llall yn hynod o boeth. Yn ôl eu harfer, yr un poethaf gymerodd y pum brawd Farrell, a helpodd pawb eu hunain o bowlenni mawr yng nghanol y bwrdd. O fewn chydig funudau roedd y pum brawd yn farw.'

'Gwenwyn?'

'Ia, yn y ddau gyrri poethaf. Roedd y korma yn berffaith iawn. Ar ôl cael yr hanes mi wnaethon ni brofion yng nghegin y William Wallace, ac mi oedd 'na olion o arsenig a seianid yn dal yn y gegin. Duw a ŵyr sut na chafodd mwy o gwsmeriaid y lle eu gwenwyno yn y cyfamser.'

'Roedd y sbeis yn y cyrri yn ddigon i guddio blas y gwenwyn, siŵr gen i,' ystyriodd Jeff. 'Clyfar iawn.'

'Yn ôl yr arbenigwyr does dim blas ar arsenig, a blas tebyg i almon sydd ar seianid, rwbath sy'n cael ei ddefnyddio mewn cyrri yn aml.'

'Ond sut roddwyd y gwenwyn yn y cyrri? Dyna dwi ddim yn ei ddallt. Tŷ bwyta'r Farrells oedd o, medda chdi, a'u staff nhw oedd yn coginio ac yn gweini.'

'Ti'n iawn, Jeff, ond roedd dau weithiwr newydd yn y gegin ers wythnos, y ddau yn gweithio i McAlister. Rydan ni'n gwybod pwy ydyn nhw.'

'Be am weddill y cogyddion?'

'Mae'r ddau arall yn farw, ar ôl bwyta peth o'r cyrri

poeth heb wybod bod gwenwyn ynddo fo. A dyna lle mae petha'n dechrau mynd yn flêr. Mae'r ddau oedd yn gweithio i McAlister yn fodlon rhoi tystiolaeth yn ei erbyn, ond yn anfoddog iawn. Dyna pam bod oedi cyn i ni fedru symud ymlaen. Mi gafodd y ddau eu bygwth y noson honno gan McAlister a'i ddynion nes roeddan nhw'n cachu planciau. Addawodd McAlister y bysa fo'n mynd ar ôl eu teuluoedd a'u ffrindiau petaen nhw'n agor eu cegau. Aeth wythnosau heibio cyn iddyn nhw siarad efo ni, a 'dan ni ddim yn hollol sicr o'u tystiolaeth nhw hyd heddiw.' Oedodd John. 'Yn ôl y ddau gogydd, dydi McAlister ddim eisiau i neb wybod bod y brodyr Farrell wedi marw, nac mai fo oedd yn gyfrifol am y peth. Ei gynllun ydi cymryd busnes y Farrells drosodd – petai gangiau eraill y ddinas yn gwybod bod y Farrells wedi mynd, mi fysa 'na goblyn o le yma.'

'Be am yr Eidalwr? Mae o'n gwybod hefyd.'

'Tydi'r Eidalwr ddim yn bod, Jeff, a doedd 'run llwyth mawr o gyffuriau ar ei ffordd o Dde America trwy'r Eidal chwaith. Rhyw ffrind pryd tywyll i McAlister oedd y dyn yn y gwesty, oedd yn medru chydig o Eidaleg ac yn actor go dda.'

Nodiodd Jeff ei ben yn araf wrth iddo ddod i ddeall, a gwenodd. 'Felly twyll oedd y cwbwl gan McAlister, o'r dechrau hyd y diwedd, er mwyn cael gwared ar y Farrells.'

'Yn hollol, Jeff, a dyma lle mae ein hymholiadau ni'n dau yn cyfuno. Roedd gan McAlister saith corff i gael gwared arnyn nhw, a phwy well i alw arno i wneud hynny na'i hen ffrind, Al Hutchinson. Mae 'na guddwybodaeth sy'n mynd yn ôl ugain mlynedd yn cysylltu'r ddau, ond dim llawer ers hynny, tan bum blynedd yn ôl, pan gafodd McAlister ei ryddhau o'r carchar. Cafodd y ddau eu gweld efo'i gilydd fwy nag unwaith, ond doedd ganddon ni ddim rheswm bryd hynny i feddwl bod hynny'n arwyddocaol. Lwc mul oedd hi i ni ddod ar draws cysylltiad diweddar. Pan ddechreuon ni ein hymchwiliadau, un o'r tasgau cyntaf, fel y gwyddost ti, oedd edrych ar luniau pob camera CCTV a chamerâu traffig yn nalgylch Falkirk. Roedd tri chamera yn dangos lorri yn perthyn i gwmni Gwaredu Gwastraff Cyf. yng nghyffiniau'r dref, yn teithio i gyfeiriad y gwesty. Awr yn ddiweddarach roedd yr un lorri yn teithio i'r cyfeiriad arall. Cafodd ei gweld ar gamera arall ar yr M74 yn oriau mân y bore, yn teithio i'r de. Doedd hynny'n golygu dim i ni ar y pryd, ond yn ddiweddar daethom i ddeall sut fath o waith mae'r cwmni yn ei wneud, ac yn bwysicach na hynny, bod y Rheolwr Gyfarwyddwr, Campbell Albert Hutchinson, yn hen ffrind i McAlister.'

'Ydi Gwaredu Gwastraff Cyf. yn gweithio yn y rhan yma o'r Alban fel arfer?' gofynnodd Jeff.

'Na, dim yn ôl ein hymholiadau ni. A hyd yn oed os oeddan nhw'n gweithio yn yr ardal, roedd ganol nos yn amser anghyffredin iawn i fod yn codi gwastraff, waeth be oedd o.'

Rhedodd ias annisgwyl i lawr cefn Jeff wrth iddo feddwl am y goblygiadau. 'Pwy oedd yn gyrru'r lorri, tybed?' gofynnodd.

'Un dyn oedd ynddi, ac mae ganddon ni lun eitha da ohono o un o'r camerâu CCTV oedd yn agos iawn i lamp stryd.' Trodd McNiven at gyfrifiadur oedd ar y bwrdd wrth ei ochr.

Ar yr un pryd, tynnodd Jeff ei ffôn o'i boced er mwyn chwilio am gopi o'r llun a dynnodd o Hutchinson y diwrnod cynt.

'Dyna fo i ti, John,' meddai Jeff, gan gymharu'r lluniau.

'Hutchinson ei hun oedd yn gyrru'r lorri y noson honno. Yn amlwg, roedd popeth wedi'i gynllunio'n ofalus o flaen llaw. Byddai wedi bod yn ormod o risg i ofyn i rywun arall wneud y gwaith, siŵr gen i.'

'Mae'n gas gen i feddwl fod rhyw anifeiliaid druan yn rhywle yn mynd i borthi ar weddillion y Farrells a'r cogyddion,' meddai McNiven, yn gwgu.

'Dwi'n amau nad fel'na fydd hi, John,' atebodd Jeff. 'Mae gen i syniad go dda be ddigwyddodd i weddillion y dynion 'na. Mae busnes Hutchinson yn un llwyddiannus, a fysa fo ddim yn mentro mynd â gweddillion y cyrff wedi'u prosesu o'i ffatri i'r llefydd arferol rhag i'r gwenwyn gael ei olrhain yn ôl ato fo. Mae gan Hutchinson gyfaill yn f'ardal i o'r enw Emyr Lloyd, sy'n berchen ar dipyn go lew o dir fferm. Ar y tir hwnnw mae llyn dwfn sy'n rhan o weddillion hen chwarel, ac mae dŵr yn llifo o hwnnw i afon Ceirw ac i'r môr yng Nglan Morfa. Yn ystod yr wythnosau diwetha mae nifer o bysgod wedi'u cael yn farw yn yr afon. Synnwn i ddim...' Doedd dim rhaid iddo orffen y frawddeg.

'Mae nifer o bobl eraill wedi diflannu o is-fyd Glasgow ers i McAlister gael ei ryddhau o'r carchar, ac ers iddo gael ei weld yng nghwmni Hutchinson. Does dim modd profi be ddigwyddodd iddyn nhw, wrth gwrs, ond dwi'n meddwl bod gan y ddau ohonon ni syniad go lew.'

Erbyn hanner awr wedi pedwar roedd y Cymro a'r Albanwr wedi rhannu pob darn o wybodaeth berthnasol, ac ar ôl i John roi co' bach iddo yn cynnwys copi o'r recordiad, aeth Jeff yn ôl i'r cantîn i gael tamaid i'w fwyta cyn cychwyn ar ei siwrnai hir i Lan Morfa. Aeth John â fo i weld y Ditectif Brif Uwch-arolygydd McFearson cyn gadael.

'Mae Sarjant McNiven wedi rhoi crynodeb i mi o'ch sgwrs, Sarjant Evans. Diddorol iawn. Diolch yn fawr i chi.'

'A diolch i chithau eich dau hefyd,' atebodd Jeff. 'Mae ein sgyrsiau heddiw wedi bod yn werthfawr iawn, a dwi wedi dysgu llawer.'

'Mae'n edrych yn debyg y medrwn ni fod o gymorth i'n gilydd yn y dyfodol,' parhaodd McFearson. 'Ond rhaid i mi ofyn i chi beidio â mynd ar ôl Hutchinson nes y byddwn ni'n barod i arestio McAlister. Mi siarada i efo'ch Dirprwy Brif Gwnstabl chi os oes rhaid. Mae angen oedi, fel y soniodd Sarjant McNiven wrthoch chi, oherwydd y tystion. Roedd angen cryn berswâd ar y ddau gogydd i droi yn erbyn McAlister a siarad efo ni, ond mae eu tystiolaeth nhw'n hanfodol os ydan ni am greu achos cryf yn erbyn McAlister a'i griw. Mae'r ddau wedi gwneud datganiad, ond ar ôl gwneud hynny mi gawson nhw draed oer, a dianc. Mae'r ddau yn Sbaen ar hyn o bryd, yn cuddio... ofn drwy'u tinau, a fedrwch chi ddim gweld bai arnyn nhw. Petai McAlister yn dod i wybod eu bod nhw wedi agor eu cegau, dyna fyddai eu diwedd nhw. Mae gen i ddau ddyn allan efo nhw ar hyn o bryd yn ceisio'u darbwyllo i ddychwelyd i'r Alban er mwyn i ni gael eu symud i leoliad saff dan ein gofal ni nes bydd yr achos yn erbyn McAlister a'i griw drosodd.'

'Dwi'n dallt,' atebodd Jeff, er nad oedd o'n hapus iawn efo'r sefyllfa. 'Mi arhoswn ni cyn cymryd y cam nesaf.'

'Cadwch mewn cysylltiad dyddiol, os gwelwch yn dda, eich dau,' meddai McFearson. 'Dwi'n gobeithio na fyddwn ni'n gorfod aros yn rhy hir.'

# Pennod 30

Bu'n ddiwrnod hir, a stopiodd Jeff am seibiant ar yr M6 ar y ffordd yn ôl i Gymru. Dewisodd wasanaethau Tebay unwaith eto, dros ddeuddeng awr ar ôl iddo ddefnyddio'r gwasanaethau ar yr ochr arall i'r ffordd. Roedd hi eisoes wedi tywyllu ond roedd y maes parcio'n llawn a'r siopau a'r tai bwyta mor brysur ag erioed. Prin roedd llefydd fel hyn yn cysgu, ystyriodd.

Parciodd ei gar mewn llecyn tawel ym mhen draw'r maes parcio er mwyn ffonio Meira i adael iddi wybod ei fod ar ei ffordd adref, a chafodd sgwrs gyflym efo'r plant cyn iddyn nhw fynd i'w gwlâu. Wedi iddo wneud addewid i Meira y byddai'n gorffwys am sbel cyn ailddechrau gyrru, gwthiodd sedd y gyrrwr yn ôl a chau ei lygaid. Ni ddaeth cwsg – roedd gormod o wybodaeth yn llifo trwy ei feddwl.

Erbyn hyn, roedd y jig-so mawr bron yn gyflawn. Er na wyddai'n union beth roedd Daniel Pritchard wedi'i weld ger yr afon, roedd ganddo syniad go dda bellach. Fyddai dyn fel Dan ddim yn hapus nes iddo ddarganfod pam fod cymaint o bysgod marw yn yr afon, ond wrth ddilyn ei drwyn, edrychai'n debyg ei fod wedi baglu ar draws rhywbeth arall hefyd... y tân, efallai? A oedd criw wedi ymgynnull o'i gwmpas... ac os hynny, beth oedden nhw'n ei wneud yn y goedwig mor hwyr y nos? A fyddai'r datblygiad i gyfeiriad Glasgow a Hutchinson yn cynnig yr ateb i hynny, ynghyd ag unrhyw dystiolaeth ynglŷn â phwy ymosododd ar Dan? Roedd un peth yn sicr bellach: roedd Ceirw Uchaf yn ganolbwynt i'r cyfan. Doedd dim rhyfedd fod Emyr Lloyd wedi cael ei ddiswyddo fel ustus.

Edrychodd ar ei oriawr. Byddai'n ddau o'r gloch y bore o leiaf cyn iddo gyrraedd adref, ond roedd o angen paned o goffi du cryf cyn ailgychwyn ar ei daith.

Roedd ei gartref, Rhandir Newydd, yn dywyll pan gyrhaeddodd adref am ddeng munud i dri y bore, ond wrth iddo ddefnyddio'r teclyn bach i agor y giât drydan, canodd ei ffôn. Stopiodd ar waelod y dreif er mwyn edrych ar y sgrin, a gwelodd y llythrennau 'NN'.

'Nansi, pam aflwydd wyt ti'n fy ffonio i ar y fath awr?'

'O Jeff bach, mae'n ddrwg gen i, ond ma' raid i mi siarad efo rhywun. Dwi wedi cael diawl o ofn.' Roedd llais Nansi'n gyflym a'i gwynt yn fyr. 'Fedri di ddod i 'ngweld i? Rhaid mi ddeud y cwbwl wrthat ti rŵan hyn.'

'Lle wyt ti?' gofynnodd Jeff iddi. Roedd yn ei hadnabod yn ddigon da erbyn hyn i wybod nad y ddiod oedd wedi ei chynhyrfu.

'Adra, newydd gyrraedd. Blydi hel, Jeff, dwi 'di bod yng nghanol uffern heno.'

'Lle fuest ti?'

'Ceirw Uchaf, ffarm y bobl fawr 'na. Mi o'n i ofn trwy 'nhin. Choeli di ddim be oedd yn digwydd yno.'

'Oes rhywun wedi dy frifo di?'

'Na, ond mi o'n i ofn iddyn nhw wneud, ar f'enaid i.'

'Wyt ti'n saff rŵan?' gofynnodd.

'Ydw. Dwi wedi cloi drysau'r tŷ a chau bob ffenest a chyrten.'

'Ar dy ben dy hun wyt ti?'

'Ia.'

'Gwranda Nansi bach. Yn cyrraedd adra o'r Alban ydw i, a dwi wedi bod ar fy nhraed ers pedair awr ar hugain. Mi ddo' i i dy weld di yn y bore, y peth cynta, dwi'n addo. Oes 'na rywun all aros efo chdi tan hynny... be am Morfudd, dy ffrind?'

'Rargian, paid di byth â galw honna'n ffrind i mi eto, wir Dduw. Ma' hi'n un ohonyn *nhw*.'

'Be ti'n feddwl, "un ohonyn nhw"?'

'Pobl y diafol, Jeff. Dwi'n deud 'that ti, dyna sy'n mynd ymlaen yn y diawl lle 'na. Mi oedd y diafol ei hun yno.'

Doedd Jeff ddim yn synnu o glywed y fath stori.

'Gwranda, Dilys bach.' Roedd ei henw cywir yn fwy priodol dan yr amgylchiadau. 'Mi fyddi di'n gweld petha'n gliriach yng ngolau dydd. Wyt ti'n hapus i ddisgwyl i mi ddod draw yn y bore, 'ta wyt ti isio i mi yrru un o'r plismyn nos draw atat ti rŵan?'

'Na, na... wneith y bore'n iawn, Jeff. A fyswn i ddim yn trystio 'run plisman arall, beth bynnag. Mi oedd 'na un o dy griw di yno neithiwr.'

'Plisman? Pwy oedd o?'

'Un o'r rhai newydd 'na. Sais o'r enw Lionel.'

'Wela i di yn y bore felly,' atebodd Jeff, gan geisio cadw'i lais yn wastad. Cwnstabl Lionel Hudson oedd un o'r tri a arestiodd Colin Pritchard yn nhŷ ei daid – a fo oedd yn debygol o fod yn gyfrifol am ymddangosiad y cyfreithiwr, Price, yn y ddalfa rai oriau ar ôl yr arestiad. Yn amlwg, roedd Hudson wedi dweud wrth Lloyd bod Colin yn y ddalfa, a Lloyd wedi gyrru Price i'w gynrychioli. Pam oedd Lloyd wedi gwneud hynny, tybed? Roedd Hudson wedi symud yn ddiweddar i ogledd Cymru o Heddlu'r Met yn

Llundain, lle bu'n gwasanaethu am wyth mlynedd. Dyma drywydd arall i'w ddilyn, ystyriodd, ond nid heno.

Cysgodd Jeff yn sownd tan wyth o'r gloch, ac ar ôl iddo gael brecwast a ffarwelio â'r plant, ffoniodd y swyddfa. Diolchodd ei bod hi'n eitha distaw ac nad oedd angen iddo fynd yno'n syth, felly ychydig cyn hanner awr wedi naw, cychwynnodd i dŷ Nansi'r Nos. Rhoddodd ganiad iddi o'r car.

'Lle wyt ti, Jeff?'

'Tu allan. Ydi hi'n iawn i mi ddod i mewn?'

'Mae'r drws cefn yn 'gorad.'

Roedd Nansi wedi'i gwisgo'n eitha smart, am unwaith, ond roedd ei sgert las tywyll a'r top o ddefnydd a lliw tebyg yn grychau drostynt. Roedd ei gwallt du wedi'i liwio i guddio'r gwreiddiau gwynion ond heb ei gribo. Sylwodd Jeff yn syth fod colur ddoe yn dal yn stremp ar ei hwyneb a bod ei llygaid yn goch oherwydd diffyg cwsg, ond o leia roedd hi'n sobor. Dechreuodd Jeff ddifaru na alwodd i'w gweld yn oriau mân y bore, yn syth ar ôl iddi ei ffonio.

'Ma' golwg y diawl arnat ti, Nansi bach,' meddai. 'Wyt ti'n iawn?'

'Gwell nag o'n i. Do'n i ddim isio i ti fy ngweld i fel hyn, Jeff, ond es i ddim i 'ngwely ar ôl siarad efo chdi, dim ond trio cysgu ar y soffa. Ro'n i ofn mynd i fyny i'r llofft ar fy mhen fy hun.'

Roedd Nansi fel arfer yn mynnu nad oedd hi ofn diawl o ddim... rhaid bod rhywbeth mawr wedi digwydd i ysgogi'r fath newid ynddi. Camodd Jeff tuag ati a gafael amdani'n dyner, a wnaeth hi ddim ceisio manteisio ar hynny i redeg ei dwylo ar hyd pob rhan o'i gorff, fel y byddai'n arfer wneud. Nid hon oedd y Nansi'r Nos roedd o wedi dod i'w hadnabod mor dda dros y blynyddoedd.

Wrth ei chofleidio gwelodd Jeff bâr o esgidiau ar lawr y gegin, yn fwd drostynt. Rhain roedd hi'n eu gwiso'r noson cynt, mae'n amlwg, a dechreuodd Jeff sylweddoli lle roedd hi wedi bod.

Tynnodd ei gorff oddi wrthi er mwyn medru edrych yn syth i'w llygaid gwlyb. 'Mae'n ddrwg gen i na ddois i draw neithiwr,' meddai, 'wnes i ddim sylweddoli...' Sychodd Nansi ei thrwyn a'i llygaid â hances bapur. 'Gad i mi wneud panad i ni, ac mi awn ni i'r stafell ffrynt er mwyn i ti gael deud yr hanes i gyd wrtha i.'

Aethant drwodd, ac eisteddodd Jeff wrth ei hochr ar y soffa.

'Reit 'ta, Nansi bach. Ty'd â'r stori i mi. Dwi isio i ti ddechra yn y dechra, a thrio cofio pob manylyn, iawn?'

'Iawn,' meddai, gan gymryd llymaid o de o'r mwg roedd hi'n ei ddal yn ei dwylo crynedig. 'Trio dy helpu di o'n i, i ffeindio be oedd yn digwydd yn y lle Ceirw Uchaf 'na.'

'Ond ddeudis i wrthat ti na fyswn i byth yn gofyn i ti wneud dim byd peryglus, wyt ti'n cofio?'

'O, dwi'n gwbod, ond dyna fo. Dwi ddim yn un dda am wrando, fel y gwyddost ti. Mi ddeudis i wrth Morfudd 'mod i isio gwneud dipyn bach o bres ecstra, a 'mod i'n fodlon gwneud unrhyw fath o waith. Wel, bore ddoe mi ffoniodd hi fi a deud bod 'na gyfle i neud dipyn o weini, golchi llestri a ballu yn Ceirw Uchaf neithiwr, o chwech o'r gloch ymlaen. Mi neidiais i ar y cyfle, ac mi ddaeth hi i fy nôl i tua chwarter i. Mi oedd hi wedi fy warnio i wisgo'n daclus a pheidio â mynd dros ben llestri efo 'ngholur, y gnawas iddi. Roedd isio i ni edrych yn *classy*, medda hi. Dwi'n ddigon *classy* fel ydw i, diolch yn fawr, medda fi wrthi, ond mi wnes i wrando arni, ’cofn iddyn nhw fy hel i adra.’

Chwarddodd Jeff iddo’i hun.

‘Y cwbwl oedd angen i mi wneud,’ parhaodd Nansi, ‘oedd cario platiau o fwyd a gwenu ar bobol, y math yna o beth.’

‘Pwy welaist ti yno?’

‘Dim llawer o neb i ddechra. Mi oedd ’na ddyn nad o’n i’n ei nabod yn coginio, ond aros yn y gegin wnaeth hwnnw drwy’r gyda’r nos. Ofynnodd o i mi blicio tatws a moron, ac fel ro’n i’n gwneud hynny, daeth Mrs Lloyd i mewn a chyflwyno’i hun.’

‘Dwynwen?’

‘Ia. Mi aeth hi â fi drwodd i’r stafell fyta a deud wrtha i yn union sut roedd hi isio i mi gyflwyno’r platiau. Wel, sôn am fwrdd smart. Cyllyll a ffyrc arian a gwydrau trwm, i gyd yn matshio. Roedd y bwrdd wedi’i osod ar gyfer dau ddwsin o bobol – dyna i ti pa mor fawr oedd o. Ond cyn i neb o’r gwesteion gyrraedd mi ddeudodd Mrs Lloyd fod yn rhaid i mi roi fy ffôn iddi. Do’n i ddim yn hapus ond mi rois i o iddi, ac mi ddiffoddodd hi o a’i roi mewn drôr, gan ddeud y byswn i’n ei gael o’n ôl cyn mynd adra.’

‘Lle oedd Morfudd erbyn hyn?’

‘O gwmpas y lle yn rwla am wn i, ond mi aeth hi allan am sbel ar ôl i’r gwesteion gyrraedd, a dod yn ôl chydig cyn i’r bwyd fod yn barod. Wn i ddim lle aeth hi, ond pan ddaeth hi’n ôl roedd ’na hogan ifanc efo hi. Welais i ’mo honno wedyn am hir iawn.’

‘Pwy oedd yr hogan?’

‘Dim syniad. Hogan ddel, swil yr olwg, o gwmpas y pymtheg, un ar bymtheg oed ’ma ’swn i’n deud.’

‘Dos yn ôl at ddechrau’r noson, Nansi.’

'Fi oedd yn rhannu'r diodydd pan oedd pawb yn cyrraedd. Roeddan nhw i gyd wedi'u gwisgo'n smart, a Champagne oedd pawb yn 'i yfed.'

'Oeddat ti'n nabod rhywfaint ohonyn nhw?'

'Un neu ddau o ran eu gweld, yn cynnwys y plismon 'na sonis i amdano fo neithiwr.'

Penderfynodd Jeff beidio â gofyn iddi ymhelaethu mwy am Hudson am y tro.

'O,' parhaodd Nansi, 'mi welis i un arall cyfarwydd, er nad oedd o'n rhan o'r parti. Dwi'n meddwl mai'r hogyn 'na wnest ti ofyn i mi o'n i'n ei nabod oedd o... yr un roeddat ti'n 'i amau o werthu cyffuriau.'

'Colin Pritchard?'

'Ia, fo oedd o. Mi glywis i Dwynwen yn ei alw fo wrth ei enw cynta, ond wnaeth o ddim aros. Deud nad oedd o isio i Emyr ei weld o yno. Ond dyna i ti lle mae o'n cael gwared o'r cyffuriau, Jeff, bendant. Dod allan o'r gegin o'n i, yn cario diodydd, ac mi welis i o'n rhoi pecyn yn nwylo Dwynwen, a hithau'n rhoi llond llaw o arian parod yn ôl iddo fo.'

'Sut oeddat ti'n gwybod mai cyffuriau oeddan nhw?'

'O, cym on, Jeff. Roedd y ddau yn trio cuddio'r peth pan ddois i drwodd, ond mi gymeris i arnaf nad o'n i wedi gweld dim, a cherdded yn fy mlaen i'r stafell lle'r oedd pawb yn yfed a siarad.'

'Sut oedd yr awyrgylch yn y fan honno?'

'Iawn... ond o sbio'n ôl, mi oedd pawb yn ofnadwy o gyfeillgar efo'i gilydd, ac yn reit hands-on mewn ffordd na fysat ti'n disgwyl 'i weld mewn criw mawr fel'na. Ella'u bod nhw wedi dechra cymryd cyffuriau erbyn hynny, wn i ddim. Fflyrtio ydi'r disgrifiad gorau, a doedd hynny ddim jyst rhwng cyplau chwaith – roedd pawb wrthi. A phan oeddan nhw rownd y bwrdd bwyd, mi oedd y peth yn lot, lot gwaeth.'

'Be oedd rhan Emyr Lloyd yn hyn i gyd?'

'O, fo oedd yn rhedeg bob dim. Welis i mohono fo nes i bawb ddechrau cyrraedd – fo oedd yn croesawu pawb ac yn arwain y chwerthin a'r hwyl. Ond wedi i bawb fynd drwadd i'r stafell fyta, mi newidiodd petha. Roedd pawb wedi cael eu rhoi mewn llefydd penodol – ac nid wrth ymyl y person roeddan nhw wedi dod i'r parti efo nhw – a phawb yn canolbwyntio'u sylw ar y person nesa atyn nhw, fel petai rhywun wedi penderfynu pwy oedd partneriaid pawb yn mynd i fod am y noson. Roedd 'u dwylo nhw ym mhob man, ar f'enaid i, o 'mlaen i a phawb arall, ac wrth fyta hefyd!'

'Oedd 'na gyffuriau'n cael eu cymryd wrth y bwrdd?'

'Synnwn i ddim, fel ddeudis i, ond welis i 'mo hynny.'

'Lle oedd Morfudd erbyn hyn?'

'O gwmpas y lle. Mi welis i hi'n dod allan o lofft ar ben y grisiau unwaith neu ddwy... dyna lle oedd yr hogan ifanc hefyd, dwi'n meddwl. Ond ar ôl swpar, Jeff bach, dyna pryd aeth petha'n flêr. Wrthi'n clirio o'n i, ac i mewn ac allan o'r gegin, pan sylwis i fod y dynion wedi diflannu a'r merched i gyd mewn stafell ar wahân yn rhoi welintons am eu traed. Welintons, o bob dim, mewn parti crand! Wrth i mi gadw golwg arnyn nhw, mi wisgodd y merched i gyd ryw betha cochion hir, i lawr at eu traed efo hwd dros eu pennau. Mi oeddan nhw'n edrych fatha merched Mwslemaidd neu Orsedd y Beirdd, ond yn fwy glam. Allwn i ddim deud pwy oedd pwy gan mai dim ond hollt fach oedd 'na yn y defnydd i'r merched allu gweld trwyddo, ac mi oedd top yr hwd yn sticio i fyny fel pigyn. Welis i 'rioed y fath beth yn fy nydd o'r blaen.'

'Welodd rhywun chdi'n edrych ar y merched yn newid?'

'Na, mi wnes i'n siŵr o hynny.'

'Be am Morfudd?'

'Dim golwg ohoni.'

'Lle aeth y merched wedi iddyn nhw newid i'r gynau 'ma?'

'Allan i'r nos, bob un yn cario tortsh.'

'A chditha?'

'Wel mi o'n i wedi mynd cyn belled â hynny, doeddwn... fedrwn i ddim troi'n ôl, na fedrwn? Ar ôl i'r merched fynd allan mi es i i'r stafell lle roeddan nhw wedi bod yn newid – rhyw fath o swyddfa oedd hi – a ffeindio clogyn tebyg. Mi daflais i o amdanaf ac allan â fi efo tortsh oedd ar ôl yn y bocs. Chydig wedi i mi fynd drwy'r drws mi glywis i sŵn lleisiau'n canu'r gân fwya od, ac mi es i i'r cyfeiriad hwnnw ar hyd llwybr i lawr i'r coed. Cyn hir mi welis i fod tân mawr wedi'i gynnau, a'r fflamau'n codi'n uchel, ddeng troedfedd a mwy, i'r awyr. Dwn i ddim sut na losgodd y coed, deud y gwir wrthat ti. Beth bynnag, do'n i ddim angen y dortsh bellach i weld bod pawb yno, y merched yn y gynau coch, a'r dynion, am wn i, mewn rhai gwyn yr un fath yn union, mewn cylch o gwmpas y tân. Mi sleifiais i ymuno efo nhw tra oeddan nhw'n dawnsio ac yn mwytho'i gilydd dros ben y dillad gwirion 'na. Yna, mi ddeudodd un dyn rwbath mewn llais reit isel, ac atebodd y gweddill o, yr un mor ddistaw. Fesul dipyn roedd llais y dyn yn codi, a lleisiau pawb arall hefyd, nes yn y diwedd roedd pawb yn gweiddi'r geiria 'ma. Syrthiodd pawb ar eu gliniau, a daeth distawrwydd llethol. Dim ond sŵn y tân yn clecian ro'n i'n ei glywed. Fel y medri di feddwl, Jeff, erbyn hynny ro'n i bron â cachu yn fy nhrowsus, ond ro'n i'n trio gwneud yr un fath â phawb arall rhag ofn i rywun sylwi arna i. Ta waeth, pan oedd pawb yn ddistaw, mi ddaeth dau berson allan o'r goedwig wedi'u gwisgo mewn gynau du, rhai llawer crandiach na'r gweddill, a'r cyntaf ohonyn nhw'n gwisgo rwbath dros ei ben efo cyrn yn tyfu ohono fel rhyw afr fawr. Yng ngolau fflamau'r tân, trodd pawb i gyfeiriad hwnnw a dechrau symud 'u breichiau fel tasan nhw'n ei addoli.'

'Pwy oedd y ddau, Nansi?'

'Duw a ŵyr, Jeff bach. Fedrwn i ddim gweld pwy oedd neb efo'r penwisgoedd 'na dros eu pennau.'

'Dwi'n gweld pam roeddat ti ofn, Nansi, ond cofia mai chwarae plant oedd y cwbwl, a dim byd arall.'

'Naci wir, Jeff. Mi oedd mwy iddo fo na hynny, dwi'n bendant. Wna i byth anghofio'r effaith gafodd y profiad arna i. Ond wedyn ges i'r sioc fwya. O gyfeiriad y tŷ, mi ddaeth Morfudd i lawr y llwybr – doedd ganddi hi ddim gŵn drosti – yn arwain yr hogan ifanc sonis i amdani gynna. Roedd ei dwylo hi wedi cael eu rhwymo efo'i gilydd, ac mi oedd Morfudd yn ei harwain hi ar ryw fath o dennyn i ganol y cylch o bobol lle'r oedd y pen bandit, yr un yn y wisg ddu a'r cyrn, yn disgwyl amdani. Dim ond ffrog ysgafn iawn roedd yr hogan yn ei gwisgo, a rwbath tebyg i goron arian am ei phen, oedd yn gwneud iddi edrych yn fengach byth. Mi aethon nhw â hi at garreg fawr yn ymyl y tân a daeth dau o'r dorf, mewn gwisgoedd gwyn, i'w rhwymo hi i'r garreg gerfydd y tennyn.'

'Oedd yr hogan i weld yn anfodlon efo hyn, neu'n strancio?'

'Na, dim o gwbwl, ond dwi'n amau 'i bod hi dan ddylanwad rwbath neu'i gilydd. Rhwygodd y ddau ddyn y ffrog oddi arni nes roedd hi'n hollol noeth, a dyna pryd y camodd y ddau yn y gwisgoedd du ymlaen. Plygodd un dyn drosti nes roedd ei ŵn yn gorchuddio'r ddau, a dechra cael ei ffordd efo'r hogan tra oedd yr ail ddyn mewn du yn mwytho'i gorff o. Roedd y gweddill yn gwylio hyn yn digwydd, ac yn amlwg yn cael pleser o'r peth. Yn eu tro, mi ddaeth pob un o'r merched mewn coch ymlaen a dechrau anwesu corff yr hogan ifanc a chorff y boi oedd yn ei ffwcio hi. Cyn hir, roedd sawl un oedd yn gwisgo gwyn, y dynion, wedi cael eu tro efo'r hogan hefyd. Wel, mi o'n i wedi gweld digon, felly mi es i'n ôl drwy'r coed i fyny i'r tŷ.'

'Sut ddoist ti adra?'

'Ar ôl i mi dynnu'r clogyn, mi welis i'r cogydd. Dwi ddim yn meddwl 'i fod o'n rhan o'r busnes i lawr yn y coed, ond ella'i fod o'n gwybod rhywfaint am be oedd yn digwydd yno. Anodd meddwl na fysa fo ddim. Ar ei ffordd adra oedd o, pan ofynnais am lifft yn ôl i'r dre. Cyn i mi fynd mi es i i nôl fy ffôn o'r drôr a rhuthro am y car nerth fy nhraed.'

'Mi wyt ti wedi bod yn ddewr iawn, Nansi. Ond cofia di ddau beth pwysig rŵan. Nid y diafol welist ti. Dim byd o'r fath. Defnyddio rhyw fath o seremoni ocwltaidd fel esgus i gael rhyw anghyfreithlon oedd be welist ti, a hynny gan bobol wyrdroedig iawn. Maen nhw i gyd yn haeddu cael eu cosbi am yr hyn ddigwyddodd i'r hogan ifanc 'na, a Morfudd yn eu plith nhw.'

'Dwi'n berffaith saff mai hi ddaeth â'r hogan ifanc yno, a dwi ddim isio dim i'w wneud efo hi eto, tra bydda i byw,' meddai Nansi'n ddagreuol. 'Gwna di be sy raid, Jeff.'

# Pennod 31

Pan gyrhaeddodd Jeff orsaf yr heddlu ganol y bore, gwyddai o brofiad y byddai mynydd o waith yn ei ddisgwyl gan nad oedd o wedi bod ar gyfyl ei swyddfa'r diwrnod cynt.

Ei gyfaill, Sarjant Rob Taylor, oedd ar ddyletswydd yn y ddalfa.

'Golwg wedi blino arnat ti, Jeff,' meddai hwnnw.

'Uffar o ddiwrnod hir ddoe, Rob. Es i fyny i'r Alban ac yn ôl, ond well i mi beidio deud mwy wrthat ti ar hyn o bryd.'

'Joban hysh hysh, ia?'

Tarodd Jeff ei fys yn erbyn ei drwyn ddwywaith, yn arwydd i Rob ei fod yn agos i'w le. Dechreuodd gerdded i gyfeiriad y grisiau, ond trodd yn ei ôl ac edrych o'i gwmpas er mwyn sicrhau nad oedd neb arall o fewn clyw.

'Cwnstabl Lionel Hudson,' meddai'n ddistaw wrth ei gyfaill.

'Be amdano fo?' gofynnodd Rob.

'Ar dy shifft di mae o?'

'Na, ond mi fydd ein llwybrau ni'n croesi bob hyn a hyn. Pam?'

'Be wyt ti'n feddwl ohono fo?'

'Mae ganddo fo dipyn o brofiad ar ôl bod yn gweithio i lawr yn y Met am flynyddoedd... mae o'n reit fedrus ond yn dipyn o geg, ac yn trio dylanwadu ar yr hogia ifanc mewn ffordd na tydw i ddim yn hoff iawn ohoni. Dipyn o rebel, siaradwr cantîn, fel y gweli di weithiau. Pam wyt ti'n gofyn?'

'Bydda'n wyliadwrus ohono, Rob. Ddeuda i ddim mwy ar hyn o bryd, ond mi ddaw bob dim yn glir i ti cyn hir. A phaid â sôn wrth neb 'mod i wedi holi amdano, plis.'

'Siŵr iawn.' Roedd Rob wedi hen arfer â ffordd Jeff o weithio bellach.

Pan aeth Jeff i weld y ditectif gwnstabliaid ar y ffordd i'w swyddfa roedden nhw i gyd yn brysur yn paratoi at yr ymweliad brenhinol, felly gadawodd lonydd iddyn nhw cyn iddo gael eu dynnu i mewn i'r syrcas.

Ar ôl delio â'i waith papur, gwnaeth ychydig o ymholiadau er mwyn ceisio dysgu mwy am Morfudd Pierce, cyn-ffrind Nansi'r Nos. Doedd ganddi ddim record, a doedd ei henw ddim yn codi yn 'run o ffeiliau cudd-wybodaeth yr heddlu. Yr unig beth a wyddai oedd ei bod hi'n ddynes sengl ddi-blant, a'i bod wedi cael ysgariad ychydig flynyddoedd ynghynt. Tra oedd o'n ystyried pa gamau i'w cymryd er mwyn ei harestio hi, a pha effaith gâi hynny ar yr ymchwiliad yn ei gyfanrwydd, cafodd alwad gan Nansi'r Nos.

'Gwranda, Jeff, gwranda,' meddai'n frysiog cyn iddo fedru dweud gair, 'dwi wedi bod yn gwneud dipyn o waith ditectif. Paid â meddwl mai chdi ydi'r unig sŵpyr-cop yng Nglan Morfa, mêt.'

Chwarddodd Jeff. Roedd hwyliau arferol ei hysbysydd wedi dychwelyd.

'Reit, cymer bwyll, a deud wrtha i be sgin ti.'

'Dwi wedi ffeindio pwy oedd yr hogan bach 'na yn Ceirw Uchaf neithiwr. Anwen Jacobs ydi ei henw hi.'

'Dwi'n nabod y teulu Jacobs. Sut wnest ti ddarganfod hynny mor handi?'

‘Digwydd bod yn pasio’r ysgol o’n i chydig cyn cinio, a gweld dipyn o stŵr, ac ambiwlans tu allan. Es i drosodd i gael golwg... mi wyddost ti sut un ydw i. Mi welis i nhw’n dod â hogan allan o’r ysgol mewn cadair olwyn, wedi’i lapio mewn blancedi, a mynd â hi i’r ambiwlans. Mi sylweddolais yn syth mai’r un hogan oedd hi.’

‘Wyt ti’n siŵr?’

‘Ydw, tad, Jeff. Dim amheuaeth. Felly dyma fi’n dechrau holi’r merched eraill oedd yno. Yn ôl be ddysgis i, roedd mam yr hogan wedi cael ei galw i’r ysgol ar ôl i’r beth bach ddechra taflu i fyny, a phasio allan. Pan ddaeth hi ati’i hun roedd hi’n crio a sgrechian. Mi ddysgis i mai Anwen oedd ei henw a bod un neu ddwy o’i ffrindiau’n amau ei bod hi wedi cymryd cyffuriau o ryw fath.’

‘Wel, mae hynny’n gwneud synnwyr ar ôl be welist ti neithiwr.’

‘Ydi, ond gwranda, Jeff, mae ’na fwy. Wrth wrando ar y lleill yn siarad wrth yr ysgol, mi ddysgis i fod Anwen wedi bod yn un o ffrindiau gorau Mandy Cowell.’

‘Mandy Cowell?’

‘Ia. Yr hogan laddodd ei hun ddim llawer yn ôl. Mae’r cwest newydd ddarfod, yn ôl y papur newydd.’

Cofiodd Jeff i Rob Taylor sôn iddo fod yn y cwest chydig ddyddiau ynghynt. Dechreuodd ei feddwl garlamu. Os oedd cysylltiad rhwng Anwen Jacobs a Morfudd Pierce, efallai fod Morfudd yn adnabod Mandy Cowell hefyd. Doedd y rheswm pam y lladdodd Mandy ei hun ddim wedi cael ei ddarganfod, a dyna pam y cofnododd y barnwr reithfarn agored.

‘Wyt ti’n meddwl yr un peth â fi, Jeff?’ gofynnodd Nansi.

‘Mae’n ddrwg gen i ddeud ’mod i, Nansi bach,’ atebodd yn ddistaw.

Curodd Jeff ar ddrws y tŷ teras oedd yn gartref i’r teulu Cowell. Drwy lwc, roedd rhieni Mandy adref.

‘Mae’n wir ddrwg gen i’ch poeni chi’ch dau,’ meddai ar ôl cyflwyno’i hun a dangos ei gerdyn swyddogol. ‘Dwi’n sylweddoli bod hyn yn anodd i chi, ond rhaid i mi gael sgwrs efo chi ynglŷn â Mandy.’

Roedd y ddau yn eu pedwardegau cynnar ond roedd yn ddigon hawdd gweld, o’r olwg flinedig arnynt, fod creithiau’r misoedd diwethaf wedi gadael eu hôl ar wynebau’r ddau.

‘Doedden ni ddim yn disgwyl mwy o sylw gan yr heddlu, Sarjant Evans, dim ar ôl y cwest,’ atebodd Mr Cowell. ‘Roeddan ni’n meddwl fod y cwbwl drosodd erbyn hyn.’

‘Er bod y cwest wedi bod,’ meddai Jeff, ‘dwi’n poeni nad oes eglurhad ynglŷn â pham wnaeth Mandy yr hyn wnaeth hi. Mi hoffwn i gael sgwrs fach efo chi, a gofyn un neu ddau o gwestiynau ychwanegol i chi, os gwelwch yn dda… rhag ofn ein bod ni wedi methu rhyw wybodaeth bwysig.’

Gwahoddwyd Jeff i’r tŷ ac i’r lolfa. Roedd llun mawr o Mandy ar y silff ben tân, a gafaelodd Jeff ynddo. ‘Hogan dlos iawn,’ meddai, cyn ei roi yn ôl ac eistedd i lawr ar y soffa. ‘Faint oedd ei hoed hi?’

‘Pymtheg, bron yn un ar bymtheg.’

‘Unig blentyn?’ gofynnodd.

‘Na, mae ganddon ni ferch ddwy flynedd yn fengach, Jessie. Mi fydd hi adra o’r ysgol cyn hir.’

‘Sut mae hi wedi ymdopi efo colli’i chwaer?’

‘Fel y bysach chi’n disgwyl, Sarjant. Ma’ hi’n torri’i chalon, yr un fath â ninnau,’ atebodd Mr Cowell.

‘Mae’n wir ddrwg gen i fynd dros yr un cwestiynau efo chi eto, Mr a Mrs Cowell, ond ydach chi wedi meddwl ers i chi gael eich holi gan yr heddlu ddwytha am rwbath, unrhyw fanylyn bach, i egluro pam y bysa Mandy wedi gwneud y fath beth?’

‘Naddo.’ Mrs Cowell atebodd y tro hwn, gan afael yn dynn yn llaw ei gŵr. ‘Wyddon ni ddim o lle gafodd hi’r holl dabledi ’na ddaru hi eu llyncu, hyd yn oed. Mi oedd hi’n hogan mor hapus, cyn belled ag y gwydden ni, beth bynnag. Wel, tan ryw ddau neu dri mis yn ôl, yn ystod gwyliau haf yr ysgol. Mi ddechreuodd hi ddeffro yng nghanol y nos yn sgrechian ac yn gweiddi. Wn i ddim sawl gwaith roedd yn rhaid i mi fynd i’w llofft hi, ond doedd dim posib ei chysuro hi.’

‘Pa mor aml oedd hyn yn digwydd?’

‘Ddwywaith neu dair yr wythnos.’

‘Lle oedd Jessie pan oedd hyn yn digwydd?’

‘Yn ei llofft ei hun. Mi oedd hithau’n deffro hefyd, wrth gwrs, ond tydi hi ddim wedi bod yn barod i siarad efo ni na neb arall am y cyfnod hwnnw... mae’r cwbwl wedi gadael ei farc arni.’

‘Oedd Mandy yn arfer mynd allan efo ffrindiau gyda’r nos?’

‘Na, ddim yn aml, a phan oedd hi’n mynd i rwla mi oedd hi adra erbyn deg ran amlaf. Roedd yn rhaid i ni ddechrau gadael iddi fynd allan... roedd ei ffrindiau hi i gyd yn cael mynd, a doeddan ni ddim yn medru gwrthod.’

‘Ond mi oedd hi’n aros dros nos efo’i ffrind gorau weithiau,’ ychwanegodd Mr Cowell.

‘Pwy oedd honno?’ gofynnodd Jeff.

'Anwen, Anwen Jacobs.'

Nid cyd-ddigwyddiad oedd hyn. Roedd o wedi bod yn dditectif yn llawer iawn rhy hir i gredu bod hynny'n bosibl. 'Ydi'r enw Morfudd Pierce yn golygu rwbath i un ohonoch chi?' gofynnodd.

Edrychodd y ddau ar ei gilydd ac ysgwyd eu pennau'n fud.

'Pa mor aml oedd hi'n aros dros nos yn nhŷ Anwen?'

'Dim ond unwaith neu ddwy fu hi yno,' atebodd Mrs Cowell.

'A sut oedd hi ar ôl bod yno dros nos?'

'Iawn, am wn i,' atebodd ei thad.

'Na,' mynnodd Mrs Cowell. 'Dwi'n cofio rŵan. Ar ôl bod yno am yr ail dro ddaru hi ddechrau ymddwyn yn od. Dyna pryd ddaru'r sgrechian ddechrau yn y nos, a'r newid yn ei hwyliau. Wel, o fewn chydig ddyddiau beth bynnag, ond wnes i ddim cysylltu'r ddau beth nes i chi ofyn rŵan.'

'Fu Anwen yn aros yma efo Mandy hefyd?' gofynnodd Jeff.

'Naddo, erioed,' atebodd Mrs Cowell.

'Maddeuwch i mi am ofyn, Mr a Mrs Cowell, ond oedd ganddoch chi unrhyw amheuaeth fod Mandy'n cymryd cyffuriau? Mae o'n beth reit gyffredin y dyddiau yma, yn anffodus, hyd yn oed mewn tref fach fel hon.'

'Ddim i mi fod yn gwybod,' meddai Mrs Cowell.

'Na,' atebodd ei gŵr. 'Doedd dim arwyddion, hyd y cofia i.'

'Oedd gan Mandy gyfrifiadur neu liniadur?'

'Mae ganddon ni gyfrifiadur teulu i bawb ei ddefnyddio – ar hwnnw roedd hi'n gwneud ei gwaith cartref,' atebodd Mr Cowell, 'ond ar ei ffôn roedd hi'n pori ar y we a'r cyfryngau cymdeithasol.'

'Lle mae hwnnw rŵan?'

'Yn ei llofft hi,' atebodd Mrs Cowell. 'Dwi ddim wedi cyffwrdd yn ei phetha hi... fedra i ddim. Dwi fel taswn i'n disgwyl iddi ddod i mewn drwy'r drws 'na unrhyw funud.' Llanwodd ei llygaid a gafaelodd ei gŵr amdani'n dyner.

'Ga' i fynd i fyny i gael golwg o gwmpas y lle, os gwelwch yn dda?' gofynnodd Jeff.

Edrychodd y ddau ar ei gilydd. 'Wel, os oes rhaid,' atebodd Mrs Cowell. 'Doedd y plismon ddaeth yma ar y pryd ddim isio gwneud hynny, ond mae croeso i chi fynd. Mi ddown ni efo chi.'

'Wrth gwrs,' cytunodd.

Aeth y tri i fyny'r grisiau ac i mewn i'r ystafell wely ganol, un weddol fawr efo gwely dwbl ynddi, yn edrych fel ystafell wely unrhyw ferch yn ei harddegau.

'Ddaru'r heddlu ddim edrych o gwmpas y llofft 'ma, felly?' gofynnodd Jeff.

'Naddo. Pam ddylen nhw?' gofynnodd Mrs Cowell.

Roedd Jeff wedi'i synnu. 'Mae'n bosib iawn fod rhyw dystiolaeth yma fysa'n egluro be arweiniodd hi i wneud yr hyn wnaeth hi. Oes ganddoch chi unrhyw wrthwynebiad i mi edrych rownd?'

'Wel, gwnewch os leciwch chi, ond mae'r cwest wedi bod. Be 'di'r pwynt?'

'Am nad ydw i'n fodlon ein bod ni'n gwybod digon am yr achos.'

Ar ôl cael caniatâd, dechreuodd Jeff chwilio drwy'r cypyrddau a'r drôrs yn ofalus. Wedi sawl munud daeth ar draws ffôn symudol Mandy mewn drôr yn y cwpwrdd bach ger y gwely. Ceisiodd Jeff ei roi ymlaen, ond doedd o ddim yn gwybod y cod.

‘Does ganddon ni ddim syniad be ydi o chwaith,’ meddai tad Mandy. ‘Rydan ni wedi trio dyfalu.’

‘Mi fydd yn rhaid i mi fynd â fo o’ma efo fi,’ esboniodd Jeff. ‘Dwi’n synnu na wnaeth y plismon ddaeth yma fynd â fo i’w archwilio, a deud y gwir.’

# Pennod 32

Pan oedd Jeff hanner ffordd i lawr y grisiau, agorwyd drws ffrynt y tŷ a cherddodd merch ifanc i mewn. Roedd sioc ar ei hwyneb wrth weld dyn dieithr yn dod i lawr y grisiau i'w chyfarfod.

'Jessie wyt ti, dwi'n cymryd?' gofynnodd Jeff. 'Jeff Evans ydw i.'

'Ditectif ydi Mr Evans, Jessie,' esboniodd ei thad, 'yma i holi mwy am yr hyn ddigwyddodd i dy chwaer.'

Edrychai Jessie yn hŷn na thair ar ddeg oed, er ei bod yn gwisgo'i gwisg ysgol. Ni allai beidio â meddwl tybed a oedd Mandy'n edrych yn hŷn na'i hoed hefyd.

Cymerodd Jessie gam yn ôl pan welodd ffôn ei chwaer yn nwylo Jeff.

'Be ydach chi'n neud efo hwnna?' gofynnodd.

'Rhaid i mi edrych trwyddo er mwyn gweld pa wybodaeth sydd ynddo fo. Ella y bydd o'n help i ni ddallt be oedd yn poeni Mandy gymaint.'

'Sgynnoch chi ddim hawl i fynd trwy ei phetha hi. Does 'na ddim byd ynddo fo ddeith â hi'n ôl.'

'Mater o raid ydi o, mae'n ddrwg gen i, Jessie,' esboniodd Jeff, gan geisio swnio mor dyner â phosib.

Rhedodd Jessie yn flin heibio'r tri i fyny'r grisiau i'w hystafell wely, a chau'r drws yn glep. Edrychodd Mr a Mrs Cowell ar ei gilydd mewn chydig o benbleth, ac aeth ei mam i fyny'n syth ar ei hôl. Pan agorodd

Mrs Cowell y drws clywodd Jeff sŵn wylo'r eneth.

Penderfynodd beidio â gadael yn syth rhag ofn i ymddygiad Jessie ysgogi ei thad i ddweud mwy. Allai o ddim deall pam nad oedd ymchwiliad mwy trwyadl wedi'i gynnal i hunanladdiad Mandy.

'Sawl gwaith fu'r plismon oedd yn swyddog i'r crwner yma, Mr Cowell?' gofynnodd.

'Y rhan fwyaf o'r diwrnod y ffeindion ni hi'n farw. Mi oedd o'n dda iawn efo ni, a deud y gwir. Hynod o neis, chwarae teg iddo fo.'

'Pwy oedd y swyddog?'

'Hudson oedd ei enw fo. Lionel Hudson.'

Ceisiodd Jeff beidio â dangos yr effaith gafodd enw'r plismon arno, a chafodd o ddim amser i holi mwy gan i Mrs Cowell a Jessie ddod yn ôl i lawr y grisiau, yn wylo ym mreichiau'i gilydd. Eisteddodd y ddwy i lawr ar y soffa, a sychodd Mrs Cowell y dagrau o lygaid ei merch.

'Jessie, deud wrth Mr Evans be ddeudist ti wrtha i yn y llofft.' Bu distawrwydd, heblaw am sniffian tawel Jessie. 'Tyrd, 'nghariad i, deud.'

O'r diwedd, dechreuodd y ferch siarad.

'Dwi'n gwybod be oedd yn bod ar Mandy, ond dwi wedi bod ofn deud wrth neb achos do'n i ddim yn gwybod be i ddeud. Roedd Mandy yn meddwl ella mai breuddwyd oedd y peth... ond dwi'n gwybod ei fod o wedi effeithio arni, hyd yn oed os nad oedd o wedi digwydd go iawn.' Oedodd Jessie am ennyd i feddwl sut i gael y geiriau allan. 'Mi ddeudodd hi wrtha i ei bod hi'n meddwl ei bod hi wedi cael secs efo rhyw fwgan mawr, allan yn y coed yn rwla, lle roedd 'na dân a phobl yn canu a gweiddi. Doedd hi ddim yn siŵr oedd o wedi digwydd go iawn 'ta breuddwyd oedd o, ond mi oedd hi'n brifo i lawr yn fanna.' Amneidiodd y ferch at ei gafl. 'Mi oedd lluniau o'r peth yn fflachio drwy ei meddwl hi bob hyn a hyn, yn enwedig yng nghanol y nos, a doedd hi ddim yn medru stopio'r peth.'

'Pam na ddeudodd hi wrthan ni?' gofynnodd Mrs Cowell.

'Mi oedd hi ofn,' atebodd Jessie, 'ofn eich brifo chi. Ofn ei bod hi wedi dychmygu'r holl beth. Ofn ei bod hi'n mynd yn wirion yn ei phen, a'r peth gwaetha oedd ofn bod yr holl beth yn wir a'i bod hi wedi'ch siomi chi'ch dau.' Daeth y dagrau unwaith eto.

Eisteddodd Jeff yn fud. Roedd yr hyn a ddisgrifiodd Jessie yn debyg iawn i'r hyn a welodd Nansi y noson gynt, ac erbyn hyn roedd Jeff yn bendant mai Rohypnol oedd wedi cael ei roi i'r genod ifanc – y cyffur oedd yn cael ei ddefnyddio i wneud pobl yn ddiymadferth er mwyn eu treisio. Doedd y dioddefwyr yn cofio dim, neu ychydig iawn, wedi'r digwyddiad, ac weithiau roedd delweddau o'r trais yn dod yn ôl iddynt fel ôl-fflachiadau. Meddyliodd am Anwen Jacobs druan yn yr ysbyty – roedd ei chyflwr yn debyg iawn i'r hyn oedd i'w ddisgwyl wrth ddod dros effaith y cyffur.

Roedd Jeff wedi clywed digon bellach i roi darlun iddo o'r hyn oedd yn mynd ymlaen yn rheolaidd yng Ngheirw Uchaf. Ar y ffordd allan o'r tŷ, allan o glyw'r merched, cafodd gyfle i gael gair distaw yng nghlust Mr Cowell.

'Gwrandwch, Mr Cowell,' meddai. 'Mae gen i syniad eitha da be achosodd i Mandy ladd ei hun. Mae'n ddrwg iawn gen i na fedra i ddeud mwy wrthach chi ar hyn o bryd – dwi angen gwneud ymholiadau pellach – ond dwi'n sicr ein bod ni'n nes at y gwir erbyn hyn. Cadwch hyn i gyd yn gyfrinachol os gwelwch yn dda, ond dwi'n gobeithio y cewch chi eglurhad llawn yn fuan iawn.'

'Mi fyswn i'n falch iawn o gael ateb, Ditectif Sarjant. Cyn gynted â phosib.'

Penderfynodd Jeff fynd yn syth i gartref Anwen Jacobs, gan obeithio y byddai rhywun yno. Fel yr oedd o'n cyrraedd gwelodd Gwilym Jacobs, tad Anwen a dyn roedd o'n ei adnabod yn weddol dda, yn cerdded tuag at ei gar. Stopiodd Jeff ei gar gerllaw.

'Gwil,' galwodd drwy'r ffenest agored. 'Dwi angen gair sydyn os gweli di'n dda.'

'Wnaiff o eto, Jeff? Ar y ffordd i'r ysbyty ydw i, i nôl Anwen. Mi gafodd hi ei tharo'n wael yn yr ysgol bore 'ma, ond mae'n edrych yn debyg ei bod hi wedi dod dros beth bynnag oedd o erbyn hyn, diolch i'r nefoedd.'

'Dyna'n union pam dwi isio gair, Gwil. Mae gen i syniad be ddigwyddodd iddi. Dwi'n amau fod rhywun wedi rhoi cyffuriau iddi neithiwr.'

Stopiodd Gwilym Jacobs yn stond. 'Cyffuriau?'

'Ia, ty'd i'r car 'ma am eiliad. Sgwrs fer dwi angen.'

Eisteddodd Gwilym Jacobs yn sedd y teithiwr, yn edrych yn syn.

'Cyffuriau?' gofynnodd eto.

'Dyna be dwi'n amau,' meddai Jeff. 'Lle oedd Anwen neithiwr, Gwil?'

'Yn cysgu dros nos yn nhŷ ffrind, ac mi oedd y ddwy ohonyn nhw'n mynd yn syth i'r ysgol o fanno bore 'ma.'

Yr un drefn â'r hyn ddigwyddodd i Mandy Cowell, meddyliodd Jeff.

'Yli, erbyn i ti gyrraedd yr ysbyty, mi fydda i wedi

gwneud trefniadau i blismones a thîm arbenigol ddod i'w gweld hi cyn gynted â phosib. Dwi ddim isio dy styrbio di heb fod rhaid, ond dwi'n amau'n gryf fod Anwen wedi cael ei threisio'n rhywiol neithiwr, ar ôl i rywun roi cyffur iddi. Mi wn i fod hyn yn sioc, ond ro'n i isio deud wrthat ti fy hun, cyn i ti fynd i'r ysbyty. Ella nad ydi hi'n cofio dim o'r hyn ddigwyddodd, ac mi fydd hi angen amser i ddygymod â'r peth.'

Roedd Gwil yn syfrdan. 'Blydi hel. Pwy wnaeth? Mi ladda i'r bastard. Fydd hi'n iawn?' gofynnodd, yn dechrau cynhyrfu.

'Mi ddaw hynny i gyd i'r amlwg yn ddigon buan, Gwil, a dwi'n siŵr y bydd hi'n iawn ymhen amser, ond mi fydd hi angen lot o help a chefnogaeth. Nid ei bai hi ydi hyn, ond ein blaenoriaeth ni ydi cynnal archwiliad manwl, rhag ofn bod tystiolaeth fforensig yn dal i fod ar ei chorff hi. Mae'n hanfodol ein bod ni'n gwneud hynny cyn gynted â phosib.'

'Pa fochyn fysa'n gwneud y fath beth i eneth bymtheg oed?'

Anwybyddodd Jeff y cwestiwn, gan ofyn un arall.

''Swn i'n lecio dy holi di am ffrind Anwen, Mandy Cowell,' meddai, gan chwilio am adwaith i'r cwestiwn ar wyneb Gwilym Jacobs. Culhaodd ei lygaid wrth iddo wneud y cysylltiad.

'Mandy druan.'

'Fu Mandy yn aros dros nos efo Anwen yn eich tŷ chi erioed?'

'Naddo, erioed.'

'Fu Anwen yn aros yng nghartref Mandy?'

'Do, dwi'n meddwl. Pam, Jeff?'

'Dyna i ti ffordd ardderchog o dwyllo rhieni er mwyn aros allan trwy'r nos.'

Ochneidiodd Gwilym Jacobs yn uchel.

Roedd hi'n hwyr yn y prynhawn erbyn hyn, a rhuthrodd Jeff i'w swyddfa i wneud galwad ffôn.

'Pnawn da, Uwch-arolygydd,' meddai, 'Jeff Evans sy 'ma.'

'Lle wyt ti wedi bod drwy'r dydd Jeff?' gofynnodd Talfryn Edwards. 'Dwi wedi bod yn disgwyl clywed hanes dy ymweliad di â'r Alban.'

'Ia, ddrwg gen i na ches i gyfle i siarad efo chi bore 'ma. Mae'r ymchwiliad yn carlamu yn ei flaen ar ôl i mi ddysgu be sydd wedi bod yn digwydd i fyny yn Glasgow, ac yna, wedi i mi gyrraedd adra yn oriau mân y bore, mi ges i fy ngalw i ddelio efo rwbath sydd wedi troi allan i fod yn agwedd ddifrifol iawn i'r achos na alla i 'mo'i anwybyddu. Gan fod pawb arall yn paratoi ar gyfer ymweliad y teulu brenhinol, dwi ar fy mhen fy hun.'

Cymerodd Jeff ugain munud i adrodd yr hyn a ddysgodd yn Glasgow a'r datblygiadau yn dilyn ei sgwrs â Nansi y bore hwnnw. 'Rhaid i mi wneud rwbath ynglŷn â Morfudd Pierce cyn gynted ag y medra i,' meddai i gloi.

'Pam y brys?' gofynnodd yr Uwch-arolygydd.

'Am fy mod i wedi dysgu gan fy hysbysydd fod Morfudd yn gweithio'n rhan amser mewn siop gerllaw'r ysgol uwchradd. Dyna, fyswn i'n meddwl, sut mae hi'n nabod y genod... mae'n bosib ei bod hi wedi trefnu i fwy o genod fynd i fyny i Geirw Uchaf, ac alla i ddim gadael i hynny ddigwydd.'

'O dan yr amgylchiadau, dwi'n cytuno. Mewn sefyllfa

fel hyn mi ddylen ni agor ymchwiliad mawr a phenodi uwch-swyddog i reoli'r cwbwl, yn enwedig gan fod yr achos nid yn unig yn croesi ffin heddluoedd, ond gwledydd hefyd. Mi wna i'r trefniadau i ti, ond dwi ddim yn gweld peth felly yn digwydd tan ar ôl yr ymweliad brenhinol. Dwi'n cytuno bod yn rhaid i ti wneud rwbath ynglŷn â Morfudd Pierce, er mwyn diogelu unrhyw ferched eraill yn fwy na dim.' Oedodd am eiliad. 'Mi wna i'n siŵr na fydd gen ti gyfrifoldebau yn ystod yr ymweliad. Gwna be sydd raid, ond fydd gen i ddim dynion i dy gefnogi di nes bydd pawb wedi gorffen efo'r Tywysog.'

'Dwi'n dallt, syr,' atebodd Jeff yn ddiolchgar, 'ond mi fydd raid i mi gael dipyn o help wedi hynny, i ddelio efo Lloyd a'i wraig a Hutchinson, a chydlynu efo Heddlu'r Alban. A rhaid i ni gadw golwg fanwl ar Cwnstabl Lionel Hudson hefyd, a gwneud yn siŵr nad ydi o'n dod i wybod be sydd gen i ar droed.'

'Gad y cwbl i mi,' atebodd yr Uwch-arolygydd.

# Pennod 33

Roedd hi'n dechrau bwrw glaw mân pan edrychodd Morfudd Pierce trwy'r ffenest ar y landin am wyth o'r gloch y bore canlynol. Pwy ar y ddaear oedd wedi'i deffro drwy guro ar ei drws ffrynt mor fore, meddyliodd wrth gerdded yn droednoeth i lawr y grisiau. Doedd hi ddim wedi deffro'n iawn, a rhwbiodd ei llygaid i geisio dadebru. Clywodd y curo unwaith eto, yn drymach y tro hwn.

'Ocê, ocê, dwi'n dŵad. Dal dy ddŵr,' mwmialodd wrth lapio'i gŵn wisgo amdani ac agor y drws.

Meddyliodd am funud ei bod yn breuddwydio pan welodd blismones mewn iwnifform a dyn mewn côt ddyffl flêr ar stepen y drws, ond pan gafodd ei tharo gan realiti, dechreuodd ei chalon gyflymu. Roedd hi eisiau cyfogi.

Heb ddisgwyl am wahoddiad, camodd Jeff heibio i Morfudd i mewn i'r cyntedd, a'r blismones ar ei ôl.

'Caewch y drws,' gorchmynnodd Jeff, gan ddal ei gerdyn gwarant swyddogol o dan ei thrwyn. Erbyn hyn roedd Morfudd yn crynu fel deilen, ac nid awyr oer y bore oedd yn gyfrifol am hynny. 'Ditectif Sarjant Evans ydw i, a PC Ceridwen Davies sydd efo fi. Dwi'n eich arestio chi dan amheuaeth o gynllwynio i ferched ifanc gael eu treisio'n rhywiol, a rhoi cyffuriau anghyfreithlon iddyn nhw er mwyn gwneud hynny.' Rhoddodd y rhybudd swyddogol iddi.

Nid atebodd y ddynes o'i flaen, a doedd dim ymateb o gwbl ar ei hwyneb. Pa mor galed oedd hi, myfyriodd Jeff?

Ond yn raddol, gwelodd bryder yn ei llygaid – rhyw banig oedd yn dyst ei bod yn ceisio prosesu'r hyn oedd ar fin digwydd iddi, a'r hyn a arweiniodd at ei sefyllfa bresennol. Er hynny, roedd Jeff wedi penderfynu na fyddai'n dangos unrhyw dosturi iddi... dim ar ôl y cwbwl roedd hi wedi'i wneud.

Roedd Morfudd Pierce yn bedwar deg un oed a thua phum troedfedd wyth modfedd, ac er bod golwg flêr arni, roedd yn ddynes hardd. Dychmygodd sut fyddai hi wedi edrych yng nghwmni Anthony Stewart yn Ceirw Uchaf: ei cholur yn berffaith, ei gwallt cyrliog yn disgyn fel cyrten euraid dros ei hysgwyddau a'i gwisg yn chwaethus a rhywiol. Byddai'r merched ifanc roedd hi wedi ceisio'u denu i'r partïon afiach wedi ei gweld fel ffigwr hudolus iawn.

'Oes 'na rywun arall yn y tŷ ar hyn o bryd?' gofynnodd Jeff iddi wrth edrych o'i gwmpas.

'Neb.'

Trodd Jeff i'w hwynebu a sefyll ddim mwy na llathen oddi wrthi. 'Wn i ddim sut roedach chi'n meddwl y bysach chi'n cael get-awê efo'r fath fochyndra, ond chewch chi ddim brifo neb eto. Mae ganddon ni hawl i chwilio'r lle 'ma o'r top i'r gwaelod. Lle mae'ch ffôn a'ch cyfrifiadur chi?'

'Mae'r ffôn i fyny yn y llofft,' meddai, 'ond does ganddoch chi ddim hawl i fynd â fo heb warant.'

'Gewch chi weld yn o handi pa hawl sydd gen i,' atebodd Jeff. 'Cyfrifiadur?'

'Does gen i 'run.'

'Mi ddechreuwn ni yn y llofft felly,' meddai Jeff yn awdurdodol. 'Ewch chi gyntaf, os gwelwch yn dda, PC Davies, a dewch â'r ffôn i mi yn syth.'

Daeth PC Ceridwen Davies o hyd i'r ffôn ar ben y cwpwrdd wrth ochr y gwely.

'Ai hwn ydi'ch unig ffôn chi?' gofynnodd y blismones i Morfudd Pierce.

'Ia.'

'Be ydi'r cod mynediad?'

'Mater i mi ydi hynny.'

'Dim problem,' atebodd Ceridwen, 'mi fedrwn ni gael pob darn o wybodaeth ohono heb ddefnyddio'r cod, peidiwch chi â phoeni.'

Gwenodd Jeff wrth roi'r teclyn mewn bag tystiolaeth plastig.

Er i'r ddau heddwas chwilio pob twll a chornel o'r tŷ, wnaethon nhw ddim darganfod unrhyw beth o bwys... hynny yw, nes i Ceridwen ddechrau chwilio trwy fag llaw Morfudd. Ynddo roedd bocs hanner llawn o dabledi Rohypnol. Gwnaeth Ceridwen sioe o roi'r bocs tabledi mewn bag tystiolaeth arall, ac wrth iddi wneud hynny, syllodd Jeff ar Morfudd Pierce. Trodd y pryder yn ofn wrth iddi ystyried ei sefyllfa anobeithiol.

Wedi iddi wisgo amdani, aethpwyd â hi i swyddfa'r heddlu drwy'r drws cefn, yn syth i mewn i'r ddalfa. Yno, syllodd ar y bariau metel du a'r celloedd bygythiol – gallai Jeff weld nad oedd hi erioed wedi bod yn y fath le o'r blaen. Yn rhyfeddol, gwrthododd Morfudd wasanaeth cyfreithiwr, ac o fewn ugain munud, ar ôl gorffen y gwaith papur, dechreuodd y cyfweliad.

Roedd Morfudd Pierce yn aflonydd yn ei chadair wrth iddi wynebu Ceridwen a Jeff. Ar ôl rhoi'r rhybudd angenrheidiol, dechreuodd Jeff yr holi.

'Mi wyddoch chi pam rydach chi yma?'

Nid atebodd Morfudd.

'Fe'ch arestiwyd chi gynna yn eich cartref a rhoddwyd y rheswm i chi, ac yn y fan honno mi wnaethon ni feddiannu eich ffôn symudol a phaced hanner gwag o dabledi Rohypnol, oedd yn eich bag llaw. Ydi hynny'n gywir?'

Nid atebodd.

'Un o'r honiadau yn eich erbyn ydi eich bod chi wedi hudo merched ifanc i ffermdy Ceirw Uchaf, Glan Morfa, er mwyn i ddynion gael rhyw anghyfreithlon efo nhw. Er mwyn i hynny allu digwydd, mi wnaethoch chi roi cyffur iddyn nhw – Rohypnol – sy'n golygu nad rhyw anghyfreithlon oedd o, Morfudd, ond trais rhywiol yn erbyn merched dan oed.'

Parhaodd Morfudd yn fud, ond roedd dagrau yn cronni yn ei llygaid.

'Yn waeth na hynny, Morfudd, mae un o'r merched a gafodd ei hudo ganddoch chi i Ceirw Uchaf wedi lladd ei hun yn dilyn y profiad. Be sydd ganddoch chi i'w ddeud am hynny?'

'Sgynnoch chi ddim syniad efo be dach chi'n delio,' bloeddiodd Morfudd o'r diwedd. Roedd ei hwyneb yn goch a'i llygaid yn llydan. 'Sgynnoch chi ddim syniad be ddigwyddith i mi os wna i siarad efo chi. Dwi ofn hynny lot mwy nag unrhyw beth fedrwch chi 'i wneud i mi. Fedar dim un o'ch waliau trwchus na'ch bariau haearn chi rwystro'r diawl rhag dod ar f'ôl i.'

'Peidiwch â siarad lol,' atebodd Jeff. 'Does 'na ddim byd ysbrydol ar gyfyl Ceirw Uchaf, na'r llannerch 'na wrth yr afon. Dydi'r tân a'r gwisgoedd rhyfedd yn ddim mwy na chwarae plant gan bobl ddrwg, ac yn esgus i gymryd mantais ar ferched ifanc – a dach chi'n un o'r bobol ddrwg hynny, Morfudd. Does 'na ddim math o ddiafol na swynion ocwlt ar gyfyl y lle.' Roedd Jeff wedi penderfynu nad oedd o am enwi Emyr Lloyd nes y byddai ganddo dystiolaeth mai fo oedd yn cyflawni'r trais. Amheuaeth gan Nansi'r Nos oedd ganddo ar hyn o bryd, a doedd hynny ddim yn ddigon. Cafodd Jeff ei synnu pan chwarddodd Morfudd Pierce yn uchel.

'Rargian, sgynnoch chi wir ddim syniad, nagoes,' meddai. 'Ma' siŵr eich bod chi, fel pawb sydd wedi bod yn y partïon, yn gwybod yn iawn mai Emyr Lloyd sy'n treisio'r genod 'na, ac nid fo 'di'r unig un chwaith. Mae rhai o'r *merched* wrthi, hyd yn oed. Fo, Lloyd, sy'n rheoli bob dim. Fo fydd yn dewis pwy sy'n cael ffwcio'r genod ifanc ar ei ôl o, dewis sut, dewis pwy sy'n cael mynd efo pwy yn y tŷ... coeliwch chi fi, mae 'na gymaint mwy o ddrwg yn y dyn 'na nag yn y diafol ei hun. Allwch chi ddim credu faint o ddylanwad sydd ganddo fo dros bawb. Tydi'r gwesteion ddim yn gwybod, ond mae o wedi ffilmio bob dim sy'n digwydd ym mhartïon Ceirw Uchaf er mwyn blacmelio unrhyw un sy'n ystyried trio gadael y cylch cyfrin 'na, neu droi yn ei erbyn o. Ac mae'r ffyliaid gwirion yn dal i ddod yn ôl – rhai ohonyn nhw'n bobol uchel iawn eu parch a dylanwadol yn y gymuned. Mae ganddo fo rwbath, rhyw damaid o faw, ar bawb. A be fysa'n digwydd taswn i'n agor fy ngheg rŵan? Diflannu, mwy na thebyg. Y drwg ydi 'mod i'n gwybod gormod am yr hyn sydd wedi bod yn digwydd yn y lle 'na, a hynny ers blynyddoedd hefyd. Felly peidiwch byth â disgwyl i mi ddeud gair wrthach chi. Dwi ei ofn o lot mwy na dwi'ch ofn chi, mi ddeuda i hynny'n onest.' Roedd ei llygaid coch yn llawn dagrau erbyn hyn.

Roedd hyn yn mynd i fod yn dalcen caled, ystyriodd Jeff. Er gwaetha'r ffaith fod Morfudd wedi cadarnhau'r hyn roedd o wedi'i dybio, doedd o'n ddim nes at gael tystiolaeth i roi Emyr Lloyd dan glo, na darganfod gwir hyd a lled ei ddrygioni.

'Wel,' meddai o'r diwedd, 'rydan ni'n gwneud trefniadau i edrych ar gynnwys eich ffôn chi, Morfudd, ac mi gawn ni ailddechrau'r cyfweliad 'ma ar ôl i ni gael yr holl wybodaeth ohono. Synnwn i ddim bod tystiolaeth yn erbyn Emyr Lloyd yn ei grombil, a fydd o werth hyd yn oed heb eich tystiolaeth chi.'

Daeth Jeff â'r cyfweliad i ben ac aed â Morfudd Pierce i gell am y tro. Gobeithiai y byddai ei hamser yno'n ei hysgogi i feddwl, ac ailystyried ei phenderfyniad.

Eisteddai Morfudd Pierce ar fainc bren galed mewn cell foel. Edrychodd o'i chwmpas ar y waliau budron a'r graffiti oedd yn dangos drwy'r gôt ddiweddaraf o baent – roedd camweddau'r gorffennol yn gwrthod diflannu'n gyfan gwbl hyd yn oed o'r fan hon, ystyriodd.

Llifai dagrau i lawr ei bochau, a cheisiodd eu sychu ymaith â'i llawes. Ceisiodd gofio pryd y cafodd ei denu i Geirw Uchaf, ond roedd hi'n ei chael yn anodd cofio amser pan nad oedd hi ynghlwm â'r partïon yno.

Ar Dwynwen roedd y bai i gyd, meddyliodd. Mi fu hi mor glyfar, yn gwneud iddi deimlo mor fodlon – na, yn fwy na hynny, mor ddiolchgar a balch ei bod hi wedi cael ei derbyn i ganol clic mor gyffrous ymhlith pobol ddylanwadol a chyfoethog. Byddai wedi bod yn fodlon gwneud unrhyw beth ar y dechrau i blesio Dwynwen a gwneud argraff dda arni hi a'i chyfeillion. Erbyn iddi sylweddoli mai'r unig reswm roedd hi'n cael ei chynnwys yn y partïon moethus oedd i fodloni chwant corfforol rhai o'r gwesteion – a chwant melltigedig Emyr Lloyd – roedd hi'n rhy hwyr i dorri'n rhydd. A bellach roedd Emyr a Dwynwen Lloyd â'u traed yn rhydd, a hithau mewn pydew du. Pa ffordd bynnag roedd hi'n troi, fyddai dim dyfodol iddi.

# Pennod 34

Wrthi'n sgwrsio ar y ffôn efo'r swyddog o'r adran dechnegol oedd yn edrych ar ffôn symudol Morfudd Pierce oedd Jeff pan gnociodd Ceridwen Davies ar ddrws ei swyddfa. Amneidiodd arni i ddod i mewn ac i eistedd, ac ar ôl iddo orffen yr alwad dywedodd Ceridwen wrtho ei bod wedi gweld Dafydd Pritchard.

'Oes 'na newydd am ei dad?' gofynnodd Jeff.

'Oes, rhywfaint,' atebodd Ceridwen. 'Mae 'na arwyddion ei fod o'n dal i wella, ac mae'r doctoriaid am drio dod â fo allan o'r coma ymhen diwrnod neu ddau. Mi ofynnodd Daf i mi ddeud wrthach chi.'

'Diolch am rywfaint o newyddion da,' atebodd Jeff. 'Wyt ti wedi cael dy frêc, Ceridwen? 'Dan ni wrthi ers ben bore, cofia.'

'Do diolch, Sarj. Dod yma wnes i er mwyn gadael i chi wybod bod Morfudd wedi bod yn canu cloch ei chell yn dragwyddol, gan ddeud ei bod hi isio siarad efo ni.'

'Diddorol,' atebodd Jeff, gan edrych ar ei watsh. 'Dim ond hanner awr wedi deg ydi hi. Ro'n i wedi bwriadu gadael iddi stiwio am ryw awr arall, ond ty'd, awn ni i weld be sydd ganddi i'w ddeud.'

Roedd Jeff yn eistedd tu ôl i'r bwrdd yn yr ystafell gyfweld pan hebryngodd Ceridwen Davies y carcharor i mewn. Os oedd Morfudd yn edrych yn flêr cynt, edrychai'n seithwaith gwaeth bellach gan fod ei llygaid yn chwyddedig a'i hwyneb yn goch.

Ailddechrodd Jeff y tâp ac ailadroddodd y rhybudd swyddogol, ond chafodd o ddim cyfle i ofyn ei gwesiwn cyntaf.

'Dwi wedi penderfynu deud y cwbl wrthach chi,' datganodd Morfudd. 'Dyna'r unig ddewis sydd gen i,' meddai, â'i phen i lawr. Cododd ei phen i edrych ar y ddau. 'Mi wn i mai blynyddoedd yn y carchar sy'n fy wynebu, felly waeth i mi eich helpu chi ddim. Dwi'n gobeithio y bydd hynny'n rhywfaint o gysur i deuluoedd y genod bach 'na, achos fysa 'run ymddiheuriad yn gwneud y tro.'

Rhannodd Jeff a Ceridwen edrychiad o syndod.

'Hoffech chi gael cyfreithiwr yma, Morfudd?' gofynnodd Jeff.

'Na,' meddai. 'I be? Dwi'n gwybod be dwi wedi'i neud. I be wna i dalu rhywun i wrando arna i'n cyfadda hynny?'

'Reit 'ta,' meddai Jeff, yn fwy na pharod i ddefnyddio'r fantais, 'Be am ddechra yn y dechra. Sut gawsoch chi eich cyflwyno i Ceirw Uchaf a phryd?'

'Flynyddoedd yn ôl. Fedra i ddim cofio'n iawn... pump, chwe, saith mlynedd yn ôl? Llinos oedd gwraig Emyr Lloyd bryd hynny, mi gawson nhw ysgariad ryw flwyddyn yn ddiweddarach. Clywed wnes i fod 'na waith i'w gael yno ambell noson, yn y gegin ac yn helpu allan. Ar ôl bod yno sawl tro, mi ges i gynnig gweini yn ystod swper – roeddan nhw'n hoff iawn o groesawu ffrindiau am fwyd.'

'Sut le oedd yno bryd hynny? Be oedd eich argraff gynta chi o'r lle?'

'Ro'n i yng nghanol y bobol fawr, gyfoethog, ac yn

teimlo allan o le, braidd, ond ro'n i'n gwneud yn iawn efo Llinos Lloyd.'

'Sut oedd y berthynas rhwng Mr a Mrs Lloyd yr adeg honno?'

'Dim yn dda, dwi ddim yn meddwl, a pherthynas ddigon od oedd hi hefyd.'

'Ym mha ffordd?'

'Mi sylweddolais yn reit fuan nad partis arferol oedd yn mynd ymlaen yno, a bod y gwesteion yn lot rhy gyfeillgar efo'i gilydd. Pawb yn fflyrtio, yn mwytho'i gilydd yn gyhoeddus – roedd pawb wrthi efo partneriaid pobol eraill. Roedd Emyr Lloyd yn ddigon parod i ymuno bob tro, ond welais i erioed Llinos yn gwneud chwaith. Mi aeth petha lot gwaeth ar ôl i Dwynwen ddangos ei hwyneb.'

'Pryd oedd hynny?'

'Rhyw flwyddyn, ella mwy, ar ôl i mi ddechrau mynd yno. Os dwi'n cofio'n iawn, efo Al Hutchinson ddaeth hi yno gynta, ac ar ôl hynny roedd hi yno bob tro. Dim ond bob hyn a hyn roedd Al yn dangos ei wyneb, er ei fod o yno'n reit aml yn ddiweddar, yn ystod y deufis dwytha.'

'Mi ddown ni'n ôl at Hutchinson eto. Ar ôl siarad efo Llinos, dwi'n dallt fod ei phriodas wedi dirywio ar ôl i Dwynwen gyrraedd.'

'Does dim dwywaith. Roedd hi'n amlwg fod Emyr Lloyd a Dwynwen yn ffansïo'i gilydd, ac roedd Emyr wedi bod yn sniffian o'i chwmpas hi o'r dechrau, yn union fel roedd o'n wneud efo pob merch newydd arall. Mae o'n ddyn eitha carismatig, cyn i chi ddod i'w nabod o. Roedd hi'n edrych yn debyg bod Llinos yn eitha hapus efo hynny... ella'i bod hi'n cael ei phleser yn rwla arall, wn i ddim. Ond cyn hir, roedd Emyr yn canolbwyntio ar Dwynwen a neb arall yn y partïon – a hynny'n cynnwys Llinos. Dyna pryd yr aeth petha'n flêr, ac mi adawodd Llinos. Doeddan nhw'n gwneud dim byd ond ffraeo, a hynny o flaen pobol eraill.'

'A dyma Dwynwen yn symud i mewn.'

'Ddaru hi ddim gwastraffu amser, ac yn fuan iawn roedd hi'n rheoli'r tŷ ac Emyr Lloyd ei hun.'

'Sut felly, Morfudd?' gofynnodd Jeff.

'Cyn hynny, Emyr oedd yn trefnu a rheoli pob parti – y bwyd, pwy i'w gwahodd a phob dim arall – ond wedi i Llinos adael, Dwynwen gymerodd drosodd ac mi oedd Emyr, cyn ac ar ôl iddyn nhw briodi, yn ufuddhau iddi heb fath o wrthwynebiad. Roedd fel petai hi wedi rhoi rhyw swyn arno. Ar ôl iddyn nhw briodi yr aeth petha'n dywyllach... cynt, chydig o hwyl oedd bob dim, pawb yn cysgu efo pwy bynnag lecian nhw heb orfod twyllo'u partneriaid, ac mi oedd 'na ddealltwriaeth rhyngddyn nhw i gyd. Ar ôl i Dwynwen gymryd cyfrifoldeb am y partïon mi ddaeth cyffuriau i chwarae rhan fwy amlwg, a doedd pawb ddim yn cael dewis eu partneriaid chwaith – Dwynwen ac Emyr oedd yn gwneud hynny, fel tasan nhw'n chwarae efo pypedau.'

'Sut ddaethoch chi i gymryd rhan yn y partïon, Morfudd?'

'Fel soniais i, mi ges i waith yn y gegin i ddechra, ac wrth siarad efo Dwynwen un noson, mi ddeudis i wrthi 'mod i wedi cael fy hyfforddi i drin gwallt. Roedd gen i siop fy hun ar un adeg, ond gan nad o'n i'n dda iawn ar yr ochr fusnes, pharodd hi ddim yn hir. Ar ôl hynny ro'n i'n mynd i dai pobol i wneud eu gwalltiau, ond yna daeth Covid i roi stop ar hynny. Gofynnodd Dwynwen i mi wneud ei gwallt hi, ac ymhen sbel ro'n i'n mynd ati unwaith neu ddwy yr wythnos. Mi ddaethon ni'n ffrindiau drwy hynny, yn siarad am bob dim, fel mae rhywun. Un diwrnod, mi ddeudodd hi ei bod hi wedi dilyn cwrs ar dylino corff, ac mai ei harbenigedd hi oedd llacio cyhyrau tyn. Mi gynigiodd fy nysgu i, a hynny am ddim, ac mi aeth hi â fi i un o'r llofftydd, gan ddeud wrtha i am dynnu fy nillad, hyd at fy nicyrs, a gorwedd ar fy mol ar y gwely. Dyna wnes i. Cynhesodd Dwynwen ei dwylo a rhoi olew aromatherapi arnyn nhw, ac ar ôl iddi orffen tylino bob cyhyr yn fy nghorff, ro'n i'n teimlo'n gymaint gwell. Yna, mi dynnodd hi ei dillad ei hun, gorwedd ar y gwely ar ei bol a fy nysgu innau i wneud yr un peth iddi hi. Ddywedodd hi fod y ddawn gen i, a throi i orwedd ar ei chefn, yn gwisgo dim byd ond thong bach les.'

'Oeddach chi'n disgwyl hynny?'

Cododd Morfudd ei hysgwyddau. 'Nag oeddwn,' atebodd, 'ond pam lai? Dwi'n reit agored i betha newydd... ond erbyn hyn dwi'n sylweddoli mai cael fy nenu'n ddyfnach i'w gafael hi oeddwn i.'

'Yn ddyfnach i'w gafael?'

'Ia. Rai dyddiau wedyn, pan o'n i yno i wneud ei gwallt hi fel arfer, mi ddeudodd ei bod hi'n amser i mi dylino rhywun arall – y mwya o ymarfer o'n i'n ei gael, y gorau oll, medda hi, gan ychwanegu bod pres da i'w gael gan y cwsmeriaid iawn. Dilynais hi i fyny'r grisiau i'r un ystafell â'r tro cynt – roedd Emyr Lloyd yn gorwedd ar ei fol yn noeth ar y gwely a dim byd drosto ond tywel bach gwyn ar draws ei ben-ôl. Ma' raid 'mod i'n edrych yn syn, gan i Dwynwen ddeud wrtha i am gario mlaen. Ddechreuais i efo'i draed o, fel y deudodd Dwynwen wrtha i am wneud, a gweithio fy ffordd i fyny'i goesau yn araf, yn union fel wnes i iddi hi. Ddeudodd Emyr ddim gair.'

'Arhosodd Dwynwen yno drwy'r amser?'

'Do. Wedi i mi orffen ei gefn a'i wddw, mi ddeudodd wrtha i am wneud ffrynt ei gorff. Trodd Emyr ar ei gefn gan adael i'r tywel ddisgyn ar lawr. Wel, do'n i ddim yn disgwyl gweld ei fod o'n barod i fynd, fel petai. "Am be wyt ti'n disgwyl?" gofynnodd Dwynwen, felly mi ddechreuais ei dylino eto, a hithau'n astudio pob symudiad. Ar ôl i mi orffen efo'i ysgwyddau, dywedodd Dwynwen 'mod i wedi anghofio am un rhan ohono. Mi edrychis i arni mewn syndod, ac ar godiad ei gŵr, a dechrau arni. Teimlad digon rhyfedd oedd o, a deud y gwir, ond ges i fwy o sioc byth pan dynnodd Dwynwen ei dillad i gyd a deud wrtha i am wneud yr un peth iddi hithau. Ma' siŵr y gallwch chi ddefnyddio'ch dychymyg ynglŷn â'r gweddill.'

'Be oeddach chi'n feddwl o'r profiad, Morfudd?'

'Wedi i'r syndod a'r swildod basio, mi wnes i fwynhau fy hun… dyna'r tro cynta i mi fod efo dau berson ar unwaith. Ar ben hynny, ro'n i'n teimlo'n freintiedig 'mod i wedi cael fy ngwahodd i'r criw cyfrin, i ganol pobol gyfoethog a dylanwadol. Ond cael fy hudo wnes i, yn union fel yr ydw i wedi hudo genod eraill ers hynny.'

# Pennod 35

'Sut newidiodd petha wedi hynny?' gofynnodd Jeff.

'Ar ôl y diwrnod hwnnw roedd Dwynwen yn gofyn i mi weini ym mhob parti, gan wisgo'n fwy rhywiol na'r genod eraill. Blows wen dynn a'r botymau wedi'u hagor yn isel, sgert ddu gwta, y math yna o beth. Roedd pawb o gwmpas y bwrdd yn cyffwrdd ei gilydd, a doedd hi ddim yn hir cyn i finna ddechrau cael fy nghyffwrdd hefyd, tra o'n i'n gweini, gan ddynion a merched. Dechreuodd Dwynwen frolio 'mod i'n un dda am dylino, yn enwedig i ddynion, felly ro'n i'n gwneud mwy a mwy o hynny ac yn cael pres da am wneud. Ro'n i wedi dod yn rhan o'r tîm, ac wrth fy modd.'

'Oedd 'na ferched eraill yn gwneud yr un peth â chi, Morfudd?'

'Oedd, sawl un yn mynd a dod, ac mae gen i gywilydd deud mai fi oedd yn gyfrifol am fynd â nhw yno, eu temtio nhw efo'r addewid o wneud lot o bres. Dwi'n gweithio mewn siop wrth ymyl yr ysgol ac mi ddes i i nabod lot o genod yn fanno... dyna sut wnes i gysylltu efo Mandy ac Anwen.'

'Faint o'r genod 'ma oedd dan oed, Morfudd?'

'Mwy na'u hanner nhw.'

'Mi fyddwn ni angen eu henwau nhw ganddoch chi.'

'Maen nhw i gyd yng nghof fy ffôn i. Mi ro' i'r cod i chi... waeth i mi orffen crogi fy hun ddim.'

'Pryd ddaru busnes y tân yn y llannerch a'r ffug-ddefodau ddechrau?'

'Galwch o'n ffug os leciwch chi, Sarjant Evans, ond mi fysach chi'n synnu faint sy'n coelio eu bod nhw wirioneddol yn cymryd rhan mewn seremoni ysbrydol. Ro'n i'n ymwybodol fod Emyr a Dwynwen yn chwilfrydig ynglŷn â'r ocwlt, ac mi gafodd y cwbwl ei saernïo i efelychu defodau satanaidd, o be welwn i. Roedd Dwynwen yn gwahodd pobl efo'r un diddordebau i'r partïon. Wrth gwrs, roedd y cyffuriau yn help mawr i wneud i bobol feddwl bod sail ocwltaidd i'r holl beth – roedd rhai yn ei cholli hi'n lân.' Oedodd Morfudd am ennyd wrth feddwl. 'Ond peth gweddol ddiweddar ydi'r gwisgo i fyny, y tân, a'r dawnsio – yn gynharach eleni, os dwi'n cofio'n iawn. Ychwanegu at bleser Emyr Lloyd oedd hynny i gyd.'

'O ble oedd y cyffuriau'n dod?'

'Boi lleol o'r enw Colin. Mi oedd o'n stelcian o gwmpas yn reit aml, ond byth yn rhan o'r partïon. Dwi ddim yn siŵr faint oedd Emyr yn ei drystio fo, ond yn ôl Dwynwen roedd o'n handi iawn ei gael o a'i gyflenwad cyson wrth law.'

Dyna beth arall wedi'i gadarnhau, meddyliodd Jeff. 'Faint o ferched ifanc fu'n cymryd rhan yn y seremonïau?' gofynnodd.

'Dim ond y ddwy y gwyddoch chi amdanyn nhw: Mandy ac Anwen. Dim ond gweini oedd y genod eraill. Fedra i ddim maddau i mi fy hun am be ddigwyddodd i Mandy.'

'Wir?' Ni allai Jeff guddio'i dymer. 'Roeddach chi wedi ypsetio cymaint, mi wnaethoch chi hudo Anwen yno ddeuddydd yn ôl gan wybod y bysa hi'n cael ei threisio!'

Dechreuodd Morfudd wylo eto. 'Fedra i ddim disgwyl i

chi ddeall, Sarjant Evans. Erbyn hynny ro'n i'n gaeth i Dwynwen ac Emyr, ac mi oedd raid i mi ufuddhau iddyn nhw. Mi o'n i'n gaeth...' ailadroddodd drwy ei dagrau, 'yn rhan o bob dim oedd yn digwydd yn y blydi Ceirw Uchaf 'na.'

'Y cyffur y daethon ni o hyd iddo yn eich bag llaw chi bore 'ma – y Rohypnol – dwi'n cymryd mai hwnnw, neu rwbath tebyg – oeddach chi'n ei roi i Mandy ac Anwen cyn eu harwain nhw i lawr i'r llannerch?'

'Ia.'

'O ble gawsoch chi'r tabledi? Mae'n anodd iawn cael gafael ar Rohypnol yn y wlad yma.'

'Dwynwen roddodd nhw i mi, ond wn i ddim o lle gath hi nhw. Mi ddeudodd wrtha i mai un dabled oedd ei hangen, ac na fysa'r genod yn cofio dim byd y diwrnod wedyn.'

'Yn anffodus dydi hynny ddim yn wir bob tro. Mae ôl-fflachiadau yn sgileffaith reit gyffredin. Yn ôl pob golwg roedd Mandy'n cofio digon i'w gyrru hi i'w bedd.'

'Wyddwn i 'mo hynny ar y pryd, wir i chi.'

'Sut cawsoch chi'r ddwy i lyncu'r tabledi?'

'Mi gymerodd Mandy'r dabled o'i gwirfodd ar ôl i mi ddeud wrthi mai rwbath i wneud iddi ymlacio oedd o. Ond gwrthododd Anwen, ac mi falais i'r dabled a'i rhoi hi yn ei diod hi.'

'Oedd gan un o'r ddwy unrhyw syniad be oedd ar fin ddigwydd iddyn nhw yn y llannerch?'

'Dim syniad.'

'A be yn union *oedd* yn digwydd, Morfudd?'

'Fel rhan o'r ddefod, roeddan nhw'n cael eu rhwymo i'r garreg cyn i Emyr gael rhyw efo nhw. Roedd y gweddill yn gwylio, a'r rhai roedd Emyr wedi'u dewis i fynd ar ei ôl o, yn disgwyl am eu tro.'

Ysgydwodd Jeff ei ben mewn ffieidd-dod.

'Rhaid i chi ddeall, Sarjant Evans, 'mod i ofn Emyr a Dwynwen – dwi'n amau'n gryf eu bod nhw'n ddylanwadol a medrus iawn... mi fedran nhw wneud i rywun ddiflannu os oes angen.'

Dyma'r cyfle roedd Jeff ei angen. 'Be ydi hanes Anthony Stewart?' gofynnodd, a gwelodd yr enw'n ei tharo. 'Dwi'n dallt eich bod chi wedi bod yn eitha agos ato fo ers cryn amser,' ychwanegodd.

Oedodd Morfudd â'i phen i lawr am dipyn cyn ateb.

'Dach chi'n iawn, mi oeddan ni'n agos. Roedd ganddon ni feddwl mawr o'n gilydd... mi ddatblygodd rwbath mwy na rhyw rhyngddon ni. Dwi wedi bod yn poeni yn ei gylch o, am nad oes gen i syniad lle mae o.'

'Deudwch rywfaint o'i hanes o wrtha i. Sut ddaru chi gyfarfod?'

'Mae hynny'n mynd yn ôl i 'nyddiau cynnar i yn Ceirw Uchaf. Cyn i mi ddechra bod yn rhan o'r busnes tylino a'r rhyw. Roedd o wastad yn dod ata i i siarad, a phan ddechreuis i dylino, Tony oedd y cynta i ofyn amdana i. Gan ei fod o'n gymaint o ffrindia efo Emyr, roedd o'n cael bob dim roedd o isio. Mi ddaethon ni'n agos wedyn.'

'Sut roedd y ddau wedi dod yn gymaint o ffrindiau? Wedi'r cwbwl, doedd Tony ddim yn byw'n lleol.'

'Rhyw fusnes flynyddoedd ynghynt. Roedd Emyr yn ddiolchgar am ryw help gafodd o gan Tony. Wn i ddim mwy na hynny – wnes i rioed holi.'

'Oedd Tony i weld yn gyfeillgar efo rhywun arall?'

'Oedd: Al Hutchinson, yr Albanwr, ond doedd hwnnw

ddim yno'n aml. Mi oedd y tri – Emyr, Al a Tony – i weld yn agos iawn tan iddyn nhw gael ffrae fawr.'

'Pryd oedd hynny?'

'Ryw dro ym Mis Awst os dwi'n cofio'n iawn. Ia, penwythnos yr ugeinfed – roedd pen blwydd fy chwaer chydig ddyddiau cyn hynny, dyna sut dwi'n cofio. Dyna pryd welais i Tony am y tro dwytha. Yn amlwg, mi oeddan nhw wedi ffraeo dros rwbath, ond chlywais i 'mo'r holl stori.'

'Faint o'r stori glywsoch chi, a chan bwy?'

'Y noson honno, ro'n i wrthi'n clirio'r bwrdd ar ôl bwyd pan glywis i sŵn lleisiau uchel yn dod o swyddfa Emyr. Dim ond y tri ohonyn nhw oedd yno. Roedd Hutchinson yn deud, wrth Tony am wn i, bod yn rhaid iddo ufuddhau, ac roedd yntau'n gwrthod. Dywedodd Tony fod unwaith wedi bod yn ddigon, a bu bron iddo golli'i swydd yr adeg honno. Byth eto, medda fo. Yna, mi ddeudodd Emyr nad oedd gan Tony ddewis ond gwneud beth bynnag oedd o, neu mi fysa 'na ganlyniadau. Rhaid gen i bod Tony wedi dal ei dir, achos ddaeth o ddim yn ôl wedi hynny. Dyna'r tro olaf i mi ei weld o.'

Ystyriodd Jeff yr hyn a glywodd Morfudd: 'unwaith yn ddigon' oedd ei eiriau. A'r cyfeiriad at golli ei swydd... gwyddai Jeff yn syth at beth roedd Tony'n cyfeirio. Roedd o wedi achub Hutchinson rhag cael ei erlid yn y llysoedd flynyddoedd ynghynt drwy ddwyn y dystiolaeth yn ei erbyn, ac yn amlwg roedd Hutchinson, a Lloyd hefyd, yn erfyn arno i wneud rhywbeth tebyg eto.

'A dyna'r unig ffrae glywsoch chi?'

'Ia, y noson honno, beth bynnag.'

'Oedd y tri wedi bod yn dadlau o'r blaen?'

‘Oeddan. Dwi’n gobeithio y gwnaiff yr wybodaeth nesa ’ma fy helpu fi pan a’ i o flaen y llys, pryd bynnag fydd hynny.’

‘Gawn ni weld be ydi’r wybodaeth i ddechrau,’ atebodd Jeff, yn gyndyn o wneud addewid o unrhyw fath.

‘Mi wn i pwy ymosododd ar y cipar afon ’na wythnos neu ddwy yn ôl.’

Oedodd Morfudd, ac ni allai Jeff guddio’i chwilfrydedd. ‘Wel?’ meddai’n awyddus.

‘Colin, yr un sy’n cyflenwi cyffuriau i Dwynwen ac Emyr.’

Ceisiodd Jeff beidio â dangos pa mor eiddgar oedd o am fwy o wybodaeth. Cymerodd anadl drom. ‘Sut gwyddoch chi hynny, Morfudd?’

‘Dyna oedd pwnc ffrae arall i mi ei chlywed. Dim ond Emyr a Colin oedd yn swyddfa Emyr y tro hwnnw. Roedd Colin yn llawn hyder pan gerddodd o i mewn yn hwyr y noson honno, pan o’n i’n gorffen clirio a phawb wedi gadael. Ro’n i yn y stafell drws nesa ac yn clywed y cwbwl yn iawn. Ddeudodd Colin ei fod o wedi sortio’r hen ddyn oedd wedi bod yn bysnesu i lawr ger y llannerch, unwaith ac am byth. Deud na fysa fo mewn cyflwr i siarad efo neb byth eto am beth bynnag welodd o, gan ei fod o wedi’i daro’n ddigon caled ar ei ben. Wel, mi aeth Emyr yn lloerig, yn gweld bai ar Colin am wneud rwbath fysa’n dod â’r heddlu i gyfeiriad Ceirw Uchaf. Mai dyna’r peth olaf roedd o ac Al Hutchinson ei angen ar amser mor dyngedfennol. Gofynnodd Emyr be ddefnyddiodd o i’w anafu, a lle oedd yr arf. Trosol medda Colin, a’i fod wedi’i guddio rownd cefn y buarth yn Ceirw Uchaf. Aeth Emyr yn fwy gwallgo byth, a tharo Colin ar draws ei wyneb. Mi ddeudodd Emyr wrtho am fynd i nôl y trosol yn syth a chael gwared arno fo gynted â phosib. Ymhen deng munud ro'n i'n dreifio adra o Ceirw Uchaf – tua hanner nos oedd hi – ac roedd Colin yn cerdded ar hyd y lôn ryw ganllath o fuarth Ceirw Uchaf, yn cario rwbath. Stopiais er mwyn cynnig lifft iddo fo, ac mi dderbyniodd. Dringodd i mewn i'r car, ac mi welais mai'r trosol oedd yn ei law. Tua hanner milltir i lawr y lôn mi ofynnodd i mi stopio, ac ar ôl i mi wneud hynny, mi agorodd y drws a thaflu'r trosol dros y gwrych i'r cae. Ddywedodd o ddim byd wrtha i am y peth a wnes i ddim gofyn dim iddo fo chwaith.'

'Wyddoch chi yn union lle ddaru o'i luchio fo?'

'Yr union fan,' cadarnhaodd Morfudd. 'Mi fedra i fynd â chi yno rŵan os liciwch chi.'

'Mewn munud, ond dywedwch wrtha i gynta, mor fanwl ag y medrwch chi, sut ddaru Tony Stewart ddod i gyfarfod Emyr Lloyd?'

'Cyn belled ag y gwn i, roedd gan Tony rwbath i'w wneud â rhyw waith adeiladu ar yr afon. Mi ddechreuodd Tony ddod i'r rhan yma o'r wlad yn aml yn y dyddiau hynny, a dwi'n meddwl ei fod o wedi cyfarfod Emyr Lloyd drwy ei waith.'

Dechreuodd Jeff fyfyrio. Y tebygrwydd oedd bod Lloyd wedi sylweddoli gwerth Stewart yn gyflym, a'i ddenu i'w bartïon er mwyn ei ddefnyddio i ddatblygu cynllun y grisiau eogiaid.

'A be am Al Hutchinson?' gofynnodd. 'Sut ddaeth o i mewn i'r pictiwr?'

'Ei ddiddordeb yn y partïon rhyw, am wn i. Roedd cylch Lloyd yn un mawr, a phobol yn dod yno o bell. Mi ddaeth o yno tua'r un pryd â Dwynwen os dwi'n cofio'n iawn.

Synnwn i ddim petai hi ac Al Hutchinson yn nabod ei gilydd cynt.'

'Ac mi wnaeth Hutchinson gyfarfod Tony yr un pryd?'

'Do, fwy nag unwaith.'

Ni allai Jeff gredu'r peth. Roedd Hutchinson, yn un o bartïon Emyr Lloyd, wedi dod ar draws Tony Stewart, yr union ddyn a oedd yn arwain yr ymchwiliad i'w gwmni o, Gwaredu Gwastraff Cyf., ynglŷn â gwenwyno afonydd Alwen a Dyfrdwy. Roedd ganddo ddigon o ddeunydd felly, mwy na thebyg, i flacmelio Stewart er mwyn ei orfodi i gael gwared â'r dystiolaeth yn ei erbyn.

Ymhen ychydig funudau roedd Jeff, PC Ceridwen Davies a Morfudd ar eu ffordd i chwilio am y trosol. Roedd y tri yng nghar Ceridwen rhag ofn y byddai Emyr Lloyd o gwmpas i adnabod un o geir yr heddlu: Ceridwen yn gyrru a Jeff yn eistedd yn y cefn wrth ochr Morfudd. Roedd Jeff wedi cael gafael ar hwdi a chap pig i Morfudd eu gwisgo rhag ofn iddyn nhw ddod wyneb yn wyneb â Lloyd neu Dwynwen, a chododd Jeff gwfl ei gôt ddyffl dros ei ben.

Dilynodd Ceridwen gyfarwyddiadau Morfudd i gyfeiriad Ceirw Uchaf, a stopiodd yn yr un lle ag y taflodd Colin yr arf dros y gwrych. Yn rhyfeddol, nid oedden nhw'n bell iawn o'r llecyn lle parciodd Dan Pritchard y noson y cafodd ei anafu. Neidiodd Jeff allan o'r car, gan droi'r cloeon plant ymlaen ar ddrysau cefn y car cyn mynd, rhag i Morfudd benderfynu dianc. Dringodd dros giât gyfagos i'r cae, a gyrrodd Ceridwen ymaith i ddisgwyl am alwad ffôn gan Jeff ar ôl iddo ddychwelyd i'r lôn.

Roedd drain ac ysgall yn drwch yn y cae, ond ymhen deng munud daeth Jeff ar draws y trosol yn ddwfn yn y llystyfiant. Tynnodd fag mawr plastig o boced ei gôt a rhoi'r trosol ynddo'n ofalus, gyda gwen fawr ar ei wyneb.

Ymhen deng munud roedd y tri yn ôl yng ngorsaf yr heddlu.

# Pennod 36

Yn ei swyddfa, eisteddodd Jeff yn ôl yn ei gadair. Roedd hi'n tynnu at amser cinio, a chaeodd ei lygaid wrth ystyried pa mor llwyddiannus fu'r bore hwnnw – llawer gwell na'r disgwyl.

Roedd y darlun yn fwy eglur bellach. Gwnaed y cysylltiad rhwng Hutchinson a Stewart, oedd yn egluro pam a sut yr aeth y dystiolaeth i erlyn cwmni Hutchinson, Gwaredu Gwastraff Cyf., ar goll flynyddoedd ynghynt. Roedd hynny yn ei dro'n egluro'r ffrae a glywodd Morfudd rhwng y tri dyn fis Awst – roedd yn amlwg fod Stewart wedi cymryd risg fawr i gael gwared â'r dystiolaeth yr adeg honno, a doedd o ddim am gymryd risg debyg eto. Beth oedd wedi digwydd ym mis Awst i Hutchinson a Lloyd fynd ar ofyn Stewart unwaith eto, tybed? Roedd gwenwyn yn afon Ceirw yn ddiweddar, yn sicr, ond ni wyddai neb sut fath o wenwyn. Er bod Esmor yn meddwl mai potswyr yn defnyddio calch oedd yn gyfrifol, dyfalu yn unig oedd o. Rŵan bod enw Hutchinson wedi codi, tybed a oedd ei gwmni o – a gwastraff tebyg i'r hyn a gafwyd yn afonydd Alwen a Dyfrdwy – yn gyfrifol am y pysgod marw? Biti nad oedd profion wedi eu gwneud ar y pysgod a laddwyd. A fyddai Stewart wedi medru atal unrhyw ymchwiliad i farwolaeth y pysgod yn afon Ceirw? Wedi'r cyfan, dyna oedd ei arbenigedd.

Os oedd Hutchinson wedi gwenwyno'r afon, roedd

Emyr Lloyd wedi ei helpu, yn sicr. A sut fath o wenwyn oedd o? Roedd yn gas gan Jeff feddwl am gynnwys y llwyth ddaeth i Gymru o ardal Glasgow, ond os mai gweddillion y brodyr Farrell, troseddwyr mwyaf y ddinas, oedd yn y lorri, byddai eu cyrff yn llawn o'r gwenwyn a ddefnyddiwyd i'w lladd. Petai ei ddamcaniaeth yn gywir, roedd cwestiwn arall heb ei ateb: ai yn yr afon neu'r llyn y cafodd y llwyth ei ollwng? Cofiodd Jeff weld marciau olwynion ger ochr ddyfnaf y llyn, yn ardal yr hen chwarel. Os oedd bareli yn llawn gwastraff gwenwynig wedi cael eu gollwng i'r llyn, gallai'r creigiau o dan yr wyneb fod wedi eu crafu a'u difrodi wrth iddynt ddisgyn i'r dyfnderoedd, fel bod y cynnwys yn cael ei ollwng yn ara deg i'r llyn ac wedyn i'r afon. Mewn achos felly, byddai'r gwenwyn yn gallu diferu i'r dŵr dros gyfnod maith. Ond doedd dim diben iddo geisio dyfalu ar hyn o bryd, penderfynodd, a phethau llawer pwysicach angen ei sylw.

Cofiodd ei addewid i'r Ditectif Brif Uwch-arolygydd McFearson yn yr Alban na fyddai'n ymyrryd â'u hymholiadau nhw drwy rybuddio Hutchinson ei fod mewn perygl o gael ei arestio. Roedd arestio Emyr a Dwynwen Lloyd yn gam go bell o unrhyw ymchwiliad yn Glasgow, ond eto, yn ddigon agos i rybuddio Hutchinson fod yr heddlu'n agosáu. Ond mater arall oedd arestio Colin Pritchard eto ar amheuaeth o geisio llofruddio'i daid, Dan. Ni welai reswm i beidio â gwneud hynny ar unwaith.

Wrth feddwl am gloi Colin Pritchard mewn cell, cofiodd am un arall oedd yn y ddalfa: Morfudd Pierce, dynes gymharol ifanc heb ddyfodol o'i blaen. Byddai'n rhaid iddi gael ei chyhuddo, a hynny erbyn wyth o'r gloch fore trannoeth, bedair awr ar hugain ar ôl iddi gael ei harestio.

Câi fwy o amser i'w holi petai angen casglu mwy o dystiolaeth, ystyriodd. Ond roedd ganddo broblem – petai o'n cyhuddo Morfudd byddai'n rhaid iddi fynd o flaen y llys yn syth. Byddai aelodau'r wasg yn bresennol, ac roedd hi'n sefyll i reswm felly y byddai Emyr a Dwynwen Lloyd yn cael gwybod am y cyhuddiadau yn ei herbyn. Penderfynodd aros, a defnyddio'r amser ychwanegol i orffen yr ymholiadau cyntaf, sef cadarnhau enwau'r merched eraill oedd ar gof ei ffôn hi. Rhoddodd y gwaith hwnnw i Ceridwen, a throdd ei sylw at Colin Pritchard.

Daeth cwestiwn annisgwyl i ben Jeff: sut na wnaeth neb adroddiad na chŵyn swyddogol ynglŷn â'r pysgod wedi marw yn yr afon, o gofio fod y peth wedi digwydd ar ganol y tymor pysgota? Penderfynodd ffonio Desmond Hamilton i holi oedd rhywbeth yng nghofnodion y Gymdeithas Bysgota.

'Arhoswch chi am funud, i mi gael chwilio,' meddai hwnnw, ac aeth y ffôn yn ddistaw am funud neu ddau cyn i Hamilton ddod yn ôl efo'r ateb. 'Do, mi gawson ni gŵyn dros y ffôn gan bysgotwr lleol o'r enw Alun Price. Mi ddeudodd o fod pysgod marw wedi cael eu gweld yn yr afon fwy nag unwaith yn y dyddiau blaenorol.'

'Oedd 'na ymchwiliad i'r peth?' gofynnodd Jeff. 'Be oedd y canlyniad?'

'Mi ffoniais i Cynefinoedd Cynhenid Cymru ar y pymthegfed o Awst, yn ôl fy nghofnodion i, a siarad efo rhywun o'r enw Anthony Stewart. Sbel yn ddiweddarach, ar ôl ffonio i holi be oedd yn digwydd, mi wnes i ddarganfod nad oedd Mr Stewart yn ei waith. Chafodd y peth 'mo'i basio i neb arall hyd y gwn i.'

'Diolch yn fawr i chi, Mr Hamilton. Dyna'r cwbwl ro'n i isio'i wybod.'

Rhoddodd Jeff y ffôn yn ôl yn ei grud. Roedd Stewart wedi cael y dasg o wneud ymholiadau a chynnal profion ar ddŵr afon Ceirw ar y pymthegfed o Awst, chydig ddyddiau cyn iddo ddiflannu. O gwmpas yr un amser roedd o wedi cael ffrae fawr efo Hutchinson a Lloyd, yn ôl Morfudd – oedd y ddau wedi ceisio perswadio Stewart i beidio ag ymchwilio neu i roi canlyniadau ffug, tybed? Ai dyna oedd o'n anfodlon ei wneud am yr eilwaith?

Ond yn ôl at Colin Pritchard. Ffoniodd Jeff hanner dwsin o dafarnau'r dref gan ofyn i'r tafarnwyr adael iddo wybod petai Colin yn dangos ei wyneb. Aeth i swyddfa'r ditectif gwnstabliaid a'i chael yn wag. Rhegodd dan ei wynt wrth gofio am yr ymweliad brenhinol – roedd o ar ei ben ei hun, felly, a hynny tan ddiwedd y pnawn canlynol. Cydiodd mewn gefynnau llaw a'r allweddi, a rhoddodd yr ail allwedd sbâr ar gortyn tenau o amgylch ei wddf lle byddai'n hawdd cael gafael arno ar frys. Cychwynnodd allan yn ei gar i grwydro'r dref, yn y gobaith o gael gafael ar Colin cyn gynted â phosib.

Deirawr yn ddiweddarach cafodd alwad ffôn gan Sam Little o'r Rhwydwr, a ddywedodd fod Colin Pritchard newydd gerdded i mewn efo dau Sgowsar nad oedd o'n lecio'u golwg nhw.

Daeth syniad i ben Jeff, a gwnaeth alwad ffôn.

'Esmor, sut wyt ti?'

'Iawn diolch, mêt. Ond dwi ddim yn dy glywed di'n dda iawn – dwi wrth yr harbwr.'

Gwaeddodd Jeff i'r ffôn. 'Gwranda Es, dwi angen dipyn o help seicolegol gen ti.'

'Seicolegol? Fi? Be sy haru ti, ddyn?' chwarddodd Esmor. 'Be fedra i wneud i ti?'

'Dwi isio i ti fynd i gefn gorsaf yr heddlu plis, rŵan. Mi fydda i'n dod â charcharor i mewn cyn hir, a dwi isio i ti sefyll wrth y drws cefn ac edrych arno fo mor fygythiol ag y medri di. Dyna'r cwbwl. Wyt ti'n dallt?'

'Iawn, mêt,' atebodd Esmor. 'Mi fydda i yno.'

Gwnaeth Jeff un alwad arall, i Ceridwen y tro hwn.

'Sut mae'r ymholiadau'n mynd, Ceridwen?'

'Iawn, Sarj. Mae gen i restr o genod ifanc sydd wedi bod yn gweithio yng Ngheirw Uchaf, saith hyd yn hyn, a rhestr arall o rai roedd Morfudd yn meddwl eu targedu i fynd yno. Mae 'na ferched hŷn hefyd, a bydd raid eu cyfweld nhw i gyd ryw ben.'

'Da iawn, Ceridwen,' atebodd. 'Gwranda, dwi angen i ti wneud rwbath i mi, os gweli di'n dda. Dwi'n gobeithio dod â charcharor i mewn cyn hir. Cadwa dy lygaid yn agored yn y ddalfa. Tra dwi'n mynd drwy'r gwaith papur efo'r sarjant, dwi isio i ti wneud hyn.' Eglurodd yn union beth roedd o ei angen.

Cerddodd Jeff i mewn i far cyhoeddus y Rhwydwr gyda phastwn yr heddlu yn un llaw a gefyn llaw ar ei felt. Hanner awr wedi pedwar y pnawn oedd hi, a doedd dim llawer o gwsmeriaid yn yr ystafell. Roedd Colin Pritchard a'r ddau arall yn pwyso yn erbyn y bar a'u cefnau tuag ato, felly wnaeth 'run o'r tri sylwi arno'n nesáu. Y peth cyntaf welodd y tri oedd pastwn Jeff yn taro'r bar wrth ei hochrau gyda digon o sŵn i ddeffro'r meirw. Ar yr un pryd, er budd y ddau ddieithryn, gwaeddodd nerth esgyrn ei ben.

'Heddlu! CID!' Defnyddiodd ei holl nerth i afael yng ngwar Colin a'i wasgu.

'Wedi dod yma i nôl Colin ydw i. Does gen i ddim busnes efo chi'ch dau, ond dwi ddim ofn defnyddio hwn os oes rhaid,' meddai, gan godi'r pastwn uwch ben Colin. 'Camwch yn ôl.'

Ni welodd Sam Little ei far yn gwagio mor sydyn yn ei ddydd o'r blaen.

Edrychodd y ddau lanc ar ei gilydd wrth geisio penderfynu a allai'r tri ohonyn nhw guro'r hen ddyn efo'r pastwn.

'Arglwydd, gwnewch fel mae o'n deud,' meddai Colin, oedd erbyn hyn yn crynu ac yn chwysu chwartiau.

Camodd y ddau yn ôl yn araf.

'Call iawn,' meddai Jeff. 'Colin Pritchard, dwi'n dy arestio di ar amheuaeth o geisio llofruddio dy daid, Daniel Pritchard.' Rhoddodd frawddeg gyntaf y rhybudd swyddogol iddo, yn ei atgoffa fod ganddo hawl i ddweud dim, a rhoi'r gefynnau llaw am ei arddyrnau, y tu ôl i'w gefn.

'Chewch chi ddim gwneud hyn,' meddai Colin. 'Mi ydach chi wedi trio unwaith yn barod, ac wedi methu.'

'Dydach chi ddim i fod i roi'r rhybudd swyddogol yn llawn iddo?' gofynnodd un o'r ddau arall yn sarhaus.

'Dyna'r lleiaf o broblemau Colin,' atebodd Jeff. 'A beth bynnag, mae o'n gwybod geiriau'r gweddill cystal â fi erbyn hyn.'

Camodd Jeff yn araf i gyfeiriad y drws, yn dal i syllu ar y ddau Sgowsar. Wnaethon nhw ddim symud. Rhoddwyd Colin yng nghefn y car, ac eisteddodd fel oen bach yno ar hyd y daith fer i orsaf yr heddlu. Gyrrodd Jeff rownd i gefn yr adeilad, ac ar ôl parcio, agorodd ddrws cefn y car a rhoi help llaw i'w garcharor i ddringo allan. Cerddodd y ddau at y drws cefn, a dyna lle gwelodd Colin y cipar afon, Esmor Owen, yn rhythu arno'n fygythiol. Stopiodd Colin yn stond.

'Be mae hwnna'n da yma?' Daeth atgof o'r gweir a gafodd gan Esmor yn ôl i Colin mewn fflach boenus.

'Dim syniad,' atebodd Jeff.

'Peidiwch â gadael iddo fo ddod yn agos ata i,' meddai Colin.

'O, paid â bod yn fabi mam,' meddai Jeff, 'jyst am ei fod o'n un o ffrindiau gorau dy daid.'

Parhaodd Esmor â'r ddrama nes i'r ddau ei basio.

Ar ôl esbonio'r amgylchiadau i Sarjant Rob Taylor yn y ddalfa, gofynnwyd i Colin a oedd o angen cyfreithiwr.

'Na. I be?' atebodd. 'Dwi 'di gneud ffwc o ddim. Ma' hwn 'di trio hyn o'r blaen a chafodd o ddim byd allan ohona i'r adeg hynny. Cheith o ddim byd y tro yma chwaith. Cyfweliad "dim sylw" fydd hi eto. Ddeuda i ddim gair.'

Teipiodd Rob y geiriau 'dim angen cyfreithiwr' i mewn i'r cyfrifiadur, cyn argraffu'r record gystodaeth a gadael i Colin ei llofnodi.

Roedd Jeff a Colin yn dal i sefyll wrth y ddesg pan agorwyd y drws a arweiniai i gelloedd y merched. Daeth Ceridwen drwyddo a Morfudd Pierce wrth ei hochr. Cerddodd y ddwy drwy dderbynfa'r ddalfa heb edrych ar neb, ond roedd hi'n amlwg fod Colin wedi gweld Morfudd, er iddo wneud ei orau i roi'r argraff nad oedd o'n ei hadnabod.

Ceisiodd Jeff guddio'i wên. Roedd ei ddau gynllun seicolegol wedi gweithio.

Ymhen deng munud hebryngwyd Colin Pritchard gan Rob Taylor i'r ystafell gyfweld lle'r oedd Jeff yn disgwyl amdano. Gadawodd Rob y ddau yno. Ar ôl i'r tapiau ddechrau troi ac ar ôl y rhaglith, Colin ddechreuodd y sgwrs.

'Fel ddeudis i wrth y sarjant 'na tu allan, cyfweliad "dim sylw" fydd hwn. Dim ots be wnewch chi ofyn na sut fath o driniaeth ga' i. Mae fy mêts i'n gwybod na doedd 'na ddim sgratsh arna i pan ges i fy arestio.'

'Dy ddewis di ydi hynny, Colin, ond fyswn i ddim wedi dy ailarestio di heb fwy o dystiolaeth yn d'erbyn di. Mae gen i ddyletswydd i adael i ti wybod be ydi hwnnw.'

'Dim sylw,' atebodd Colin yn hyderus.

'Mae gen i dyst sy'n deud ei bod hi wedi dy glywed di'n cyfaddef wrth Emyr Lloyd mai ti darodd dy daid yn y goedwig wrth yr afon.'

'Dim sylw,' atebodd, er ei fod yn amlwg yn dechrau poeni. Gwyddai'n iawn nad oedd neb arall yn yr ystafell pan ddywedodd hynny wrth Emyr Lloyd. Blyff oedd hyn a dim byd arall, penderfynodd.

'A'r rheswm am yr ymosodiad oedd cau ceg dy daid oherwydd be welodd o yn y coed.'

'Dim sylw.'

'Mi roddodd y tyst lifft adra i ti'r noson honno, Colin.'

'Dim sylw,' meddai, ond llyncodd ei boer wrth wneud y cysylltiad â Morfudd Pierce, a welodd yn y ddalfa ychydig funudau ynghynt. Dechreuodd chwysu.

'Mi oeddat ti'n cario'r trosol ddefnyddiaist ti i daro dy daid pan gest ti lifft adra.'

'Dim sylw.' Teimlai Colin ei nerfau yn tynhau, ond gair un tyst oedd hwn. Ei gair hi yn erbyn ei air o.

'Ar y ffordd i Lan Morfa o gyfeiriad Ceirw Uchaf, mi ofynnaist ti iddi stopio'i char er mwyn i ti daflu'r trosol dros y gwrych i'r cae. Wyt ti'n cofio hynny? Dwi'n siŵr dy fod ti, Colin.'

'Dim sylw.' Pwy fysa'n coelio ryw hen hwren fel Morfudd Pierce?

Plygodd Jeff i godi'r trosol oedd wrth ei draed mewn bag plastig, a'i ollwng yn drwm ar y ddesg rhyngddyn nhw. Edrychodd Colin Pritchard at y label swyddogol yr olwg oedd ar y bag. Ni feddyliodd am funud y byddai'n gweld yr arf byth eto. Dechreuodd ei goesau grynu.

Roedd hi'n amser i ddweud dipyn bach o gelwydd, penderfynodd Jeff – fyddai pwt o droseddwr dwy a dimai fel Colin Pritchard ddim callach.

'Mae'r arf yma, Colin, wedi cael ei archwilio'n fanwl yn y labordy fforensig,' meddai'n araf a chlir. 'Ar un pen iddo mae darnau o wallt a gwlân cap, tameidiau o groen a rhywfaint o waed, y cwbwl yn perthyn i dy daid, Daniel Pritchard. Ar y pen arall mae dy DNA di, Colin Pritchard.' Gobeithiai i'r nefoedd nad oedd Colin yn mynd i ofyn ar pa ben i'r trosol oedd pa dystiolaeth. Syllodd Jeff ar Colin, gan roi amser iddo feddwl am y goblygiadau.

'Be ddigwyddith rŵan?' gofynnodd o'r diwedd.

'Mae'n reit syml, Colin,' atebodd Jeff. 'Mi fyddi di'n cael dy gyhuddo ac yna'n cael dy ryddhau ar fechnïaeth i aros am ddyddiad yr achos llys. Mae hynny'n dibynnu, wrth gwrs, os oes gen ti le i fyw. Ella y bysa Mr a Mrs Lloyd yn gadael i ti aros yn Ceirw Uchaf tasat ti'n gofyn yn neis iddyn nhw,' meddai'n sinigaidd.

Erbyn hyn roedd Colin yn aflonydd yn ei gadair ac yn chwarae efo'i ddwylo.

'Dwi ddim isio mynd allan o'r lle 'ma,' mynnodd. 'Rhowch fi'n ôl yn y gell. Fydda i'n saffach yn fanno, allan o ffordd yr uffar brwnt 'na sy'n aros amdana i wrth y drws cefn.'

Roedd Esmor wedi llwyddo i wneud ei waith, felly. Ond, yn annisgwyl, roedd Colin yn dal i siarad.

'Dwi'n siŵr ga' i ddiawl o stid gan Esmor pan glywith o mai fi roddodd gweir i Taid, ond fydd hynny'n ddim o'i gymharu â be wneith Emyr Lloyd a'i fêt, Al, i mi. Mae'r ddau ohonyn nhw'n ddiawlad peryg ac mi fyddan nhw'n siŵr o gael gwared arna i unwaith ac am byth os glywan nhw am hyn.'

'Dwi ddim yn dallt,' meddai Jeff, gan geisio swnio'n ddi-glem. 'Be sydd gan Al Hutchinson i'w wneud efo rhyw seremonïau wrth y tân yn y goedwig? Dyna pam roedd dy daid yno mor aml yn hwyr y nos, yntê?'

'Dydach chi ddim yn dallt, Sarjant Evans,' atebodd Colin. 'Dim dyna oedd diddordeb Taid, ond y gwenwyn mae'r ddau wedi bod yn ei roi yn yr afon a'r llyn ers wythnosau. Ella'i fod o wedi dod ar draws y petha yn y goedwig, ond y gwenwyn sydd wedi bod yn lladd y pysgod oedd ei flaenoriaeth o.'

'Pam wyt ti ofn Lloyd a Hutchinson gymaint, Colin?'

'Pan ddeudis i wrth Emyr Lloyd be wnes i i Taid, ro'n i'n meddwl y bysa fo'n falch o gael gwared arno fo. Trio'i blesio fo o'n i.'

'Felly nid cosbi dy daid am achwyn arnat ti i'r heddlu ynglŷn â'r cyffuriau oeddat ti?'

'Wel, mi oedd hynny yng nghefn fy meddwl i hefyd. Dyna oedd ar fy meddwl i drwy'r amser o'n i yn y carchar, taswn i'n onest. Ond gwrandwch arna i plis, Sarjant Evans. Mi aeth Emyr Lloyd yn wallgo efo fi, yn deud y bysa'r heddlu o gwmpas fel pryfaid ar gachu ar ôl be wnes i, a hynny ar adeg mor bwysig. A rŵan 'mod i wedi cael fy arestio, ac am gael fy nghyhuddo, mi fydd 'na fwy o sylw byth ar gyffiniau Ceirw Uchaf a'r llyn. Duw a ŵyr be wneith o. Be wneith y ddau ohonyn nhw.'

'Adeg mor bwysig? Beth oedd o'n feddwl wrth ddeud hynny?'

'Adeg pan mae 'na lwyth arall o sbwriel gwenwynig yn barod i gael ei luchio i'r llyn.'

'Wyt ti'n gwybod yn union be ydi'r sbwriel?'

'Nac'dw. Dim ond ei fod o mor wenwynig, allai Hutchinson ddim risgio cael gwared arno fo drwy unrhyw ffordd arall.'

'Sut mae'r gwenwyn yn cyrraedd y llyn a'r afon?'

'Mewn casgenni ar lorri, a honno'n cael ei gyrru gan Al Hutchinson ei hun. Wneith o ddim trystio neb arall i yrru llwyth mor beryglus. Doedd y stwff ddim i fod i gyrraedd y dŵr yn y lle cynta fel dwi'n dallt – roedd y casgenni i fod i ddisgyn i lawr i waelod dyfna'r llyn ac aros yno am byth, a fysa neb ddim callach. Ond mi darodd un o'r casgenni garreg fel roedd hi'n disgyn i'r dŵr, ac ma' raid bod y gwenwyn yn llifo i'r dŵr yn ara deg. Fysa Lloyd byth wedi gadael i Hutchinson roi'r casgenni yn y llyn tasa fo'n gwybod bod 'na bosib i'r stwff ddifetha'r pysgota. Mae Hutchinson wedi gaddo na fydd yr un peth yn digwydd eto.'

'A pryd mae'r llwyth nesa'n cyrraedd?'

'Os ddeuda i wrthach chi, Sarjant Evans, wnewch chi addo i mi y ca' i fynd yn syth i'r ganolfan remand? Mi fydda i'n lot saffach yn y fan honno.'

'Gei di fy ngair i, Colin.' Wnaeth Jeff ddim cyfaddef mai dyna oedd y cynllun beth bynnag. 'Pryd mae'r llwyth yn dod?' gofynnodd eto.

'Heno,' atebodd, bron â chrio erbyn hyn.

'Faint o'r gloch?'

'Yn hwyr. Wedi hanner nos fel arfer.'

Ochneidiodd Jeff yn uchel. Roedd o angen gofyn nifer o bethau eraill i Colin. Oedd ganddo gysylltiad â'r merched ifanc a dreisiwyd ym mhartïon Ceirw Uchaf? Beth oedd o'n ei wybod am Anthony Stewart? Faint o wybodaeth oedd ganddo am Cwnstabl Lionel Hudson a fu'n mynychu'r partïon? A beth am y difrod i gar Iwan Fox, a chysylltiad ei gyfeillion o Lerpwl â hynny? Edrychai'n debyg mai rhybudd i Fox gadw'n ddistaw oedd hwnnw, a dim byd arall. Ond roedd pethau llawer pwysicach i ddelio â nhw, ac atal mwy o wenwyn rhag cyrraedd Llyn Ceirw oedd ei flaenoriaeth. Gallai'r gweddill aros tan fory.

Rhoddwyd Colin Pritchard mewn cell am y tro.

# Pennod 37

Rhoddodd Jeff ganiad i Ditectif Sarjant John McNiven yn Glasgow i ddweud wrtho ei bod hi'n debygol y byddai'n rhaid iddo symud yn erbyn Emyr Lloyd a Hutchinson cyn i'r ymchwiliad yn y Alban ddod i derfyn, waeth beth oedd eu sefyllfa hwy ynglŷn â diogelu tystiolaeth eu tystion. Gofynnodd John iddo aros am alwad yn ôl gan y Ditectif Brif Uwch-arolygydd McFearson cyn gwneud dim, a doedd dim rhaid i Jeff ddisgwyl yn hir. Rhoddodd Jeff grynodeb o'r datblygiadau iddo yntau hefyd.

'Y drwg ydi,' meddai Jeff wrth orffen, 'na fedra i ddim risgio'r posibilrwydd y bydd mwy o wenwyn yn llifo i mewn i'r afon. Nid pysgod yn unig sy'n debygol o gael eu lladd – mae'r afon yn llifo drwy bron i ugain milltir o dir amaethyddol lle mae anifeiliaid gwerth degau o filoedd o bunnau yn pori. Byddai'n bosib i sgotwyr a phlant ddod i gysylltiad â'r gwenwyn hefyd, ac ar ben hynny, mae'r afon yn llifo i'r môr yn nhref Glan Morfa sydd â phoblogaeth o bymtheng mil. Dwi ddim isio meddwl be fysa'r canlyniadau petawn i'n oedi, a gwneud dim.'

'Dwi'n gweld eich pwynt chi, Ditectif Sarjant Evans,' atebodd McFearson, 'ond os oes 'na lwyth arall o wastraff yn cyrraedd acw heno, fel rydach chi'n deud, does dim modd gwybod be yn union ydi o nac, wrth gwrs, o ble mae o'n dod. Efallai nad gwenwyn ydi o,' ceisiodd ei ddarbwyllo.

'Dwi ddim yn meddwl y medra i gymryd y risg,' atebodd

Jeff yn benderfynol. 'O gofio hanes Hutchinson, does dim dal be sy'n debygol o fod yn y llwyth... rwbath na all Hutchinson gael gwared arno yn y ffordd arferol, gyfreithiol, mae hynny'n sicr. Mae peryg felly ei fod o'n rwbath a all wneud niwed amgylcheddol sylweddol. Ar y llaw arall, mae'n bosib nad oes llwyth ar ei ffordd o gwbwl – dwi ddim yn llwyr ymddiried yn ffynhonnell yr wybodaeth.'

'Wel,' parhaodd McFearson, 'mae cofnod bod un o lorris cwmni Hutchinson yn teithio i gyfeiriad y de ar yr M74 echdoe, yn oriau mân y bore. Yn anffodus, chawson ni 'mo'r wybodaeth honno tan y pnawn 'ma. Ond mae'n bosib mai llwyth cyfreithlon o wastraff oedd arni.'

'Ac ella ddim,' mynnodd Jeff.

'Dwi'n sylweddoli difrifoldeb eich sefyllfa anodd chi, ond dwi ddim yn barod i ddechrau gwneud yr arestiadau yma eto. Os bydd eich ymchwiliad chi'n datblygu mewn ffordd sy'n golygu ei bod yn hanfodol i chi arestio Hutchinson, gadewch i mi wybod ar unwaith, plis. Ffoniwch fi, ddydd neu nos. Efallai y bydd raid i mi symud yn gynt nag y byswn i'n lecio, ond gwell hynny na cholli'r cwbwl. Mi fydda i wedi paratoi, rhag ofn.' Rhoddodd McFearson ei rif ffôn personol iddo. 'Ddydd neu nos,' pwysleisiodd.

Roedd o angen cymorth, ystyriodd Jeff ar ôl rhoi'r ffôn i lawr. Er ei fod o wrth ei fodd yn gweithio ar ei liwt ei hun a dilyn ei drwyn, roedd o'n ddigon call i sylweddoli fod hon yn fenter rhy fawr i un dyn. Ond roedd pob un o'r plismyn ar ddyletswydd yn rhan o drefniadau'r ymweliad brenhinol. Cododd ei ffôn a deialu'r rhif cyfarwydd. Dim ateb. Ffoniodd rif arall, a Jessi, gwraig Esmor atebodd.

'Noswaith dda, Jessi,' meddai. 'Jeff sy 'ma. Ydi Esmor adra, tybed? Fedra i ddim cael gafael arno ar ei ffôn bach.'

'O, ti'n gwbod cystal â fi sut un ydi o, Jeff bach. Mae'r ffôn ym mhoced ei gôt o yn y cefn, ma' siŵr, ac mae o jest â chysgu o flaen y bocs. Aros funud.'

Clywodd Jeff y teledu'n bloeddio yn y cefndir, ac yna llais Esmor.

'Sut ma' hi, Jeff? Ti 'rioed yn gweithio o hyd? Mi fydd Meira am dy waed di!'

Roedd hi'n tynnu at hanner awr wedi wyth, a chofiodd Jeff yn sydyn nad oedd o wedi ffonio Meira i ddweud y bysa fo'n hwyr. Melltithiodd ei hun. Roedd o'n trio mor galed i gadw at ei addewid i Meira i dreulio llai o amser yn ei waith a chadw mewn gwell cysylltiad efo'r teulu, ond weithiau roedd pethau'n mynd yn drech na fo.

'Mi fyswn i wrth fy modd yn bod adra o flaen y tân fel chdi, Es, ond mae gen i waith i'w wneud heno – gwaith fydd o ddiddordeb i tithau hefyd, dwi'n gobeithio. Wyt ti'n rhydd yn hwyrach heno, o tua hanner awr wedi deg ymlaen?'

'Ro'n i wedi meddwl mynd am beint bach. Pam? Be sy gen ti mewn golwg?'

'Wrth ymchwilio i'r ymosodiad ar Dan, dwi wedi darganfod pwy sydd wedi bod yn rhoi gwenwyn yn yr afon, a sut. Ac yn ôl pob golwg, mae 'na lwyth arall o'r stwff i fod i gyrraedd heno, i'w ddympio yn y llyn.' Doedd gan Jeff ddim amser i ddweud yr holl hanes wrtho.

'Blydi hel, Jeff. Stwffio'r peint am heno felly. Be wyt ti isio i mi wneud?'

'Dod efo fi i gadw golwg o gwmpas y llyn ac ella medrwn ni roi stop arnyn nhw cyn i'r gwenwyn gyrraedd y dŵr.'

'Siŵr iawn. Wyt ti isio i mi ddod â rwbath efo fi?'

'Bydda'n barod i fod allan drwy'r nos. Ma' hi'n addo noson wlyb a gwyntog. Oes gen ti gêr i weld yn y tywyllwch?'

'Mae gen i ddau, a'r batris yn llawn dop. Un bob un i ni,' atebodd, yn falch o gael bod yn rhan o'r fenter.

'Gwych. A ty'd â dy efynnau llaw hefyd, rhag ofn. Dwi'n mynd adra am damaid o fwyd rŵan, ac i newid. Mi ddo' i i dy nôl di tua deg.'

'Iawn, mêt. Mi fydda i'n barod.'

Cyrhaeddodd Jeff adref am naw o'r gloch, a chofleidiodd ei wraig yn syth.

'Ddrwg gen i am heddiw, cariad. Mi oedd gen i un cyfweliad ar ôl y llall ac mi aeth yr amser i rwla. A rhaid i mi fynd allan eto mewn munud. Wyt ti wedi cadw swper i mi?'

'Stiw gawson ni – mae dy blât di yn y popty.'

'Diolch. Rhaid i mi fynd i newid gynta. Ydi'r plant yn cysgu?'

'Ydyn, y ddau, felly paid â gwneud twrw.'

Sleifiodd Jeff i fyny'r grisiau a daeth yn ôl i lawr ymhen rhai munudau. Trodd Meira i'w wynebu, gyda'r bowlen o stiw yn ei dwylo. Syrthiodd ei hwyneb pan welodd sut roedd o wedi'i wisgo, a bod ganddo efynnau llaw ar ei felt.

'O, lle ti'n mynd, Jeff?' gofynnodd yn ddrwgdybus. 'Ro'n i'n meddwl dy fod ti wedi stopio rhoi dy hun mewn sefyllfaoedd peryglus. Dwi'n sylweddoli be ydi dy waith di, wrth gwrs, ond o sbio arnat ti heno, mae'n amlwg nad ydi be wyt ti ar fin ei wneud yn waith swyddfa.'

'Does dim isio i ti boeni,' meddai, gan ddechrau bwyta.

'Dim ond mynd i gadw golwg ydw i, a dwi'n cario'r rhain jyst rhag ofn.' Amneidiodd at y gefynnau llaw ar ei felt, gan ddifaru nad oedd o wedi'u gadael nhw yn y car. 'Ew, mae'r stiw 'ma'n dda,' ychwanegodd er mwyn newid y pwnc.

Ond doedd Meira ddim yn brathu. Roedd hi wedi clywed stori debyg ganwaith o'r blaen. Syllodd ar ei gŵr.

'Lle wyt ti'n mynd heno, Jeff? Oes 'na beryg i ti gael dy frifo? Deud yn onest, plis.'

'Mynd at yr afon efo Esmor ydw i, achos mae 'na si fod rhywun am roi gwenwyn yn y dŵr.'

'Ro'n i'n meddwl mai ditectif sarjant oeddat ti, nid cipar afon. Wyt ti'n deud y gwir wrtha i?'

'Dwi'n meddwl bod cysylltiad rhwng hyn a'r ymosodiad ar Dan Dŵr. Dyna pam dwi'n mynd. Trystia fi, cariad. Mi fydd bob dim yn iawn.'

'Gobeithio, wir.'

Cofleidiodd y ddau yn dynn wrth y drws fel yr oedd o'n gadael, ond gallai Jeff ddweud nad oedd Meira'n hapus.

Ymhen ugain munud roedd Jeff wedi nôl Esmor ac roedd y ddau ar eu ffordd i Lyn Ceirw. Yn ystod y daith cafodd Jeff amser i roi'r cefndir i'w gyfaill a phwysleisio dyn mor dreisgar oedd Al Hutchinson, a'i bod yn bosib y byddai'r Albanwr yn cario gwn.

Cuddiwyd y car mewn llecyn anghysbell hanner milltir o'r llyn, a cherddodd y ddau weddill y ffordd yn y tywyllwch, gan gwmanu yn erbyn y gwynt cryf a'r glaw. Penderfynodd Jeff beidio mynd i weld a oedd unrhyw weithgarwch yn ffermdy Ceirw Uchaf – canolbwyntio ar y llyn oedd orau heno.

Gan fod y llyn tua thri chan llath ar draws a hanner

milltir o hyd, roedd yn dipyn o dasg cadw golwg ar ei holl lannau, a byddai angen croesi sawl ffos petai angen mynd i'r ochr arall.

'Lle ti'n feddwl ân nhw â fo, Jeff?' gofynnodd Esmor, yn gweld y broblem.

'Mi oedd 'na olion teiars yn y cae hanner canllath o'r lôn yr ochr yma, lle mae'r dŵr ddyfnaf.'

'Mae 'na le hwylus iawn yr ochr arall hefyd,' atebodd Esmor, 'ac mi fysa'n bosib gyrru lorri ar draws y cae er mwyn mynd â hi yn nes at y llyn. Be am wahanu? Un bob ochr.'

'Dyna fydd raid i ni wneud, beryg,' cytunodd Jeff.

'Dwi'n nabod y llyn a'r dirwedd yn well na chdi, Jeff, a'r llefydd gorau i groesi'r ffosydd. Mi a' i i'r ochr arall, ac os welwn ni, neu os glywn ni, rwbath amheus, gawn ni ffonio'n gilydd. Ond tro'r gloch i ffwrdd fel mai jyst crynu wneith o, rhag ofn i ni dynnu sylw aton ni'n hunain.' Roedd Esmor yn mwynhau ei antur annisgwyl.

'Iawn, mêt. Cymer bwyll, a bydda'n ofalus.'

Rhoddodd Jeff y cyfarpar i weld yn y tywyllwch dros ei ben, a chuddiodd yn y brwyn nid nepell o'r man lle gwelodd yr olion teiars. Trodd ei gefn ar y gwynt a'r glaw, a disgwyl. Ymhen chwarter awr teimlodd ei ffôn yn crynu a gwelodd enw Esmor ar y sgrin.

'Ti'n iawn?' gofynnodd.

'Dim ond gadael i ti wybod 'mod i yma. Nos da am rŵan. Ddo' i â phanad i ti fel bydd hi'n gwawrio.' Doedd Esmor ddim yn gwybod pryd i stopio cellwair.

Edrychodd Jeff ar ei oriawr. Hanner awr wedi un ar ddeg. Gobeithiai nad oeddynt wedi cyrraedd yn rhy hwyr... ond na, meddyliodd. Oriau mân y bore fyddai'r amser gorau i gael gwared ar wenwyn anghyfreithlon – a gweddillion cyrff troseddwyr is-fyd Glasgow.

Pam dod mor bell, gofynnodd iddo'i hun – allai o ddim credu nad oedd unlle addas yn nes na hyn i Glasgow. Al Hutchinson yn unig a wyddai'r ateb i hynny, mae'n debyg. Fo oedd y cysylltiad rhwng gogledd Cymru a'r Alban, a fo oedd perchennog y cwmni oedd â'r modd a'r offer i rendro cnawd ac esgyrn fel na fyddai modd dweud y gwahaniaeth rhwng dyn ac anifail.

Gallai Jeff ddeall pam na chladdwyd y cyrff yn yr Alban – er mor anghysbell oedd rhai o diroedd y wlad, roedd cyrff yn gallu dod i'r fei, a hynny flynyddoedd lawer ar ôl eu claddu. Roedd hynny wedi digwydd sawl gwaith yn dilyn y Trafferthion yng Ngogledd Iwerddon, ac roedd DNA yn gallu goroesi am amser hir.

Doedd dim arwydd bod y tywydd yn gwella, a phrin y gallai glywed dim ond y gwynt. Bob hyn a hyn roedd yn sychu'r glaw oddi ar lens y sbectol arbennig er mwyn iddo gael sbec o'i gwmpas.

Yna, am ugain munud i un yn y bore, clywodd sŵn injan dros ru y gwynt. Rhewodd. Clywodd yr un sŵn unwaith yn rhagor, ond yn nes y tro hwn. Cuddiodd yn is yn y brwyn a'r eithin, a gwelodd lorri yn nesáu – dim ond ei lampau ochr oedd ymlaen. Ceisiodd ffonio Esmor ond ni chafodd ateb.

Daeth y lorri i stop gerllaw ei guddfan a bagio tuag at y dibyn serth i gyfeiriad y dŵr dwfn. Pan oedd wedi mynd mor bell ag y gallai, diffoddwyd y golau a'r injan. Roedd tanc mawr sgwâr haearn ar gefn y lorri – ni fyddai peryg i hwn falu wrth daro craig siarp, ystyriodd Jeff, a diolchodd am hynny – ond pan ddechreuodd cefn y lorri godi er mwyn i'r tanc allu llithro oddi arni, llifodd yr adrenalin drwy gorff Jeff. Doedd ganddo ddim dewis. Wedi dod yma i stopio mwy o wastraff rhag cael ei ollwng i'r llyn oedd o, ac ni allai aros yn ei guddfan yn gwylio hynny'n digwydd o flaen ei drwyn.

Ganddo fo roedd y fantais. Doedden nhw ddim yn ei ddisgwyl, ac roedd o'n gallu gweld yn y tywyllwch. Cododd, a rhedeg i gyfeiriad ffrynt y lorri, er mwyn dringo i'r caban ac atal y gyrrwr rhag dadlwytho. Ond pan oedd o ychydig lathenni oddi wrthi, rhoddwyd goleuadau blaen cryf y lorri ymlaen. Yn yr eiliad honno trodd ei fantais o allu gweld yn y nos yn rhwystr: dallwyd ef wrth i'r golau cryf daro'r lensys arbennig, ac am rai eiliadau roedd o'n ddiymadferth.

Rhoddodd hynny ddigon o amser i Al Hutchinson neidio o'r caban a rhuthro amdano. Erbyn i Jeff ddod ato'i hun roedd o'n cwffio efo dyn llawer mwy na fo, ond roedd Jeff yn fwy nerthol a llawer iawn mwy penderfynol. Llwyddodd i daro pen Hutchinson fwy nag unwaith yn ochr y lorri, a rhoddodd hynny ddigon o gyfle iddo dynnu'r gefynnau llaw oddi ar ei felt a cheisio'u cau am arddyrnau Hutchinson. Cwffiodd Hutchinson yn ôl hynny a allai, ond roedd Jeff yn dal ei dir yn erbyn yr Albanwr, er bod hwnnw'n brwydro llawn cymaint i'w atal. Ond, yn annisgwyl, teimlodd ergyd ddychrynllyd ar gefn ei ben. Trodd rownd: roedd ail berson wedi dringo allan o ochr teithiwr y lorri ac wedi ei daro'n nerthol â darn trwm o bren.

Rai munudau'n ddiweddarach dechreuodd Jeff ddod ato'i hun, ond allai o ddim symud. Yn raddol, sylweddolodd ei fod ar gefn y lorri, a bod gefyn llaw o amgylch ei arddwrn chwith. Roedd y ddolen arall wedi'i chau am handlen a oedd yn rhan o'r tanc gwastraff. Teimlodd gefn y lorri yn codi'n araf a'r tanc trwm yn llithro yr un mor araf i lawr at y llyn. Allai o ddim gweld mwy, gan fod y cyfarpar i weld yn y tywyllwch wedi'i dynnu oddi ar ei ben. Ond doedd dim rhaid iddo weld – gwyddai beth oedd o'i flaen. Dŵr dwfn Llyn Ceirw; can troedfedd ohono. Llithrodd y tanc yn gyflymach a chyflymach wrth i gefn y lorri godi'n uwch ac yn uwch cyn disgyn i'r dŵr, a Jeff yn sownd ynddo. Yn y tywyllwch tarodd wyneb y llyn ac am eiliadau yn unig arnofiodd y tanc a'i gynnwys, ond yn fuan dechreuodd suddo, yn araf i ddechrau, ac yna'n gyflymach. Llanwodd Jeff ei ysgyfaint ag ocsigen. Ymhen eiliad roedd y tanc ac yntau o dan y dŵr.

# Pennod 38

Suddodd yn ddyfnach i'r fagddu, yn ymwybodol bod ei fywyd yn y fantol. Yna cofiodd am ail allwedd y gefynnau llaw oedd o amgylch ei wddf. Gan ddefnyddio'i law rydd, ymbalfalodd o dan ei ddillad – o'r diwedd, cafodd afael ar y cortyn tenau a thynnu arno gyda'i holl nerth i'w dorri. Ceisiodd ddarganfod twll y clo ond roedd ei law yn crynu. Ceisiodd bwyllo ac ymlacio, er mor anodd oedd hynny, a llwyddodd i agor y clo er bod ei ysgyfaint yn llosgi. Ysgydwodd ei hun yn rhydd oddi wrth y tanc ac anelu at wyneb y dŵr. Ciciodd ei goesau hynny a allai, ac o'r diwedd daeth i'r brig, a chymryd yr anadl fwyaf a gymerodd erioed.

Yn nhywyllwch y nos ni welai ddim byd o'i gwmpas, ond gwyddai nad oedd fwy nag ychydig lathenni oddi wrth y lan... i ba gyfeiriad ddylai o nofio? Cofiodd sylwi'n gynharach fod y tonnau'n chwythu allan o'r lan i gyfeiriad canol y llyn, a dechreuodd nofio yn erbyn y gwynt. Cyrhaeddodd y lan yn gyflym, ond roedd y tir yn serth. Erbyn iddo grafangu ymysg y creigiau a'r mwd i gyrraedd y top, roedd y lorri wedi diflannu. Damia. Eisteddodd yn llonydd anobeithiol ar y ddaear, yn y gwynt a'r glaw, wedi ymlâdd ac yn dal i anadlu'n drwm ac yn gyflym. Daeth delwedd o Meira a'r plant i'w feddwl wrth i'r oerfel afael ynddo, a theimlodd ei hun yn dechrau crynu. Edrychodd ar y gefyn llaw a oedd yn dal yn sownd yn ei arddwrn a synnodd fod yr allwedd, a'r cortyn tenau yn hongian ohono, yn dal yn y clo. Datglodd yr hanner a oedd am ei fraich a rhoi'r gefynnau yn y boced bwrpasol ar ei felt. Gwnaeth gwlwm yn y cortyn a'i roi yn ôl o amgylch ei wddf.

'Jeff? Jeff, wyt ti yna?' clywodd lais Esmor drwy'r tywyllwch. Roedd y cipar yn dal i wisgo'r offer i weld yn y tywyllwch.

'Fan hyn,' atebodd Jeff.

'Rargian, be ddigwyddodd i ti?'

'Penderfynu mynd i nofio wnes i,' atebodd, cyn dechrau dweud yr hanes wrtho.

'Chlywis i ddim byd,' atebodd Esmor, 'gweld y goleuadau wnes i, a dod draw. Wnes i drio dy ffonio di ar ôl i'r goleuadau fynd, ond ches i ddim ateb. Dim blydi rhyfedd.'

Tynnodd Jeff ei ffôn o'i boced. 'Fydd hwn ddim llawer o ddefnydd i neb eto, mae gen i ofn,' meddai. 'Pa ffordd aeth goleuadau'r lorri?'

'I lawr i gyfeiriad y dre a'r lôn fawr, ond mi gollis i olwg arni ar ôl iddi fynd ryw hanner milltir. Ty'd, well i mi fynd â chdi adra i sychu a chnesu.'

'Dim diawl o beryg,' protestiodd Jeff. 'Os na welist ti oleuadau'r lorri yn mynd ymhellach na hanner milltir, i ffermdy Ceirw Uchaf aeth hi, siŵr i ti. A dyna lle 'dan ninna'n mynd hefyd. Maen nhw'n meddwl 'mod i'n farw ar waelod y llyn, felly fi fydd y person ola fyddan nhw'n disgwyl ei weld. Wyt ti'n gêm?'

Doedd dim rhaid gofyn i Esmor ddwywaith. Rhedodd a brasgamodd y ddau bob yn ail yn ôl at y car. Roedd Jeff wedi dechrau cynhesu rhywfaint erbyn iddyn nhw gyrraedd, a thrwy ryw wyrth roedd ei allwedd electronig yn gweithio i agor drws y car a'i danio. Gwisgodd Jeff yr offer gweld yn y nos oedd gan Esmor cynt, fel nad oedd angen iddo roi goleuadau'r car ymlaen.

Mor ddistaw â phosib, parciodd Jeff y car ar draws y lôn breifat gul a arweiniai at ffermdy Ceirw Uchaf, er mwyn atal unrhyw gerbyd rhag gadael y safle. Estynnodd Jeff bastwn bychan o flwch menig y car a'i roi yn ei boced – ei bastwn bach arbennig oedd hwn, un byr fel y rhai roedd pob plismones yn eu cario yn eu bagiau llaw ers talwm. Bu'n ddefnyddiol iddo fwy nag unwaith yn y gorffennol – doedd Jeff ddim yn cofio sut y daeth ar ei draws, ond cyn iddo ddod i'w feddiant roedd rhywun wedi tyllu i mewn i'w ganol a'i lenwi efo plwm i'w wneud yn hynod o drwm. Dangosodd yr arf i Esmor.

'Oes gen ti rwbath tebyg i hwn, Es?' gofynnodd wrth i'r ddau sleifio o lech i lwyn yn nes at y tŷ.

'Dim ond y rhain,' sibrydodd, gan ddangos ei ddyrnau. 'Fydda i ddim angen dim byd arall, 'ngwas i.' Gwenodd Jeff wrth gofio'r straeon am y cipar afon yn cael y gorau ar lu o botswyr ar lan yr afon gyda dim byd ond ei ddyrnau.

Tynnwyd ei sylw gan olau yn dod o swyddfa Emyr Lloyd ar lawr isaf Ceirw Uchaf. Roedd y cyrtens wedi'u cau, felly aeth y ddau ddyn yn nes. Wrth wrando'n astud o'r tu allan clywsant leisiau dynion yn sgwrsio, ond doedd dim modd dweud sawl person oedd yno. Yn ddistaw, trodd Jeff ddwrn y drws ffrynt a darganfod nad oedd o wedi'i gloi. Ciledrychodd i mewn i'r cyntedd – roedd drws y swyddfa wedi'i gau yn dynn. Sibrydodd yng nghlust Esmor, a chwiliodd hwnnw am declyn addas i'w luchio drwy'r ffenest. Daeth yn ei ôl yn cario un o'r cadeiriau gardd metel oddi ar y patio.

Camodd Jeff yn ddistaw i mewn i'r cyntedd a disgwyl am ennyd y tu allan i ddrws y swyddfa. Yr eiliad y clywodd sŵn gwydr y ffenest yn malu'n deilchion, rhoddodd gic nerthol i ddrws y swyddfa. Trodd tri dyn o gyfeiriad y ffenest i edrych arno'n rhuthro amdanynt: Emyr Lloyd, Al Hutchinson a Cwnstabl Lionel Hudson. Roedd Emyr Lloyd mewn dillad hamdden, ond roedd y ddau arall yn gwisgo dillad gwrth-ddŵr, a'r rheiny'n wlyb diferol. Doedd dim rhaid i Jeff ofyn, felly, pwy oedd cydymaith Hutchinson wrth ochr y llyn, yr un a'i tarodd mor giaidd a'i glymu i'r tanc mawr metel.

Roedd y sioc a'r braw ar wyneb y tri yn amlwg. Aeth Jeff am y mwyaf a'r peryclaf o'r tri, Hutchinson, a chyn i hwnnw gael amser i amddiffyn ei hun, tarodd Jeff o'n galed ar draws ei ben efo'r pastwn bach arbennig. Wrth i Hutchinson weld sêr, neidiodd Hudson i gyfeiriad Jeff, a symudodd Emyr Lloyd i gyfeiriad ei ddesg. Ymddangosodd Esmor yn y drws, a chan ystyried y sefyllfa'n sydyn, neidiodd i gyfeiriad Lloyd.

Doedd Jeff ddim yn un am wastraffu amser, a defnyddiodd y pastwn bach eto i daro Hudson ar ei ben yn ddigon caled iddo yntau ddisgyn fel sachaid o datws yn anymwybodol ar y llawr wrth ochr Hutchinson.

Chafodd Esmor a'i ddyrnau mohoni mor hawdd. Erbyn iddo hedfan ar draws y ddesg i gyfeiriad Emyr Lloyd, roedd hwnnw wedi agor drôr yn ei ddesg ac estyn gwn ohono. Gwn llaw o gyfnod yr Ail Ryfel Byd oedd o, ac er bod Esmor wedi ceisio cydio ynddo, daliodd Lloyd ei afael yn dynn yn yr arf nes roedd y ddau'n reslo drosto. Cyn i Jeff allu helpu ei gyfaill, clywodd glec uchel yn atseinio dros yr ystafell. Dilynwyd y glec gan floedd, a disgynnodd Emyr Lloyd yn ôl yn erbyn cadair y ddesg. Plygodd Esmor drosto, y gwn yn ei law, a dechreuodd Lloyd weiddi a gafael yn ei goes chwith waedlyd.

Yr eiliad honno, ymddangosodd Dwynwen Lloyd yn y drws yn ei dillad nos, yn dal gwn baril dwbl deuddeg bôr. Roedd ei gwallt yn flêr fel petai newydd ddeffro, a'i llygaid yn fawr a llawn cyffro. Anelodd y gwn i gyfeiriad Jeff ac Esmor bob yn ail, a symudodd Esmor y tu ôl i Emyr Lloyd, oedd yn dal i riddfan, a phwyntio'r refolfer yn ôl ati.

'Dwynwen! Peidiwch â bod yn wirion,' gwaeddodd Jeff. 'Peidiwch â gwneud petha'n waeth. Mae'r cwbwl drosodd, a does 'na ddim allwch chi 'i wneud.'

Safodd Dwynwen yn llonydd wrth geisio penderfynu ar ei cham nesaf. Edrychodd ar Esmor a'r gwn llaw oedd yn pwyntio tuag ati, a thynnodd Esmor y glicied yn ôl, yn barod i saethu.

'Dwynwen,' meddai Jeff eto. 'Un cyfle gewch chi.'

Gollyngodd Dwynwen y gwn ar lawr wrth ei thraed a safodd yno'n ddiymadferth. Cerddodd Jeff tuag ati'n araf, codi'r gwn a thynnu'r cetris ohono. Tynnodd ei efynnau llaw oddi ar ei felt am yr eilwaith y noson honno, a'u rhoi o amgylch ei harddyrnau. Yna, defnyddiodd efynnau llaw Esmor i gysylltu arddyrnau Hutchinson a Hudson â'i gilydd. Roedd Emyr Lloyd yn dal i eistedd yn y gadair tu ôl i'r ddesg, yn griddfan mewn poen ac yn gwaedu fel mochyn, felly cododd Jeff y ffôn ar y ddesg a deialu 999.

Roedd hi wedi dechrau gwawrio erbyn i Jeff gyrraedd adref.

'Arglwydd, Jeff, mae golwg y diawl arnat ti,' meddai Meira, 'ac mae dy ddillad di'n socian. Be goblyn wyt ti wedi bod yn wneud?'

'Disgyn i'r llyn wnes i.'

* * *

Rai dyddiau'n ddiweddarach daeth Daniel Pritchard allan o'i goma yn Ysbyty Gwynedd, ac ymhen tair wythnos roedd o gartref yn nhŷ ei fab yng Nglan Morfa. Roedd disgwyl iddo wella'n llwyr, a bu'n rhaid iddo addo i'w fab – ac i Esmor – na fyddai'n mentro allan liw nos ar ei ben ei hun eto.

* * *

Ymhen yr wythnos roedd deifars proffesiynol wedi archwilio gwaelod Llyn Ceirw yn fanwl. Darganfuwyd tri thanc oedd wedi cael eu gollwng i'r llyn yn ystod yr wythnosau blaenorol, a BMW Tony Stewart. Roedd corff Tony yn sedd y gyrrwr, ei arddyrnau wedi'u rhwymo i'r llyw.

Gwnaethpwyd profion ar gynnwys y tanciau, ac roedd y canlyniadau, oedd yn cynnwys DNA dynol, o ddiddordeb mawr i'r Ditectif Brif Uwch-arolygydd McFearson yn Glasgow.

# Epilog

Un bore Sul yn hwyr y mis Mawrth canlynol, roedd Jeff a Meira'n cerdded law yn llaw ar hyd traeth Glan Morfa. Er bod y gwynt yn fain, roedd Twm a Mairwen yn chwarae'n hapus gydag Enfys y ci, yn lluchio pêl iddi bob yn ail. Fel hyn ddylai boreau Sul fod, meddyliodd Jeff.

Ond hyd yn oed ar fore fel heddiw, ar ôl ymchwiliad o bron i bedwar mis gan dimau o dditectifs i weithgareddau Emyr a Dwynwen Lloyd a'u cyfeillion, ni allai Jeff gael yr achos allan o'i feddwl. Erbyn hyn roedd nifer o ddynion a menywod wedi cael eu harestio am fod yn gysylltiedig â threisio merched ifanc; yn eu mysg roedd athro, bargyfreithiwr, uwch-swyddogion llywodraeth leol, perchnogion tir, swyddogion undebau'r ffermwyr a phlismon: Lionel Hudson.

Ar ôl i Dan Dŵr ddod ato'i hun yn iawn cafodd Jeff yr holl stori ganddo. Chwilio am bwy bynnag oedd yn gwenwyno'r afon roedd o, fel yr oedd Jeff wedi tybio, pan dynnwyd ei sylw gan dân yn y goedwig un noson. Wrth iddo agosáu roedd wedi gwneud nodiadau brysiog o rifau'r ceir a welodd ger ffermdy Ceirw Uchaf. Rhaid bod cysylltiad o ryw fath rhwng y tân a'r tŷ cyfagos, meddyliodd, ond cafodd ei anafu cyn darganfod y gwir. Roedd ar ben ei ddigon pan ddywedodd Jeff wrtho mai'r nodiadau yn ei lyfrau bach o oedd yn gyfrifol am ddechrau'r ymchwiliad go iawn.

Edrychodd Jeff tuag at aber afon Ceirw, a gweld bod Twm ar fin lluchio'r bêl i mewn i'r dŵr yno.

'Paid, Twm!' gwaeddodd Jeff nerth ei ben cyn i Enfys lamu i mewn i ddŵr ceg yr afon.